D1678604

हिन्दी व्याकरण

(रस-छंद-अलंकार सहित)

हिन्दी व्याकरण

(रस-छंद-अलंकार सहित)

डॉ. उमेश चन्द्र शुक्ल

वाणी प्रकाशन

वाणी प्रकाशन

4695, 21-ए, दरियागंज, नयी दिल्ली 110 002

शाखा

अशोक राजपथ, पटना 800 004

फ़ोन: +91 11 23273167 फ़ैक्स: +91 11 23275710

www.vaniprakashan.in
vaniprakashan@gmail.com

HINDI VYAKARAN
by Dr. Umesh Chandra Shukla

ISBN : 978-81-93-5000-151-6
© 2012 प्रकाशकाधीन
प्रथम संस्करण

मूल्य : ₹ 250

इस पुस्तक के किसी भी अंश को किसी भी माध्यम में प्रयोग करने के लिए प्रकाशक से लिखित अनुमति लेना अनिवार्य है।

ओम ऑफ़सेट, दिल्ली-110093 में मुद्रित

वाणी प्रकाशन का लोगो मक़बूल फ़िदा हुसेन की कूची से

परम् आदरणीय बाबू जी
डॉ. सुधाकर मिश्र जी
को
सादर समर्पित

विषय सूची

व्याकरण

व्याकरण का शाब्दिक अर्थ है विश्लेषण। भाषा के संदर्भ में उसका अर्थ होगा–भाषा का विश्लेषण। अर्थात् व्याकरण भाषा की वह औषधि है जो भाषा के शुद्ध रूप और प्रयोग के नियमों को अपने प्रभाव से भाषा में प्रयुक्त कर ठीक करती है, जिसके द्वारा किसी भाषा का सम्यक् ज्ञान होता है। व्याकरण के द्वारा किसी भाषा का शुद्ध लिखना, शुद्ध बोलना, सही समझना सरल हो जाता है। इसलिए किसी भी भाषा को जानने, समझने के लिए व्याकरण का ज्ञान आवश्यक है।

भाषा

भाषा शब्द संस्कृत की 'भाष्' धातु से बना है जिसका अर्थ है–बोलना या कहना अर्थात् भाषा वह साधन है जिसे बोला जाय। जिसके माध्यम से हम सोचते हैं तथा भावों या विचारों को व्यक्त करते हैं। अर्थात् "जिसकी सहायता से मनुष्य परस्पर विचार-विनिमय या सहयोग करते हैं, उस यादृच्छिक, रूढ़, ध्वनि-संकेत की प्रणाली को भाषा कहते हैं।"

भाषा के भेद–भाषा के तीन भेद हैं।

(1) वाचिक या कथित

(2) लिखित

(3) सांकेतिक

(1) वाचिक या कथित–भाषा का वह रूप जिसे बोला तथा सुना जाता है। इसे बोली भी कहते हैं यही वाचिक भाषा है।

(2) लिखित–भाषा का वह रूप जो लिखा, देखा एवं पढ़ा जा सकता है।

(3) सांकेतिक–भाषा का वह स्वरूप जिसमें इशारे से भावों को समझा जा सकता है, सांकेतिक भाषा कहलाती है।

भाषा का गठन–अक्षर, शब्द एवं वाक्य ये तीनों ही भाषा के मूल आधार हैं, क्योंकि भाषा, वाक्य से मिलकर बनती है। वाक्य, शब्दों के योग से बनते हैं तथा शब्द, अक्षरों के मेल से बनते हैं।

वर्ण

वर्ण उस मूल ध्वनि को कहते हैं, जिसके खंड या टुकड़े नहीं किए जा सकते।

वर्ण और अक्षर में अंतर है। वर्ण बोला जाने वाला छोटे से छोटा टुकड़ा है परंतु 'अक्षर' समझा जाने वाला छोटे से छोटा टुकड़ा है जैसे—अ, आ, इ, उ। हम इन्हें स्वरों में बोल सकते हैं पर इनका और छोटा अंश नहीं हो सकता, इसलिए इन्हें वर्ण या अक्षर दोनों कह सकते हैं। क, च, प, थ व्यंजनों को बोल सकते हैं, परंतु इनमें 'अ' स्वर मिला हुआ है यदि स्वर 'अ' को निकाल दिया जाए तो इसका उच्चारण क् च् प् थ् हो जाएगा जिसे बोलने में कठिनाई होगी। इसलिए स्वर विहीन व्यंजन भले ही न बोले जा सकें परंतु वे उच्चारण का अंतिम टुकड़ा होने के कारण अक्षर अवश्य हैं। ऐसे स्वर विहीन व्यंजनों को वर्ण नहीं कहा जा सकता। इस प्रकार संपूर्ण स्वर, वर्ण और अक्षर दोनों कहला सकते हैं, परंतु संपूर्ण स्वर रहित व्यंजनों को जिन्हें शुद्ध व्यंजन की संज्ञा दी जा सकती है, अक्षर कहा जा सकता है, वर्ण नहीं।

वर्णमाला–वर्ण के क्रमबद्ध समूह को वर्णमाला कहा जाता है। इन वर्णों के दो भेद हैं—(1) स्वर वर्ण (2) व्यंजन वर्ण।

स्वर वर्ण

स्वर वह ध्वनि है जिसके उच्चारण में हवा अबाध गति से मुख विवर से निकल जाती है अर्थात् "स्वर उन वर्णों को कहते हैं जिसका उच्चारण बिना अवरोध या विघ्न बाधा के होता है।" इनके उच्चारण में किसी दूसरे वर्ण की सहायता नहीं ली जाती बल्कि ये व्यंजन वर्णों के उच्चारण में सहायक होते हैं।

हिन्दी में स्वर वर्णों की कुल संख्या 13 है–

अ आ इ ई उ ऊ ऋ ॠ लृ ए ऐ ओ औ।

स्वरों के भेद

स्वर तीन प्रकार के होते हैं—1. ह्रस्व (लघु), 2. दीर्घ, 3. प्लुत।

(1) **ह्रस्व**—जिन स्वर वर्णों के उच्चारण में अत्यल्प समय लगता है, उन्हें ह्रस्व स्वर कहते हैं। इनकी एक मात्रा होती है। अ, इ, उ, ऋ ये कुल चार होते हैं।

(2) **दीर्घ**—जिन स्वर वर्णों के उच्चारण में अत्यधिक समय और जोर लगे उन्हें दीर्घ स्वर कहते हैं। जैसे—आ, ई, ऊ, ए, ऐ, ओ औ, ये अक्षर सात होते हैं।

(3) **प्लुत**—जिन अक्षरों के उच्चारण में ह्रस्व से तिगुना समय लगे वे अक्षर प्लुत कहलाते हैं। जैसे--हे राऽम, ओऽम आदि। इसका प्रयोग दूर के व्यक्ति के लिए

होता है। इसका चिह्न (S) का है।

व्यंजन

व्यंजन वह ध्वनि है जिसके उच्चारण में हवा अबाध गति से नहीं निकलने पाती। या तो इसे पूर्ण अवरुद्ध होकर फिर आगे बढ़ना पड़ता है या संकीर्ण मार्ग से घर्षण खाते हुए निकलना पड़ता है, या मध्य रेखा से हटकर एक या दोनों पार्श्वों से निकलना पड़ता है, या किसी भाग को कंपित करते हुए निकलना पड़ता है। इस प्रकार व्यंजन उन वर्णों को कहते हैं जिनका उच्चारण स्वर वर्णों की सहायता के बिना नहीं हो सकता। हर एक व्यंजन के उच्चारण में 'अ' की ध्वनि छिपी रहती है। हिंदी में व्यंजन वर्णों की संख्या 33 है।

व्यंजनों के भेद

1. स्पर्श व्यंजन, 2. अन्तःस्थ व्यंजन, 3. ऊष्म व्यंजन।

स्पर्श व्यंजन–ये कंठ, तालू, मूर्द्धा, दन्त और ओष्ठ स्थानों के स्पर्श से बोले जाते हैं। इसी से इन्हें स्पर्श व्यंजन कहते हैं। इनकी संख्या 25 है।

कवर्ग–क, ख, ग, घ, ङ = (कंठ से) कोमल तालव्य
चवर्ग–च, छ, ज, झ, ञ = (तालु से) स्पर्श संघर्शी
टवर्ग– ट, ठ, ड, ढ, ण = (मूर्द्धा से) पूर्व तालव्य
तवर्ग– त, थ, द, ध, न = (दन्त से) स्पर्श व्यंजन
पवर्ग– प, फ, ब, भ, म = (ओष्ठ) द्वयोष्ठ्य
य, र, ल, व = (अन्तःस्थ)
श, ष, स, ह = (ऊष्म)

उच्चारण में वायुप्रक्षेप के विचार से व्यंजन दो प्रकार के होते हैं : (1) अल्पप्राण (2) महाप्राण।

अल्पप्राण–प्राण का अर्थ है वायु और अल्प का अर्थ है थोड़ा अर्थात् जिनके उच्चारण में थोड़ा परिश्रम करना पड़ता है और जिनमें हकार जैसी ध्वनि नहीं होती है, उन्हें अल्पप्राण व्यंजन कहते हैं। स्पर्श व्यंजन के प्रत्येक वर्ग का पहला, तीसरा और पाँचवाँ वर्ण अल्पप्राण व्यंजन कहलाता है। जैसे–क ग ङ, च ज ञ, ट ड ण, त द न, प ब म, अन्तःस्थ व्यंजन भी अल्पप्राण व्यंजन की कोटि में ही आते हैं।

महाप्राण–जिसके उच्चारण में हकार जैसी ध्वनि विशेष रूप से रहे, महाप्राण व्यंजन कहलाते हैं। इनके उच्चारण में प्राणवायु का उपयोग अधिक श्रमपूर्वक करना पड़ता है। स्वर वर्णों के प्रत्येक वर्ग का दूसरा और चौथा वर्ण एवं संपूर्ण ऊष्म वर्ण महाप्राण व्यंजन है। जैसे–ख, घ, छ, झ, ठ ढ, थ ध, फ भ, एवं श ष सह, न्ह,

म्ह, ल्ह र्ह, ढ़।

नाद की दृष्टि से व्यंजन वर्ण दो प्रकार के होते हैं–**1. घोष, 2. अघोष।**

घोष व्यंजन–नाद का ही दूसरा नाम घोष है जिनके उच्चारण में स्वरतंत्रियाँ झंकृत होती हैं उन्हें घोष व्यंजन कहते हैं। स्पर्श व्यंजनों में प्रत्येक वर्ग का तीसरा, चौथा, पाँचवाँ वर्ण, सभी स्वर वर्ण एवं य र ल व ह घोष वर्ण हैं।

अघोष व्यंजन–जिनके उच्चारण में स्वरतंत्रियाँ झंकृत नहीं होती हैं उन्हें अघोष व्यंजन कहते हैं। इनके उच्चारण में केवल श्वास का उपयोग होता है। अघोष व्यंजन–क ख, च छ, ट ठ, त थ, प फ, श ष स हैं।

अनुनासिक–(ँ) ऐसे स्वरों का उच्चारण नाक और मुँह से होता है और उच्चारण में लघुता रहती है। जैसे–गाँव, वहाँ, दाँत इत्यादि।

अनुस्वार–(ं) यह स्वर के बाद आने वाला व्यंजन है, जिनकी ध्वनि नाक से निकलती है। जैसे–दंत, कंत, अंगूर।

निरनुनासिक–केवल मुँह से बोले जाने वाले स्वर वर्णों को निरनुनासिक कहते हैं। जैसे–इधर, उधर, आप, घर।

विसर्ग–(:) अनुस्वार की तरह विसर्ग भी स्वर के बाद आता है। यह व्यंजन है। इसका उच्चारण ह् की तरह होता है। नमः शिवाय, मनः कामना।

वर्णों का उच्चारण और वर्गीकरण

मुख के जिस भाग से जो वर्ण उच्चरित होता है वह भाग उस वर्ण का 'उच्चारण स्थान' माना जाता है।

वर्णों के उच्चारण स्थान छह हैं–(1) कंठ (2) तालु (3) मूर्द्धा (4) दाँत (5) ओठ तथा (6) नाक।

1. कंठ्य–जिनका उच्चारण कंठ और निचली जीभ (कोमल तालु) के स्पर्श से होता है। जैसे–अ, आ, कवर्ग, ह और विसर्ग : है।

2. तालव्य–जिनका उच्चारण कठोर तालु और जीभ के स्पर्श से होता है। जैसे–इ ई, चवर्ग, य और श।

3. मूर्द्धन्य–जिसके उच्चारण में जिह्वा की नोक प्रायः उलटकर मूर्द्धा का स्पर्श करती है। मूर्द्धन्य ध्वनियों के उच्चारण के लिए जिह्वा का उलटना अनिवार्य नहीं है; जिह्वा की नोक से सीधे भी मूर्द्धा का स्पर्श करने से मूर्द्धन्य ध्वनियाँ उत्पन्न हो जाती हैं। यथा–टवर्ग और श, ऋ, ॠ,।

4. दंत्य–जिनका उच्चारण दाँत और जीभ के स्पर्श से होता है। जैसे–ऌ, ॡ, तवर्ग, ल और स।

5. ओष्ठ्य–जिनका उच्चारण ओठों के स्पर्श से होता है। जैसे–उ, ऊ और पवर्ग।

6. अनुनासिक–जिनका उच्चारण अपने वर्ग के उच्चारण-स्थान के बाद नाक से भी होता है। जैसे–ङ, ञ, ण, न, म और अनुस्वार चंद्रबिंदु।

7. कंठतालव्य–जिनका उच्चारण कंठ और कठोर तालु में जीभ के स्पर्श से होता है। जैसे–ए, ऐ।

8. कंठोष्ठ्य–जिनका उच्चारण कंठ से जीभ और ओठों के कुछ स्पर्श से होता है। जैसे–ओ, औ।

9. दंत्योष्ठ्य–जिनका उच्चारण दाँत से जीभ और ओठों के कुल योग से होता है। जैसे–व।

संयोग

स्वरों से रहित व्यंजनों का आपस में मिलना संयोग कहलाता है। जैसे–'स्व'–यहाँ स् और व के बीच कोई स्वर नहीं है। ये दोनों व्यंजन बाद वाले (व में मिले हुए अ) स्वर के सहारे खड़े हैं। 'पानी' शब्द में चार वर्ण हैं–प् आ न् ई। इन चारों वर्णों के संयोग होने से 'पानी' शब्द बना है।

शब्द विचार

'ध्वनियों' के मेल से बने सार्थक वर्ण समुदाय को शब्द कहते हैं। जैसे–हम, बालक, वह इत्यादि।

शब्द के भेद

1. अर्थ के विचार से शब्द दो प्रकार के होते हैं–(1) सार्थक (2) निरर्थक।

(1) **सार्थक शब्द**–वे हैं जिनका कोई-न-कोई निश्चित अर्थ होता है। जैसे–मोहन, श्याम, बड़ा, कलम इत्यादि।

(2) **निरर्थक शब्द**–वे हैं जिनका कोई कोशगत अर्थ नहीं होता है। जैसे–कङ, ठिमी, मण इत्यादि।

हिंदी व्याकरण में मात्र सार्थक शब्दों का प्रयोग होता है : निरर्थक शब्दों का प्रयोग सार्थक बनाने के बाद ही किया जा सकता है।

2. बनावट के अनुसार शब्द तीन प्रकार के होते हैं–(1) रूढ़ (2) यौगिक (3) योगरूढ़।

रूढ़ शब्द–जिन शब्दों के खंड सार्थक न हों, उन्हें रूढ़ शब्द कहते हैं। जैसे–नाक, कान, घर, झट इत्यादि ।

यौगिक शब्द–जिनके खंड सार्थक होते हैं तथा जो दूसरे शब्दों के मेल से बनते हैं उन्हें **यौगिक शब्द कहते हैं।** जैसे–पीलापन, आगबबूला आदि।

योगरूढ़ शब्द–ऐसे शब्द जो यौगिक तो होते हैं परंतु अर्थ के विचार से अपने

सामान्य अर्थ को छोड़कर परंपरा से **विशेष अर्थ के परिचायक** होते हैं, योगरूढ़ कहलाते हैं। जैसे पंकज, गजानन, दशानन, चन्द्रशेखर इत्यादि।

3. उत्पत्ति के अनुसार शब्द पाँच प्रकार के होते हैं–(1) **तत्सम** (2) **अर्द्धतत्सम** (3) **तद्भव** (4) **देशज** (5) **विदेशज**।

तत्सम शब्द–जो शब्द संस्कृत से हिंदी में ज्यों-के-त्यों आ गए हैं उन्हें **तत्सम शब्द** कहा जाता है। जैसे–आम्र, शलाका, खर्पर आदि।

अर्द्धतत्सम शब्द–वे शब्द जो संस्कृत से थोड़ा परिवर्तित होकर हिंदी में आए हैं, ये **शब्द संस्कृत के अधिक निकट हैं**। जैसे–अग्नि से अगिन, धर्म से धरम, कार्य से कारज, रात्रि से रात इत्यादि।

तद्भव शब्द–ऐसे शब्द जो संस्कृत और प्राकृत से विकृत होकर हिंदी में आए हैं, तद्भव कहलाते हैं। जैसे–आग, पुन्य, पिय, मोर, नौ इत्यादि।

देशज शब्द–वे शब्द जिनकी व्युत्पत्ति का पता नहीं चलता बल्कि अपने देश के लोगों की ही बोल-चाल से बने हैं, **देशज कहलाते** हैं। जैसे–तेन्दुआ, चिड़िया, जूता, खिचड़ी, लोटा आदि।

विदेशज शब्द–विदेशी भाषाओं से हिंदी भाषा में आए शब्दों को विदेशज कहते हैं। जैसे–अरबी से आए शब्द–कीमत, हैजा, कायदा, तजुरबा। फारसी से आए शब्द–खूब, कमीना, दुकान। अंग्रेजी से आए शब्द–अफसर, सिलेट, अप्रैल। तुर्की से आए शब्द–आया, आका, कालीन। पुर्तगाली से आए शब्द–अलकतरा, आलपीन, किराना।

4. रूपांतर या प्रयोग या शब्दार्थ के अनुसार शब्द दो प्रकार के होते हैं–(1) **विकारी** (2) अविकारी।

विकारी शब्द–जिन शब्दों के रूप में विकार या परिवर्तन हुआ करता है इन्हें विकारी शब्द कहते हैं। विकारी शब्दों में संज्ञा, सर्वनाम, क्रिया और विशेषण आते हैं।

अविकारी शब्द–जिन शब्दों के रूप में विकार या परिवर्तन नहीं होता अविकारी कहलाते हैं। इन्हें अव्यय भी कहा जाता है। अविकारी शब्दों में क्रिया-विशेषण, समुच्चयबोधक, संबंधसूचक, विस्मयादिबोधक आते हैं।

हिंदी वर्णमाला और लिपि-विज्ञान

हिंदी की भाषा का प्रयोग हमलोग बोलकर या लिखकर करते हैं। मनुष्य को अपने भावों और विचारों को स्थायी बनाने की आवश्यकता की पूर्ति के लिए लिपि की आवश्यकता पड़ी। लिपि के ही कारण हम हजारों वर्ष पहले के साहित्य को पढ़ सकते हैं। लिपि ने ही हमारी व्यक्त वाणी को दृश्यमान और चिरस्थायी बनाया। हिंदी-भाषा की लिपि 'देवनागरी' है। बोलचाल की भाषा में उसे 'नागरी' भी कहा जाता है।

लिपि-संकेत

देयनागरी लिपि में ग्यारह स्वर (ह्रस्व–अ, इ, उ, ऋ, दीर्घ आ, ई, ऊ, संयुक्त दीर्घ ए, ऐ, ओ, औ) और 33 व्यंजन (स्पर्श–कवर्ग, चवर्ग, टवर्ग, तवर्ग, पवर्ग, अन्तःस्थ–य, र, ल, व, ऊष्म–श, ष, स, ह) हैं। व्यंजन के साथ स्वर का मेल होने पर स्वर का जो रूप होता है, उसे मात्रा कहते हैं। उदाहरणार्थ–

अ	आ	इ	ई	उ	ऊ	ऋ	ए	ऐ	ओ	औ
	ा	ि	ी	ु	ू	ृ	े	ै	ो	ौ

अ के लिए मात्रा निश्चित नहीं है। जब यह व्यंजन के साथ मिल जाता है तब व्यंजन के नीचे का चिह्न (्) नहीं लिखा जाता। उदाहरणार्थ–क+अ=क, ख+अ=ख, ग+अ=ग। आ (ा), ई (ी), ओ (ो), और औ (ौ) की मात्राएँ व्यंजन के बाद जोड़ी जाती हैं। जैसे–का, की, को, कौ। इ (ि) की (ी) मात्रा व्यंजन के पहले ए (े) और ऐ (ै) की मात्राएँ व्यंजन के ऊपर तथा उ (ु) ऊ (ू) ऋ (ृ) की मात्राएँ नीचे लगाई जाती हैं।

'र' व्यंजन में उ और ऊ मात्राएँ अन्य व्यंजनों की तरह न लगाई जाकर निम्नलिखित रूप से लगाई जाती हैं–

र+उ=रु, र+ऊ=रू।

अनुस्वार (ं) और विसर्ग (ः) क्रमशः स्वर के ऊपर तथा बाद में जोड़े जाते हैं। उदाहरणार्थ–क्+अं=कं, क+अः=कः।

स्वरों की मात्राओं तथा अनुस्वार एवं विसर्ग सहित एक व्यंजन वर्ण के बारह रूप होते हैं, इन्हें 'बारह खड़ी' कहते हैं। उदाहरणार्थ– क का कि ग गा गि गी गु गू गे गै गो गौ गं गः।

व्यंजन दो तरह से लिखे जाते हैं–खड़ी पाई के साथ और बिना खड़ी पाई के साथ। ङ छ ट ठ ड ढ द र बिना खड़ी पाई वाले व्यंजन हैं। और शेष व्यंजन जैसे क ख ग घ च इत्यादि खड़ी पाई वाले व्यंजन हैं। सामान्यतः सभी वर्णों के सिरे पर एक-एक आड़ी रेखा रहती है, ज ध, झ और भ में कुछ तोड़ दी जाती है।

जब दो या दो से अधिक व्यंजनों के बीच कोई स्वर नहीं रहता तो दोनों के मेल से संयुक्त व्यंजन बन जाते हैं। उदाहरणार्थ–

क्+त= क्त, त्+य=त्य, क्+ल=क्ल।

जब एक व्यंजन अपने समान अन्य व्यंजन से मिलता है तो उसे 'द्वित्व व्यंजन' कहते हैं। उदाहरणार्थ–

क्क (चक्का), त्त (पत्ता), न्न (गन्ना), म्म (सम्मान) आदि।

हिंदी में एक से अधिक रूप वाले लिपि-चिह्न

हिन्दी में निम्नलिखित वर्णों के दो-दो रूप प्रचलित हैं–

अ–अ, छ–छ, ण–रा, त्र–त्र।

'र' व्यंजन का प्रयोग अनेक प्रकार से होता है–

1. 'श' के साथ 'र' का प्रयोग इस प्रकार होता है–श्र

2. ङ, छ्, ञ्, ट्, ठ्, ड्, ढ्, ण्, व्यंजनों को छोड़कर अन्य व्यंजनों के साथ जब 'र' व्यंजन का पूरा रूप आता है तब वह व्यंजन आधे रूप में आते हैं। ऐसी स्थिति में 'र' का (्र) यह रूप हो जाता है। उदाहरणार्थ–प्रवीण, ग्रहण, क्रम।

3. छ, ट, ठ, ड, ढ व्यंजन जब आधे और स्वर विहीन हों और उसके बाद 'र' का प्रयोग हो तो इन व्यंजनों के पूर्णरूप के साथ 'र' का रूप ऐसा (‸) होता है। उदाहरणार्थ–ड्रम ट्रेन।

4. आधे 'र' के लिए रैफ (र्‍) चिह्न का प्रयोग होता है। उदाहरणार्थ–दर्द, कर्म, मर्म।

संज्ञा

किसी वस्तु, व्यक्ति, प्राणी या पदार्थ अथवा इनके गुणाक्रियादिक धर्मों को सूचित करने वाले विकारी शब्दों को संज्ञा कहते हैं। यथा–कृष्ण, गायक, हिमालय, स्वच्छता, दया, मधुरता, पर्यटन आदि।

संज्ञा के भेद

(1) व्यक्तिवाचक (2) जातिवाचक (3) समूहवाचक (4) द्रव्यवाचक (5) भाववाचक

1. व्यक्तिवाचक संज्ञा–किसी एक ही व्यक्ति तथा पदार्थ को सूचित करने वाली संज्ञा व्यक्तिवाचक संज्ञा कही जाती है। श्याम, काशी, नर्मदा इत्यादि।

व्यक्तिवाचक संज्ञाओं के संबंध में कुछ महत्त्वपूर्ण बातें–

(क) प्रायः व्यक्तिवाचक संज्ञाएँ अर्थहीन होती हैं। जिस व्यक्ति के लिए इनका प्रयोग होता है, यह आवश्यक नहीं कि इनका गुण धर्म अथवा स्वरूप उस व्यक्ति या पदार्थ में पाए ही नहीं जाते हों। जैसे–कभी-कभी सुनयना के नेत्र सदोष और ज्ञानेन्द्र शंकर निरक्षर भट्टाचार्य मिलते हैं।

(ख) कभी-कभी व्यक्तिवाचक संज्ञाएँ भी अर्थवान होती हैं। यथा–परमात्मा, प्रकृति, अष्टावक्र।

2. जातिवाचक संज्ञा–जिस संज्ञा से किसी प्राणी अथवा पदार्थ की संपूर्ण जाति या वर्ण का बोध होता है, उसे जातिवाचक संज्ञा कहते हैं। **यथा**–घोड़ा, मनुष्य, नारी, नदी, शहर इत्यादि।

(क) जातिवाचक संज्ञाएँ अपना अर्थ भी रखती हैं। हम प्रयाग का नाम इलाहाबाद भी रख सकते हैं परंतु पहाड़ को नदी नहीं कह सकते क्योंकि पहाड़ और नदी में केवल नाम का ही नहीं अर्थ का भी अंतर है।

(ख) कभी-कभी व्यक्तिवाचक संज्ञा का भी प्रयोग जातिवाचक के रूप में होता है। यथा—अब कौन हरिश्चन्द्र है ? यहाँ हरिश्चन्द्र, सत्यवादी का विशिष्ट अर्थ रखता है। अतएव जातिवाचक संज्ञा है।

(ग) जातिवाचक संज्ञाएँ किसी प्राणी अथवा पदार्थ की संपूर्ण जाति का बोध कराती हैं, वहीं उस जाति के प्रत्येक प्राणी या पदार्थ पर भी लागू होती हैं। घोड़ा कहने से इस प्राणी की संपूर्ण जाति का बोध होता है और एक विशेष घोड़े का भी यथा—

1. घोड़ा अच्छा पशु है। **संपूर्ण जाति बोधक**

2. यह मेरा घोड़ा है। **एक घोड़े का बोध कराने वाला।**

3. समूहवाचक संज्ञा : कुछ संज्ञाएँ संपूर्ण समूह का बोध कराती हैं परंतु उस समूह के अलग-अलग अंगों के लिए उनका प्रयोग नहीं किया जा सकता। ऐसी संज्ञा को समूहवाचक संज्ञा कहते हैं। यथा—सेना, कक्षा, संघ, भीड़, गुच्छा इत्यादि।

सेना कहने से बहुत से सैनिकों के समूह का बोध होता है, परंतु उन सैनिकों में से किसी एक सैनिक को हम 'सेना' नहीं कह सकते।

4. द्रव्यवाचक संज्ञा : किसी पदार्थ अथवा द्रव्य के नाम को सूचित करने वाली संज्ञा को द्रव्यवाचक सज्ञा कहते हैं। यथा—घी, दूध, सोना, चाँदी इत्यादि।

5. भाववाचक संज्ञा : जिस संज्ञा से पदार्थ या व्यक्ति में पाए जाने वाले किसी धर्म या गुण का बोध होता है उसे भाववाचक संज्ञा कहते हैं। यथा—लंबाई, चतुराई, बुढ़ापा इत्यादि।

सामान्य तौर पर निम्नलिखित प्रत्यय जोड़कर भाववाचक संज्ञा बनाई जाती है।

प्रत्ययों से—ई, ता, पा, त्व, पन, वट, हट, आव।

ई—ऊँचा-ऊँचाई, चौड़ा-चौड़ाई, लंबा-लंबाई, भला-भलाई, अच्छा-अच्छाई, महँगा-महँगाई, बुरा-बुराई, छोटा-छोटाई, छुटपन, कठिन-कठिनाई, कठिनता, साफ-सफाई, रुखा-रुखाई, लड़ना-लड़ाई, गहरा-गहराई, अंगड़ाना-अंगड़ाई, रिहा-रिहाई, सच-सचाई, पढ़ना-पढ़ाई, गुलाम-गुलामी, जवान-जवानी, बेवकूफ-बेवकूफी, ईमानदार-ईमानदारी, बीमार-बीमारी, जिन्दा-जिन्दगी, मुक्त-मुक्ति, तेज-तेजी, नौकर-नौकरी, सावधान-सावधानी, बहादुर-बहादुरी, आजाद-आजादी, बेहोश-बेहोशी, मस्त-मस्ती, ताजा-ताजगी, कम-कमी, तैयार-तैयारी, हँसना-हँसी, दूर-दूरी, सादा-सादगी, मजबूर-मजबूरी, परेशान-परेशानी, गरीब-गरीबी, बरबाद-बरबादी, नवाब-नवाबी, तंग-तंगी, गर्म-गर्मी, सख्त-सख्ती, चित्रकार-चित्रकारी, झाँकना-झाँकी, चोर-चोरी, डाकू-डकैती, बारीक-बारीकी,

उपस्थित-उपस्थिति, चुस्त-चुस्ती, गिनना-गिनती, आसान-आसानी, ज्यादा-ज्यादती, तृप्त-तृप्ति, शांत-शांति, उदास-उदासी।

ता—मुखर-मुखरता, मधुर-मधुरता, स्वतंत्र-स्वतंत्रता, महान्-महानता, पवित्र-पवित्रता, विशाल-विशालता, स्थूल-स्थूलता, विशेष-विशेषता, मित्र-मित्रता, मानव-मानवीयता, असार-असारता, तीव्र-तीव्रता, विचित्र-विचित्रता, निष्ठुर-निष्ठुरता, आवश्यक-आवश्यकता, प्रसन्न-प्रसन्नता, शालीन-शालीनता, स्वच्छ-स्वच्छता, नम्र-नम्रता, कायर-कायरता, वीर-वीरता, दुर्बल-दुर्बलता, गंभीर-गंभीरता, निर्मल-निर्मलता, कठोर-कठोरता, समान-समानता, विपुल-विपुलता, संदुर-सुंदरता, सौंदर्य, मृदु-मृदुता, मार्दव, उदार-उदारता, प्रांत-प्रांतीयता, उपयुक्त-उपयुक्तता, सफल-सफलता, कोमल-कोमलता, दृढ़-दृढ़ता, खिन्न-खिन्नता, निपुण-निपुणता, विभिन्न-विभिन्नता, आत्मीय-आत्मीयता, सहृदय-सहृदयता, भावुक-भावुकता, पशु-पशुता, चपल-चपलता, विनम्र-विनम्रता, उद्दंड-उद्दंडता, विह्वल-विह्वलता, दीन-दीनता, जातीय-जातीयता, राष्ट्र-राष्ट्रीयता, चाटुकार-चाटुकारिता।

पा—मोटा-मोटापा, बूढ़ा-बुढ़ापा।

त्व—राजा-राजत्व, देव-देवत्व, अपना-अपनत्व, नेता-नेतृत्व, प्रभु-प्रभुत्व, मम-ममत्व, सुर-सुरत्व, लघु-लघुत्व, लघुता, वीर-वीरत्व, वीरता, एक-एकत्व, एकता।

पन—नया-नयापन, अपना-अपनापन, बच्चा-बचपन, पुराना-पुरानापन, पागल-पागलपन, बड़ा-बड़प्पन, भोला-भोलापन, गँवार-गँवारपन, गंवार, काला-कालापन, लड़का-लड़कपन।

वट—थकना-थकावट, बनना-बनावट, रुकना-रुकावट, जमाना-जमाव, जमावट, सजा-सजावट, कसना-कसावट।

हट—चिल्लाना-चिल्लाहट, घबराना-घबराहट, गड़गड़ाना-गड़गड़ाहट, बड़बड़ाना-बड़बड़ाहट, मुस्कुराना-मुस्कुराहट, कड़ुवा-कड़ुवाहट, चिकना-चिकनाहट, चिकनाई, जगमगाना-जगमगाहट, लिखना-लिखावट, लिखंत।

आव—चुनना-चुनाव, बचना-बचाव, बहना-बहाव, छिड़कना-छिड़काव, घटना-घटाव।

आवा—देखना-दिखावा, पहनना-पहनावा, भूलना-भुलावा, बुलाना-बुलावा।

क्रियाओं से—देना-देन, सीना-सिलाई, रोना-रुलाई, मिलना-मिलाप, मेल-मिलावट, काटना-कटाई, नाचना-नाच, लूटना-लूट, करना-करनी, चलना-चलन, चलावा, पीटना-पिटाई, पहुँचना-पहुँच, बढ़ना-बाढ़, हारना-हार, बनाना-बनाई, बनाव, बनावट, पढ़ना-पढ़ाई, छेड़ना-छेड़, दौड़ना-दौड़, रोना-रुलाई, भूलना-भूल, रेतना-रेती, लेना-देना, लेनदेन, उड़ना-उड़ान, बोलना-बोली, मारना-मार, समझना-समझ, पूजना-पूजन, लगना-लाग, लगाव, लगन।

विशेषणों से—चालाक-चालाकी, नेक-नेकी, दुष्ट-दुष्टता, लाल-लालिमा, ललाई,

लाली, काला-कालिमा, मर्द-मर्दानगी, भीत-भीति, दुकानदार-दुकानदारी, प्रणयी-प्रणय, परिश्रमी-परिश्रम, अच्छा-अच्छाई, विधवा-वैधव्य, प्रसारित-प्रसार, प्रसारण, सभ्य-सभ्यता।

भाववाचक संज्ञा के विषय में कुछ महत्त्वपूर्ण बातें।

(क) भाववाचक संज्ञाएँ अर्थवान होती हैं।

(ख) भाववाचक संज्ञाओं का अपना कोई महत्त्व नहीं होता। ये किसी पदार्थ या व्यक्ति में पाए जाने वाले गुण अथवा धर्म का नाम होती हैं।

(ग) भाववाचक संज्ञाएँ प्रायः एकवचन में ही प्रयुक्त होती हैं।

सर्वनाम

संसार में जब पदार्थों की संख्या बहुत अधिक हो गई तो उनको जानने-पहचानने में कठिनाई उत्पन्न होने लगी। इस कठिनाई को दूर करने के लिए पदार्थों का नामकरण किया गया। नामकरण के बाद भी कठिनाइयों का अंत नहीं हुआ। लोगों के सामने भाषा की असुंदरता, अस्पष्टता का प्रश्न बना रहा। जैसे—यदि राम नाम का कोई व्यक्ति सीता नाम की किसी लड़की से बात करे तो विशेष अवसर पर इस प्रकार का भी वाक्य बनाना पड़ेगा।

राम ने सीता से कहा कि आज रात वह सीता की मित्र गीता के घर जाएगा। क्या सीता भी राम के साथ गीता के घर आएगी ?

इस वाक्य में राम और सीता के नामों के बार-बार के प्रयोग के कारण असुंदरता और अस्पष्टता उत्पन्न हो गई है उसी प्रकार की असुंदरता को दूर करने के लिए कुछ ऐसे शब्दों का निर्माण किया गया जो सभी नामों के स्थान पर प्रयुक्त हो सकें। इन्हें सर्वनाम कहा गया। जो सभी नामों के स्थान पर प्रयुक्त हो वह सर्वनाम है। दूसरे शब्दों में यदि कहना चाहें तो कह सकते हैं :

संज्ञा (नाम) के स्थान पर प्रयुक्त होने वाले विकारी शब्दों को सर्वमान कहते हैं। जैसे—यह, वह, वे, तुम, आप।

सर्वनाम के संबंध में कुछ महत्त्वपूर्ण बातें—

(क) कारक के कारण जिस तरह संज्ञा में परिवर्तन होता है उसी तरह सर्वनाम में भी।

(ख) सर्वनामों का अपना कोई अर्थ नहीं होता। वो जिस शब्द के स्थान पर प्रयुक्त होते हैं, उसी का अर्थ ग्रहण कर लेते हैं।

(ग) पुल्लिग अथवा स्त्रीलिंग के कारण सर्वनामों में विकार (परिवर्तन) नहीं होता।

सर्वनाम के भेद

(1) पुरुषवाचक (2) निजवाचक (3) निश्चयवाचक (4) अनिश्चयवाचक (5) संबंधवाचक (6) प्रश्नवाचक।

पुरुषवाचक सर्वनाम—बोलने वाले अथवा लिखने वाले की दृष्टि से विचार करने पर संपूर्ण सृष्टि के तीन भेद सामने आते हैं—(1) जो बोल रहा है अथवा लिख रहा है (2) जिससे बोल रहा है (3) जिसके संबंध में लिख या बोल रहा है। व्याकरण में इन तीनों भेदों को पुरुष कहा जाता है। पहले को प्रथम पुरुष, दूसरे को मध्यम पुरुष और तीसरे को अन्य पुरुष कहते हैं।

पु. वा. सर्वनाम	एकवचन	बहुवचन
उत्तम पुरुष	मैं	हम
मध्यम परुष	तू	तुम, आप
अन्य पुरुष	वह	वे

निजवाचक सर्वनाम—जो सर्वनाम किसी संज्ञा अथवा सर्वनाम के बदले आकर उसके स्वत्व का बोध कराए, उसे निजवाचक सर्वनाम कहते हैं। जैसे—आप, स्वयं, खुद।

यह सर्वनाम अकेले भी आता है और संज्ञा तथा सर्वनाम के साथ भी। लिंग और वचन के कारण इसमें परिवर्तन नहीं होता। यथा—

मैं आप-स्वयं यहाँ गया। हम आप खुद स्वयं यहाँ गए।

मैं आप-स्वयं वहाँ गई। हम आप खुद स्वयं वहाँ गई।

कभी-कभी 'आप' निजवाचक का प्रयोग 'अपना' सर्वनाम के साथ होता है। जैसे—अपने आप।

निश्चयवाचक सर्वनाम—जिस सर्वनाम से किसी निश्चित वस्तु का बोध हो, उसे निश्चयवाचक सर्वनाम कहते हैं। यथा—यह, वह, वैसी।

ये सर्वनाम जब अकेले आते हैं तो सर्वनाम होते हैं और जब किसी संज्ञा के साथ आते हैं तो विशेषण हो जाते हैं। जैसे—

यह आ गई। **सर्वनाम**

यह किताब कैसी है ? **विशेषण**

अनिश्चयवाचक सर्वनाम—जिस सर्वनाम से किसी निश्चित वस्तु का बोध न हो, उसे अनिश्चयवाचक सर्वनाम कहते हैं। यथा—कोई, कुछ, चंद।

ये सर्वनाम जब अकेले आते हैं तो सर्वनाम होते हैं और जब किसी संज्ञा के साथ आते हैं तो विशेषण हो जाते हैं। जैसे—

कोई आया है (सर्वनाम)। कोई आदमी आया है (विशेषण)।

कोई और कुछ का प्रयोग कभी-कभी निषेधार्थ में भी होता है। जैसे—घर में

कोई नहीं है। घर में कुछ नहीं है।

संबंधवाचक सर्वनाम–जो सर्वनाम संज्ञा या सर्वनाम के संबंध का बोध कराता है, उसे संबंधवाचक सर्वनाम कहते हैं। यथा–

जो चढ़ेगा वही गिरेगा।

इस सर्वनाम का प्रयोग मिश्रित वाक्य में प्रधान एवं आश्रित उपवाक्यों को जोड़ने के लिए किया जाता है।

यह सर्वनाम जब अकेले आता है तब सर्वनाम होता है और जब किसी संज्ञा के साथ आता है तब **विशेषण** हो जाता है। जैसे–

जो पढ़ेगा वही पास होगा।

जो लड़का पढ़ेगा..........। विशेषण

प्रश्नवाचक सर्वनाम–जिस सर्वनाम का प्रयोग प्रश्न पूछने के लिए किया जाता है, उसे प्रश्नवाचक सर्वनाम कहते हैं। जैसे–कौन क्या।

कौन आदमी आया है ? **विशेषण**

तुम्हारे पास **क्या** चीज है ? **विशेषण**

स्वामित्ववाचक सर्वनाम–हर पुरुषवाचक सर्वनाम का एक स्वामित्ववाचक रूप होता है। इसे स्वामित्ववाचक सर्वनाम कहते हैं। जैसे–मेरा, तुम्हारा, हमारा, उसका, उसकी, उनकी।

विशेष–वाक्य में पुरुषवाचक सर्वनाम और उनके स्वामित्ववाचक रूप एक साथ प्रयुक्त नहीं होते। ऐसे वाक्यों में स्वामित्ववाचक का स्थान 'अपना' ले लेता है। यथा–

मैं अपनी पुस्तक पढ़ रहा हूँ (मेरी के स्थान पर अपनी का प्रयोग)।

विशेषण

विशेषण–संज्ञा का गुण बताकर उसकी व्याप्ति मर्यादित करने वाले शब्द को विशेषण कहते हैं। जैसे–अच्छा, बुरा, काला, बड़ा इत्यादि। इन शब्दों के प्रयोग के बाद संज्ञा के अर्थ की व्याप्ति सीमित हो जाती है। घोड़ा कहने से उसकी पूरी जाति का बोध होता है। परंतु काला घोड़ा कहने से उसकी व्याप्ति मर्यादित हो जाती है–सभी घोड़े नहीं केवल काला घोड़ा।

विशेषण के भेद

(1) संकेतवाचक विशेषण (2) गुणवाचक विशेषण (3) संख्यावाचक विशेषण (4) परिमाणवाचक विशेषण (5) व्यक्तिवाचक विशेषण (6) विभागवाचक विशेषण

विशेषण जिसकी विशेषता बताता है उसे विशेष्य कहते हैं। यथा–

अच्छा लड़का।

इसमें अच्छा विशेषण है और लड़का विशेष्य।

1. संकेतवाचक विशेषण : जिन मूल अथवा यौगिक सर्वनामों का प्रयोग विशेषण के रूप में होता है, उन्हें संकेतवाचक अथवा सार्वनामिक विशेषण कहते हैं। यथा : यह, वह, ऐसा, वैसा इत्यादि।

ये शब्द जब अकेले आते हैं तो सर्वनाम होते हैं, और जब किसी संज्ञा के साथ आते हैं तो विशेषण होते हैं। जैसे–

वह आ गया। सर्वनाम।

वह आदमी अच्छा है। विशेषण।

व्युत्पत्ति की दृष्टि से सार्वनामिक विशेषण के दो भेद होते हैं :

1. मूल सार्वनामिक विशेषण : यह, वह।

2. यौगिक सार्वनामिक विशेषण : ऐसा, वैसा।

यौगिक सार्वनामिक विशेषण, मूल सार्वनामिक विशेषण के आधार पर बनते हैं। इन्हें साधित सार्वनामिक विशेषण भी कहा जाता है।

(2) **गुणवाचक विशेषण :** जो विशेषण किसी संज्ञा (अपने विशेष्य के गुण) का बोध कराता है, उसे गुणवाचक विशेषण कहा जाता है। यथा–अच्छा, खराब, चतुर, सुंदर, असुंदर इत्यादि।

गुणवाचक विशेषण के भेद :

(1) **कालवाचक** : आधुनिक पोशाक, पुराना विचार।

(2) **स्थानवाचक :** बनारसी मिठाई, शहरी रहन-सहन।

(3) **आकारवाचक :** चौड़ा मैदान, गोल घड़ी।

(4) **दशावाचक :** गरम पानी, बीमार लड़का।

(5) **गुणवाचक** : सुंदर फूल, कुरूप औरत।

(6) **वर्णनवाचक** : लाल फीता, नीला कपड़ा।

(3) **संख्यावाचक विशेषण :** किसी संज्ञा अर्थात् अपने विशेष्य की संख्या-विषयक विशेषता स्पष्ट करने वाले विशेषण को संख्यावाचक विशेषण कहा जाता है। यथा–एक, दो, चार, दस इत्यादि।

संख्यावाचक विशेषण के भेद :

(1) **निश्चित संख्यावाचक–क**–गणनावाचक–चार, पाँच, सवा, डेढ़।

ख–क्रमवाचक–पहला, दूसरा, तीसरा।

ग–आवृत्तिवाचक–चारगुना, दुगुना।

घ–समुदायवाचक–चारों, पाँचों।

ङ–हर, प्रति।

(2) **अनिश्चित संख्यावाचक**–कुछ, थोड़ा, अनेक, बहुत।

(4) **परिमाणवाचक विशेषण**–अपने भविष्य की तौल या नाप संबंधी विशेषता स्पष्ट करने वाले विशेषण को परिमाणवाचक विशेषण कहा जाता है। यथा–पाव

भर दूध, थोड़ा पानी।

(5) **व्यक्तिवाचक**–जो शब्द किसी व्यक्तिवाचक संज्ञा की विशेषता बताते हैं, वे व्यक्तिवाचक विशेषण कहलाते हैं। जैसे–विलायती कुत्ता अच्छा होता है। यहाँ विलायती शब्द व्यक्तिवाचक विशेषण है।

(6) **विभागवाचक**–जो शब्द भिन्नता को प्रकट करते हुए संज्ञा शब्द की विशेषता बताते हैं, वे विभाग वाचक विशेषण कहलाते हैं। जैसे–इस कक्षा के प्रत्येक छात्र को यहाँ आने दो। यहाँ 'प्रत्येक' शब्द विभाग वाचक है।

विशेषण के तुलनात्मक रूप–तुलना की दृष्टि से विशेषण की तीन अवस्थाएँ होती हैं–1. **मूलावस्था** 2. **उत्तरावस्था** 3. **उत्तमावस्था।**

मूलावस्था–मूलावस्था में तुलनात्मकता का अभाव रहता है। केवल यह बताया जाता है कि अमुक गुण या अवगुण है।

यथा– राम अच्छा लड़का है।
सीता सुंदर लड़की है।

उत्तरावस्था–इसमें दो वस्तुओं की तुलना की जाती है और यह बताया जाता है कि अमुक व्यक्ति या वस्तु में अमुक की अपेक्षा गुण या अवगुण अधिक है।

यथा– राम मोहन से अच्छा लड़का है।
सीता गीता से अधिक सुंदर है।

उत्तमावस्था–इसमें यह बताया जाता है कि अमुक व्यक्ति या वस्तु में सबसे अधिक गुण या अवगुण हैं। यथा–

राम सबसे अच्छा लड़का है।
गीता सबसे सुंदर लड़की है।

संस्कृत में तुलनात्मकता दिखाने के लिए तर, तम, ईयस और इष्ट प्रत्ययों का प्रयोग किया जाता है। तर और ईयस उत्तरावस्था में प्रयुक्त होते हैं और तम तथा इष्ट उत्तमावस्था में। यथा–

मूलावस्था	**उत्तरावस्था**	**उत्तमावस्था**
सुंदर	सुंदरतर	सुंदरतम
गुरु	गुरुतर	गुरुतम

विशेषण बनाने के नियम

(1) **संज्ञा से**–	बनारस	बनारसी	झगड़ा	झगड़ालू
	मिर्जापुर	मिर्जापुरी	चमक	चमकीला
	रामानंद	रामानंदी	सुख	सुखी
(2) **सर्वनाम से**–	यह	ऐसा	वह	वैसा
	कौन	कैसा	जो	जैसा

(३) **क्रिया से–** लड़ना लड़ता (लड़नेवाला)
फिरना फिरता (फिरनेवाला)
जीना जीता (जीनेवाला)

विशेषण के क्रमवार रूपों को हम निम्नलिखित रूप से आसानी से समझ सकते हैं–

(अ, आ) : अंत-अंतिम, अंत्य, अंतर-आंतरिक, अंचल-आंचलिक, अंश-आंशिक, अग्नि-आग्नेय, अवश्य-आवश्यक, अनुभव-अनुभवी, आनुभाविक, अनुराग-अनुरागी, अन्याय-अन्यायी, अक्ल-अक्लमंद, अपेक्षा-अपेक्षित, अधिकार-अधिकारी, अभ्यास-अभ्यासी, अनादर-अनादृत, अपकार-अपकारी, अकर्म-अकर्मण्य, अज्ञान-अज्ञानी, अतिरंजन-अतिरंजित, अतृप्ति-अतृप्त, अनासक्ति-अनासक्त, अनुरक्ति-अनुरक्त, अनुशासन-अनुशासित, अनीति-अनैतिक, अपमान-अपमानित, अपराध-अपराधी, आदर-आदरणीय, आसमान-आसमानी, आराधना-आराध्य, आसक्ति-आसक्त, आकाश-आकाशीय, आभूषण-आभूषित, आश्रय-आश्रित, आसन-आसीन, आदि-आदिम।

(इ,ई,उ,ऋ,ए,ओ) : इच्छा-ऐच्छिक, इतिहास-ऐतिहासिक, इहलोक-इहलौकिक ईश्वर-ईश्वरीय, उपेक्षा-उपेक्षित, उद्योग-औद्योगिक, उपनिवेश-औपनिवेशिक, उपवन-औपवनिक, उच्चारण-उच्चरित, उपार्जन-उपार्जित, उत्साह-उत्साहित, मुक्ति-उन्मुक्त, उदय-उदित, उत्कर्ष-उत्कृष्ट, उपज-उपजाऊ, उत्तेजना-उत्तेजित, उत्तर-उत्तरी, उपकार-उपकारक, उपयोग-उपयुक्त, ऋण-ऋणी, एकांत-ऐकांतिक।

(क) : कृपा-कृपालु, काल-कालिक, कुल-कुलीन, केंद्र-केंद्रीय, क्रम-क्रमिक, कल्पना-काल्पनिक, कर्म-कर्मी, कुटुंब-कौटुंबिक, किताब-किताबी, करुण-कारुणिक, कंटक-कंटकित, काँटा-कँटीला, कंकड़-कंकड़ीला, कंपना-कंपित, कथन-कथ्य, कमाई-कमाऊ, कर्ज-कर्जदार, कलंक-कलंकित, कसरत-कसरती।

(ख) : खेल-खिलाड़ी, खंड-खंडित, खर्च-खर्चीला, खानदान-खानदानी, खून-खूनी, ख्याल-ख्याली, ख्याति-ख्यात।

(ग) : ग्राम-ग्रामीण, गृहस्थ-गार्हस्थ्य, गाँव-गँवार, गर्व-गर्वीला, गर्म-गर्मी, गौरव-गौरवित, गमन-गम्य, गायन-गायक।

(घ) : घर-घरेलू, घनिष्ठता-घनिष्ठ, घमंड-घमंडी, घृणा-घृणित।

(च) : चर्चा-चर्चित, चिंता-चिंतनीय, चित्र-चित्रित, चिह्न-चिह्नित, चिरजीवन-चिरजीवी, चरित्र-चारित्रिक, चार-चौथा, चाचा-चचेरा।

(ज) : जल-जलीय, जगत्-जागतिक, जाति-जातीय, जीवन-जीवनीय, जय-जेय, जंगल-जंगली, जवाब-जवाबी, जहर-जहरीला।

(त) : तेज-तेजस्वी, ताप-तप्त, त्याग-त्यागी, तत्त्व-तात्त्विक, तिरस्कार-तिरस्कृत, तुलना-तुलनीय, तंद्रा-तंद्रील, तंत्र-तांत्रिक।

(द,ध) : देश-देशी, देव-दैवी, दान-दानी, दंपति-दांपत्य, दिन-दैनिक, दया-दयालु,

दोष-दोषी, दर्शन-दर्शनीय, दर्द-दर्दनाक, दुनिया-दुनियावी, दूध-दुधारू, धन-धनी, धैर्य-धीर, धर्म-धार्मिक, संस्कृति-सांस्कृतिक।

(न) : नरक-नरकीय, निंदा-निंदनीय, नीति-नैतिक, नगर-नागरिक, नाटक-नाटकीय, नियम-नियमित, निमित्त-नैमित्तिक, नाम-नामी, निर्वासन-निर्वासित, निश्चय-निश्चित, निज-निजी, न्याय-न्यायी, नाव-नाविक, निशा-नैश, नमक-नमकीन, निर्माण-निर्मित, निषेध-निषिद्ध, निसर्ग-नैसर्गिक।

(प) : पहाड़-पहाड़ी, पशु-पाशविक, पंक-पंकिल, पुस्तक-पुस्तकीय पुराण-पौराणिक, परिवार-पारिवारिक, प्रथम-प्राथमिक, प्रमाण-प्रामाणिक, प्रकृति-प्राकृतिक, परीक्षा-परीक्षित, परिभाषा-पारिभाषिक, परस्पर-पारस्परिक, पिता-पैतृक, पाठ-पाठ्य, प्रसंग-प्रासंगिक, परिचय-परिचित, प्रशंसा-प्रशंसनीय, प्रतिष्ठा-प्रतिष्ठित, पूजा-पूज्य, पीड़ा-पीड़ित, पिशाच-पैशाचिक, पत्थर-पत्थरीला, प्रदेश-प्रादेशिक, पश्चिम-पश्चिमी, पक्ष-पाक्षिक, पुरुष-पौरुषेय, प्रार्थना-प्रार्थनीय, प्रतीक्षा-प्रतीक्षित, पानी-पेय, पतन-पतित, पराजय-पराजित, पुष्प-पुष्पित, प्रसिद्धि-प्रसिद्ध, पूर्व-पूर्वी, परिवर्तन-परिवर्तित, प्यार-प्यारा, प्यास-प्यासा, पाठक-पाठकीय, प्रातःकाल-प्रातःकालीन।

(फ, ब, भ) : फेन-फेनिल, फल-फलित, बालक-बाल्य, बर्फ-बर्फीला, बुद्ध-बौद्ध, भ्रम-भ्रामक, भय-भयानक, भोजन-भोज्य, भूत-भौतिक, भूगोल-भौगोलिक, भूत-भुतहा, भाव-भावुक, भारत-भारतीय, भाषा-भाषिक।

(म) : मनस्-मानसिक, मानस, मनस्वी, मास-मासिक, माह-माहवारी, मूल-मौलिक, मनु-मानव, मनुष्य-मानुषिक, माता-मातृक, मुख-मौखिक, मुखर, मंगल-मांगलिक, मंगलमय, मृदु-मृदुल, मोह-मुग्ध, माया-मायिक, मायावी, मूर्च्छा-मूर्च्छित, मामा-ममेरा, मर्द-मर्दाना, माल-मालदार, मैल-मैला, मान-मान्य, मजहब-मजहबी, मध्यम-माध्यमिक।

(य, र, ल) : योग-यौगिक, यदु-यादव, यश-यशस्वी, रोग-रोगी, राज-राजकीय, राजसी, रस-रसीला, रसिक, राह-राही, राक्षस-राक्षसी, रक्त-रक्तिम, रंग-रंगीन, रसायन-रसायनिक, रथ-रथी, राजनीति-राजनीतिक, रोज-रोजाना, रोमांच-रोमांचित, लोक-लौकिक, लाभ-लाभ्य, लब्ध, लज्जा-लज्जित, लज्जालु, लेख-लेखित, लेखक-लेखकीय, लालन-लालित, लोभ-लुब्ध, लोथी, लाठी-लठैत, लाज-लजालु।

(व) : वेद-वैदिक, वर्ष-वार्षिक, वन-वन्य, विशेष-वैशेषिक, विशिष्ट, व्यवसाय-व्यवसायिक, व्यापार-व्यापारिक, वसंत-वसंती, वासंतिक, वर्णन-वर्णनीय, विचार-वैचारिक, विचारणीय, विश्वास-विश्वसनीय, विश्वस्त, विश्वासी, वंदना-वंद्य, वंदनीय, विस्मय-विस्मित, विनय-विनीत, विनयी, विजय-विजयी, विजेता, विवेक-विवेकी, विकार-विकृत, विकारी, विस्तार-विस्तृत, विद्या-विद्यावान्, विवाह-वैवाहिक, विरह-विरही, विद्युत-वैद्युत, विलायत-विलायती, विस्मृति-विस्मृत, विस्मरण-विस्मरणीय, विवाद-विवाद्य, विवादी, वियोग-वियुक्त, वियोगी, वेतन-वैतनिक, विकास-विकसित, विज्ञान-वैज्ञानिक,

विश्लेषण-विश्लिष्ट, विभाजन-विभाजित, विभक्त, व्यक्ति-वैयक्तिक, व्यवहार-व्यावहारिक, वास्तव-वास्तविक, विलास-विलासी, विष्णु-वैष्णव, विषय-विषयी।

(स) : संसार-सांसारिक, संचय-संचित, संध्या-सांध्य, संदेह-संदिग्ध, संस्कृति-सांस्कृतिक, संयोग-संयुक्त, संकेत-सांकेतिक, संकोच-संकुचित, समाज-सामाजिक, संपति-सांपतिक, संपन्न, संभावना-संभाविक, संभाव्य, संबंध-संबद्ध, संबंधी, सम्मान-सम्मानित, सम्मान्य, स्मरण-स्मरणी, स्मृति-स्तुत्य, स्वभाव-स्वाभाविक, स्वर्ण-स्वर्णिम, स्नायु-स्नायविक, स्वप्न-स्वप्निल, स्थान-स्थानीय, स्थानिक, सिद्धांत-सैद्धांतिक, स्वस्थ-स्वास्थ्य, स्वर्ग-स्वर्गीय, स्वर्गिक, सागर-सागरीय, सप्ताह-साप्ताहिक, साहब-साहबी, समय-सामयिक, सीमा-सीमित, सुख-सुखी, सुगंध-सुगंधित, सेवा-सेवी, सेव्य, समुद्र-समुद्री, सामुद्र, साल-सालाना, साहस-साहसिक, संप्रदाय-सांप्रदायिक, साधना-साध्य, सुर-सुरीला, सोना-सुनहला, सुनहरा, स्वाद-स्वादु, स्वदेश-स्वदेशी।

(श, श्र, क्ष) : शिक्षा-शैक्षिक, शिक्षित, शरीर-शारीरिक, शासन-शासित, शासक, शोषण-शोषित, शोषक, श्याम-श्यामल, शरद-शारदीय, शक्ति-शाक्त, शौक-शौकीन, क्षण-क्षणिक, क्षमा-क्षम्य, क्षत्रिय-क्षात्र, क्षोभ-क्षुब्ध।

(ह) : हवा-हवाई, हँसी-हँसोड़, हिंसा-हिंसक, हृदय-हार्दिक।

अव्यय

परिभाषा–जिन शब्दों के रूप नहीं बदलते वे अव्यय कहलाते हैं। जैसे—वहाँ, निकट, नीचे, ऊपर, अहा, अथवा आदि।

अव्यय के भेद

(1) क्रिया विशेषण (2) संबंधसूचक (3) समुच्चयबोधक (4) विस्मयादिबोधक।

1. क्रिया विशेषण अव्यय : क्रिया की विशेषता बतलाने वाले शब्दों को क्रिया विशेषण अव्यय कहते हैं। यथा—राम धीरे-धीरे दौड़ रहा है।

इस वाक्य में दौड़ने की विशेषता 'धीरे-धीरे' के द्वारा प्रकट हो रही है। इसलिए 'धीरे-धीरे' क्रिया विशेषण है।

क्रिया विशेषण के कार्य : (1) क्रिया की विशेषता बतलाना : सीता धीरे-धीरे गाती है।

(2) विशेषण की विशेषता बतलाना : सीता बहुत सुंदर लड़की है।

(3) क्रिया विशेषण की विशेषता बतलाना : सीता बहुत तेज दौड़ती है।

क्रिया विशेषण के प्रमुख भेद : (1) स्थानवाचक (2) कालवाचक (3) रीतिवाचक (4) परिमाणवाचक।

(1) स्थानवाचक क्रिया विशेषण : जिससे स्थान का बोध होता हो जैसे : यहाँ, वहाँ इत्यादि।

(2) **कालवाचक क्रिया विशेषण :** जिससे काल अर्थात् समय का बोध होता हो जैसे—आज, कल, परसों इत्यादि।

भेद

(क) **समय वाचक :** आजकल, पहले, अभी, तुरंत इत्यादि।

(ख) **अवधिवाचक :** नित्य, हमेशा, सदैव, लगातार इत्यादि।

(ग) **पुनःवाचक :** प्रतिदिन, बार-बार इत्यादि।

(3) **रीतिवाचक क्रिया विशेषण**—जिससे रीति अथवा ढंग का बोध हो। यथा—ऐसे, वैसे, इसलिए इत्यादि।

भेद

(क) **प्रकारबोधक :** ऐसे, वैसे, योंही, पैदल, स्वयं इत्यादि।

(ख) **निश्चयबोधक :** सचमुच, यथार्थ में, बेशक इत्यादि।

(ग) **अनिश्चयबोधक :** शायद, संभवतः, कदाचित् इत्यादि।

(घ) **स्वीकारबोधक :** जी हाँ, ठीक इत्यादि।

(ङ) **कारणबोधक :** क्यों, अतः, अतएव इत्यादि।

(च) **निषेधबोधक :** नहीं, न, मत इत्यादि।

(4) **परिमाणवाचक क्रिया विशेषण :** जिससे परिमाण का बोध है यथा—इतना, अत्यंत, बहुत इत्यादि।

भेद

(क) **अधिकताबोधक :** बहुत, बड़ा, ज्यादा इत्यादि।

(ख) **न्यूनताबोधक :** थोड़ा, जरा, कुछ इत्यादि।

(ग) **पर्याप्तबोधक :** यथेष्ट, काफी, पर्याप्त इत्यादि।

(घ) **तुलनाबोधक :** इतना, उतना, अधिक, बढ़कर इत्यादि।

(ङ) **क्रमवाचक :** यथाक्रम, बारी-बारी से, एक-एक करके इत्यादि।

2. संबंधसूचक अव्यय : संज्ञा के साथ आकर जो अव्यय संबंध सूचित करते हैं, उन्हें संबंधसूचक अव्यय कहा जाता है। जैसे—

कुत्ते को भगाओ। ऊँट पर चढ़ो।

इस वाक्य में 'को' और 'पर' संबंधसूचक अव्यय हैं, क्योंकि ये 'कुत्ते' और 'ऊँट' संज्ञाओं के बाद आते हैं और 'भगाओ' तथा 'चढ़ो' क्रियाओं से उनके संबंध सूचित करते हैं।

भेद

1. प्रयोग की दृष्टि से :

(क) **सम्बद्ध संबंधसूचक :** इनका प्रयोग संज्ञा की विभक्तियों के पश्चात् होता है। यथा :

राम के सिवा	('क' के बाद)
धन के बिना	('क' के बाद)

(ख) **अनुबद्ध संबंधसूचक :** इनका प्रयोग संज्ञा के परिवर्तित रूप के पश्चात् होता है। यथा :

किनारे तक	किनारे, (किनारा का परिवर्तित रूप)
शिष्यों सहित	शिष्यों, (शिष्य का परिवर्तित रूप)

2. व्युत्पत्ति की दृष्टि से :

(क) : **मूल संबंधसूचक :** पर्यन्त, पूर्वक, बिना इत्यादि।

(ख) **यौगिक संबंधसूचक :** वास्ते, हमारे, पीछे इत्यादि।

3. अर्थ की दृष्टि से :

(क) **कालवाचक**–पश्चात्, उपरांत, पीछे।

(ख) **स्थानवाचक**–नजदीक, दूर, समीप इत्यादि।

(ग) **दिशावाचक**–ओर, तरफ इत्यादि।

(घ) **साधनावाचक**–जरिये, द्वारा, सहारे इत्यादि।

(ङ) **हेतुवाचक**–निमित्त, वास्ते, लिए इत्यादि।

3. समुच्चयबोधक अव्यय–वाक्यों या वाक्यांशों को जोड़ने वाले अव्ययों को समुच्चयबोधक अव्यय कहा जाता है। जैसे–हवा चली और बादल तितर-बितर हो गए।

इस वाक्य में 'हवा चली' तथा 'बादल तितर-बितर हो गए' इन वाक्यों को जोड़ने का कार्य 'और' द्वारा किया गया है। इसलिए 'और' समुच्चयबोधक अव्यय है।

भेद– (क) समानाधिकरण समुच्चयबोधक अव्यय
(ख) व्यधिकरण समुच्चयबोधक अव्यय

(क) **समानाधिकरण समुच्यबोधक अव्यय :** मुख्य वाक्यों को जोड़ने वाले अव्ययों को समानाधिकरण बोधक कहते हैं। यथा मैं आया और मोहन चला गया।

भेद– (क) **संयोजक :** जिनसे दो वाक्यों या वाक्यांशों में संयोजन होता है। यथा–राम और रावण की लड़ाई हुई। दस एवं दस बीस होते हैं।

(ख) **वियोजक :** जिसके द्वारा दो वाक्यों, वाक्यांशों में अलगाव उत्पन्न हो। जैसे–राम या श्याम में से कोई प्रथम आएगा।

प्रमुख वियोजक दर्शक वा, या, अथवा, न चाहे आदि हैं।

(ग) विरोधदर्शक : इसके द्वारा दो वाक्यों या वाक्यांशों में विरोध दिखाकर किसी एक का स्वीकार या विरोध बताया जाता है। यथा–रस्सी जल गई मगर ऐंठन न गई।

प्रमुख विरोधदर्शक शब्द हैं–पर, परंतु, बल्कि, मगर, लेकिन।

(घ) परिणामदर्शक : इसके द्वारा परिणाम सूचित किया जाता है और यह बताया जाता है कि आगे के वाक्यों का अर्थ पिछले वाक्य के अर्थ का बोधक है। यथा–पिक्चर जाना है अतः छुट्टी ले रखी है।

प्रमुख परिणामदर्शक हैं–अतः, अतएव, वास्ते, सो।

(ङ) उद्‍देश्यदर्शक–इसके द्वारा पहले वाक्य का उद्‍देश्य दूसरे अर्थात् बाद में आनेवाले वाक्य द्वारा सूचित किया जाता है। यथा–

मोहन बहुत पढ़ रहा है ताकि प्रथम श्रेणी में आ सके।

प्रमुख उद्‍देश्यदर्शक हैं–ताकि, इसलिए, कि, इत्यादि।

(च) संकेतदर्शक–इसके द्वारा जुड़े हुए वाक्यों में एक का संकेत दूसरे में प्रकट किया जाता है। यथा–

यदि ऊपर ही चलोगे तो निश्चय ही कहीं न कहीं गिरोगे।

प्रमुख संकेतदर्शक हैं–यदि, तो, जो-तो, चाहे-लेकिन इत्यादि।

(छ) स्वरूपदर्शक–इसके द्वारा जुड़े हुए वाक्यों में पहले का स्वरूप दूसरे में स्पष्ट किया जाता है। यथा–वह जड़ अर्थात् मूर्ख है। प्रमुख स्वरूप दर्शक–यानी, कि, अर्थात्, जैसे, मानो।

(ज) कारणदर्शक–इसके पहले वाक्य के अर्थ का कारण दूसरे वाक्य के अर्थ से दिखाया जाता है। यथा–

मैं पढ़ नहीं सकता क्योंकि मेरी आँख में दर्द है।

(ख) व्यधिकरण समुच्चयबोधक अव्यय–जिन समुच्चयबोधक अव्ययों के मूल वाक्य में एक या एक से अधिक आश्रित वाक्य जोड़े जाते हैं उन्हें व्यधिकरण समुच्चयबोधक अव्यय कहा जाता है। यथा–

आज पानी बरसेगा इसलिए छाता लेकर विद्यालय जा रहा हूँ।

भेद

(क) **कारणसूचक**–क्योंकि, इसलिए, कि इत्यादि।

(ख) **उद्‍देश्यसूचक**–जोकि, ताकि, इसलिए, कि इत्यादि।

(ग) **संकेतसूचक**–यदि-तो, जो-तो इत्यादि।

(घ) **स्वरूपदर्शक**–जो, अर्थात्, मानो, यानी इत्यादि।

4. **विस्मयादिबोधक अव्यय**–मन के विस्मय, शोक, हर्ष आदि भावों को प्रकट करने वाले अव्ययों को विस्मयादि अव्यय कहा जाता है। यथा–वाह ! तुमने तो कमाल ही कर दिया।

विस्मयादिबोधक के संबंध में कुछ महत्त्वपूर्ण बातें :

1. इनका कोई वस्तुपरक अर्थ नहीं होता।
2. इनके प्रत्यय नहीं होते।
3. ये वाक्य के अंग नहीं होते।

प्रमुख विस्मयादिबोधक :

1. **आश्चर्यबोधक :** वाह ! ओ हो ! क्या ! अरे ! इत्यादि
2. **प्रशंसाबोधक :** शाबाश ! वाह-वाह ! बहुत अच्छा ! इत्यादि।
3. **भयबोधक :** बाप रे ! आह ! दुहाई ! इत्यादि।
4. **शोकबोधक :** हाय ! अफसोस ! ओह ! इत्यादि।
5. **घृणाबोधक :** उफ, छिः, धिक ! इत्यादि।
6. **स्वीकृतिबोधक :** अच्छा, जरूर, हाँ इत्यादि।
7. **संबोधनबोधक :** हरे, रे, हे, हो इत्यादि।

कारक

कारक–'कारक' शब्द कृ धातु से निष्पन्न है जिसका अर्थ है करने वाला। परंतु व्याकरण में केवल करने वाले (क्रिया के करने वालों) को ही कारक नहीं कहते। यदि ऐसा ही मानें अर्थात् केवल क्रिया के करनेवाले को कारक कहें तो–

मैं राम से किताब छीनता हूँ–

इस वाक्य में राम और किताब कारक नहीं होंगे। परंतु व्याकरण उन्हें भी कारक मानता है। क्योंकि क्रिया यद्यपि वे करते नहीं, फिर भी क्रिया से उनका संबंध अवश्य है। इन्हें (राम से किताब) हटा देने से वाक्य में अधूरापन-सा आ जाएगा। अतः कारक की परिभाषा इस तरह दी जा सकती है–

जिसका क्रिया के साथ सीधा संबंध हो उसे कारक कहते हैं।

मैं–छीनने का काम करने वाला।

राम–जिससे चीज छीनी जाती है।

किताब–जो चीज छीनी जाती है।

अतः ये तीनों–मैं, राम, किताब–कारक हुए।

इस प्रकार साधन भेद से ही कारक भेद हो जाता है।

विभक्ति सहित कारकों के भेद

कारक	विभक्ति	उदाहरण
1. कर्ता	ने	प्रतीक ने
2. कर्म	को	प्रभात को
3. करण	से	प्रेम से
4. संप्रदान	को, के लिए	पढ़ने के लिए
5. अपादान	से	घर से जाकर
6. संबंध	का, के, की	सुनील की सहायता से
7. अधिकरण	में, पै, पर	कालेज में भेजा
8. संबोधन	हे, अरे	हे भाई !

कर्ताकारक : जो क्रिया के करने न करने में स्वतंत्र हो उसे कर्ताकारक कहते हैं–स्वतंत्र कर्ता। जैसे लड़का सोता है। इस वाक्य में सोने की क्रिया लड़के द्वारा की जा रही है। परंतु लड़का इस कार्य में स्वतंत्र है। वह चाहे तो सोए और चाहे तो सोना बंद कर दे।

कर्ताकारक का प्रयोग दो रूपों में होता है : (1) अप्रत्यय–राम जाता है। सीता गाती है।

(2) **सप्रत्यय**–राम ने किताब पढ़ी। सीता ने गाना गाया।

सप्रत्यय कर्ताकारक : कर्ताकारक का चिह्न है 'ने' इस चिह्न का प्रयोग निम्नलिखित अवस्थाओं में किया जाता है–

(1) सभी सकर्मक क्रियाओं के कर्ता के साथ सामान्य भूत, आसन्न भूत, पूर्णभूत और संदिग्ध भूतकाल में–

सामान्य भूतकाल–राम ने कलम गिरायी।

आसन्न भूतकाल–राम ने कलम गिरायी है।

पूर्ण भूतकाल–राम ने कलम गिरायी थी।

संदिग्ध भूतकाल–राम ने कलम गिरायी होगी।

(2) नहाना, छींकना और खाँसना, इन तीन अकर्मक क्रियाओं के कर्ता के साथ–राम ने नहाया, राम ने छींका, राम ने खाँसा।

कर्मकारक–कर्ता जो कुछ करता है, उसका फल जिस पर पड़ता है उसे कर्मकारक कहते हैं। जैसे–राम पुस्तक पढ़ता है।

इस वाक्य में राम कर्ता है और वह पढ़ने का कार्य करता है। उसके इस कार्य का फल किताब पर पड़ता है। अतएव किताब को कर्मकारक कहेंगे। कर्मकारक का प्रयोग दो रूपों में होता है–

1. अप्रत्यय कर्मकारक– सीता फल खाती है।

राधा गाना गाती है।

2. सप्रत्यय कर्मकारक– सीता ने राम को बुलाया।
राधा ने मोहन को सुनाया।

करणकारक–क्रिया जिस साधन से की जाती है, उसे करणकारक कहते हैं। जैसे–राम ने रावण को तीर से मारा।

राम रावण को मारते हैं। मारने की क्रिया तीर से की जाती है। इसलिए तीर करणकारक हुआ।

करणकारक का प्रयोग दो रूपों में होता है–

1. सप्रत्यय करणकारक– अर्जुन ने कर्ण को छल से मारा।
पाप से नरक मिलता है।

2. अप्रत्यय करणकारक– मैंने आँखों देखी बात कही।
मुझसे नंगे पैरों चला ही नहीं जाता।

संप्रदान कारक–जिसके लिए कोई क्रिया की जाती है, उसे संप्रदान कारक कहते हैं। जैसे–

राम ने सीता के लिए किताब खरीदी।

इस वाक्य में किताब खरीदने की क्रिया सीता के लिए की जाती है। सीता संप्रदान कारक है।

संप्रदान कारक का प्रयोग–

सप्रत्यय संप्रदान कारक : वह उत्तीर्ण होने के लिए पढ़ता है।

मोहन ने भिखमंगे को भगा दिया।

अप्रत्यय संप्रदान कारक : राधा घूमने गई है।

मोहन का गीत मुझे नहीं रुचा।

अपादान कारक : जिससे कारण, तुलना, भिन्नता, आरंभ, अलगाव सीखने आदि का बोध हो, उसे अपादान कारक कहते हैं। जैसे–

गरमी से राम का सिर दुखता है।	कारण
"मानव तुम सबसे सुंदरतम्।"	तुलना
सीता का स्वभाव गीता से भिन्न है।	भिन्नता
गंगा हिमालय से निकली है।	आरंभ
पेड़ से पत्ता गिरा।	अलगाव
राम ने गुरु से विद्या सीखी।	सीखना

संबंध कारक : जिससे किसी प्राणी या पदार्थ का संबंध किसी दूसरे प्राणी या पदार्थ के साथ प्रकट हो, उसे संबंध कारक कहते हैं। जैसे–

राधा ने मोहन की बाँसुरी चुरा ली।

इस वाक्य में बाँसुरी का संबंध मोहन से प्रकट किया है, अतएव मोहन संबंध

कारक है।

संबंध कारक का प्रयोग हमेशा प्रत्यय के साथ होता है।

संबंध कारक का प्रयोग–

सप्रत्यय–1. राम का लड़का	संबंध
2. पीने का पानी	प्रयोजन
3. चार हाथ की लाठी	परिमाण
4. "रहा बैल का बैल पड़ा तेली के पाले।"	अविकार

अधिकरण कारक : जिससे क्रिया का आधार मालूम हो, उसे अधिकरण कारक कहते हैं। जैसे–

मैंने टेबल पर किताब रख दी।

इस वाक्य में किताब को टेबल पर रखने से टेबल किताब का आधार हुआ है। अतएव टेबल अधिकरण कारक है।

अधिकरण कारक का प्रयोग–

सप्रत्यय : 1. तपस्वी बन में रहता है।	आधार
2. यह किताब सात रुपये में मिलती है।	दाम
3. मेरे आने पर राम चला गया।	कारण
4. आपको समय पर आना चाहिए।	समय (निश्चित)

अप्रत्यय 1. सीता के लिए राम को जंगल-जंगल घूमना पड़ा।

2. श्याम यहाँ है।

संबोधन कारक : जिससे किसी को पुकारने, चिताने या संबोधित करने इत्यादि के भाव ज्ञात हों, उसे संबोधन कारक कहते हैं। जैसे–हे राम ! मेरे अपराधों को क्षमा करना।

इस वाक्य में 'हे राम' संबोधन कारक है क्योंकि इससे राम को पुकारने का बोध हो रहा है।

संबोधन कारक का प्रयोग–

सप्रत्यय : 1. हे भगवान ! मेरी रक्षा करो।

2. हे तात ! हे मातुल !! जहाँ हो है प्रणाम तुम्हें वहीं।

अप्रत्यय : 1. मोहन, तुमने खाना नहीं खाया।

2. सीता, यहाँ आओ।

संज्ञाओं की कारक रचना : जब किसी संज्ञा शब्द में विभक्तियाँ लगती हैं, तब उसका रूप परिवर्तित हो जाता है। इसी को संज्ञाओं की कारक रचना कहा जाता है। यथा–

पुरुष (अकारांत) पुल्लिग

कारक	एकवचन	बहुवचन
कर्ता	पुरुष, पुरुष में	पुरुष, पुरुषों में
कर्म	पुरुष, पुरुष की	पुरुष, पुरुषों को
करण	पुरुष से, पुरुष द्वारा	पुरुषों से, पुरुषों द्वारा
संप्रदान	पुरुष के लिए	पुरुषों के लिए
अपादान	पुरुष से	पुरुषों से
संबंध	पुरुष का, के, की,	पुरुषों का, के, की
अधिकरण	पुरुष में, पर	पुरुषों में, पर
संबोधन	हे पुरुष	हे पुरुषों

नदी (ईकारांत) स्त्रीलिंग

कारक	एकवचन	बहुवचन
कर्ता	नदी, नदी ने	नदियाँ, नदियों ने
कर्म	नदी, नदी को	नदियाँ, नदियों को
करण	नदी से, द्वारा	नदियों से, द्वारा
संप्रदान	नदी के लिए	नदियों के लिए
अपादान	नदी से	नदियों से
संबंध	नदी का, के, की	नदियों का, के, की
अधिकरण	नदी में, पर	नदियों में, पर
संबोधन	हे नदि, हे नदी	हे नदियो

वाक्य

हम अपने विचारों को प्रकट करने के लिए शब्दों का सहारा लेते हैं। शब्दों को एक क्रम में रखा जाता है, जिससे विचार को समझने में कठिनाई न हो और कोई अस्पष्टता न आने पाए। इसी तरह से सजाए हुए और चारों को पूर्णतया स्पष्ट करने वाले शब्द-समूह को वाक्य कहा जाता है। भाषा की न्यूनतम पूर्ण सार्थक इकाई वाक्य ही है।

पदे न वर्णा विद्यन्ते वर्णेष्वयवा न च।
वाक्यात् पदानामत्यन्तं प्रविवेको न कश्चन।।

—वाक्य प्रदीप, ब्रह्माकाण्ड

वाक्य के प्रमुख अवयव दो हैं—

(1) उद्देश्य (2) विधेय

उद्देश्य : जिस वस्तु के विषय में कुछ कहा जाता है, उसे सूचित करने वाले शब्दों को उद्देश्य कहते हैं–सोहन पढ़ता है। घोड़ा दौड़ता है; में सोहन और घोड़ा उद्देश्य हैं क्योंकि इसी के बारे में पढ़ने व दौड़ने की बात कही गई है।

विधेय : उद्देश्य के विषय में जो कुछ कहा जाता है, उसे सूचित करनेवाले शब्दों को विधेय कहते हैं।

सोहन पढ़ता है। घोड़ा दौड़ता है।

इस वाक्य में उद्देश्य (सोहन के बारे में 'पढ़ता है') ऐसा कहा गया है इसलिए 'पढ़ता है' विधेय है।

उद्देश्य का विस्तार : उद्देश्य की विशेषता बतानेवाले शब्दों को उद्देश्य का विस्तार कहा जाता है। जैसे–सुंदर लड़की आ रही है।

इस वाक्य में लड़की उद्देश्य है जिसकी विशेषता 'सुंदर' शब्द से बतायी गई है। अतएव 'सुंदर' उद्देश्य का विस्तार है।

विधेय का विस्तार : विधेय की विशेषता बतानेवाले शब्दों को विधेय का विस्तार कहा जाता है। जैसे–लड़की धीरे-धीरे गाती है।

इस वाक्य में विधेय है–'गाती है'।

जिसकी विशेषता बतानेवाले शब्द हैं–धीरे-धीरे। इस तरह 'धीरे-धीरे' उद्देश्य का विस्तार है।

रचना की दृष्टि से वाक्य-भेद

(1) साधारण वाक्य (2) मिश्र वाक्य (3) संयुक्त वाक्य

1. साधारण वाक्य : जिस वाक्य में केवल एक उद्देश्य और एक ही विधेय होता है उसे साधारण वाक्य कहा जाता है। जैसे–पानी बरसता है। उद्देश्य–पानी। विधेय–बरसता है। बिजली कड़कती है। उद्देश्य–बिजली। विधेय–कड़कती है।

2. मिश्र वाक्य : जिस वाक्य में साधारण वाक्य के अतिरिक्त एक अंग वाक्य भी हो उसे मिश्र वाक्य कहते हैं। जैसे–हमें अच्छी तरह मालूम है कि महात्मा गाँधी दुनिया के महान् पुरुष थे।

प्रमुख साधारण वाक्य–हमें अच्छी तरह मालूम है।

आश्रित (अंग) वाक्य–महात्मा गाँधी दुनिया के महान् पुरुष थे।

मिश्र वाक्य में प्रमुख उद्देश्य और प्रमुख विधेय से बनने वाले वाक्य 'मुख्य उपवाक्य' और अंग के रूप में आनेवाले वाक्य 'आश्रित उपवाक्य' कहे जाते हैं।

आश्रित उपवाक्य : आश्रित उपवाक्य तीन प्रकार के हैं–

1. संज्ञा उपवाक्य 2. विशेषण उपवाक्य 3. क्रिया विशेषण उपवाक्य

संज्ञा उपवाक्य : साधारण वाक्य में जिसमें जिस जगह संज्ञा का प्रयोग किया जाता है, उस जगह उसी (संज्ञा के) अर्थ में प्रयुक्त आश्रित उपवाक्य को संज्ञा उपवाक्य

कहा जाता है। जैसे : आप बोलते हैं, वह मेरी समझ में नहीं आता।

इस वाक्य में 'आप बोलते हैं' उपवाक्य 'आपका बोलना' के स्थान पर आया है। 'आपका बोलना' में 'बोलना' संज्ञा है। अतः 'आप बोलते' हैं संज्ञा उपवाक्य हुआ।

संज्ञा उपवाक्य निम्नलिखित रूपों में आता है :

(1) दूसरे वाक्य में क्रियापद के कर्ता के रूप में :

मोहन भाग गया यह सच है (है का कर्ता 'यह') 'यह' का कर्ता समानाधिकरण—भाग गया।

(2) कर्म के रूप में : राम ने कहा कि लीला पास हो गयी।

('कहना' क्रिया का कर्म)

(3) क्रियापूरक के रूप में : मेरा ऐसा विचार है कि भारत पाकिस्तान को हरा देगा। ('विचार है' क्रिया का पूरक)

नोट : संज्ञा उपवाक्य जब प्रमुख उपवाक्य के साथ आता है तो उसके पहले 'कि' का प्रयोग होता है।

विशेषण उपवाक्य : साधारण वाक्य से जिस जगह विशेषण का प्रयोग किया जाता है, उसी जगह उसी (विशेषण) के अर्थ में प्रयुक्त आश्रित उपवाक्य को विशेषण उपवाक्य कहते हैं।—मोहन, जो फल पका है, उसे खरीद रहा है।

इस वाक्य में 'जो फल पका है' उपवाक्य 'पका फल' के स्थान पर आता है। अतः 'जो फल पका है' यह विशेषण उपवाक्य हुआ।

विशेषण उपवाक्य निम्नलिखित रूपों में आता है—

(1) मुख्य वाक्य के उद्देश्य (कर्ता के विशेषण) के रूप में :
जो विपत्ति में सहायता करता है वही सच्चा मित्र है।
(मुख्य वाक्य के उद्देश्य 'वही' का विशेषण)

(2) मुख्य वाक्य के कर्म के विशेषण के रूप में :
तुमने जो कहा उसे मैंने भुला दिया।
(मुख्य वाक्य के कर्म 'उसे' का विशेषण)

(3) मुख्य वाक्य के क्रियापूरक के विशेषण के रूप में :
जिसे देखते ही मन मुग्ध हो जाए ऐसा सुंदर यह स्थल है।
(मुख्य वाक्य के क्रियापूरक 'सुंदर' का विशेषण)

(4) मुख्य वाक्य के विधेय वर्द्धक के विशेषण के रूप में :

विशेषण उपवाक्य हमेशा दूसरे वाक्य की संज्ञा अथवा सर्वनाम के विशेषण के रूप में आता है। विशेषण उपवाक्य के तुरंत बाद, दूसरे वाक्य की संज्ञा या सर्वनाम का प्रयोग होता है।

क्रिया विशेषण उपवाक्य : साधारण वाक्य में जहाँ क्रिया विशेषण का प्रयोग

होता है, उस जगह उसी (क्रिया विशेषण के) अर्थ में प्रयुक्त उपवाक्य को क्रिया विशेषण उपवाक्य कहा जाता है। जैसे–

मोहन आया तो मुझे आनंद होगा।

इस वाक्य में 'आया तो' उपवाक्य 'आने से' क्रिया विशेषण के स्थान पर प्रयुक्त होता है। इसलिए यह क्रिया विशेषण उपवाक्य है।

क्रिया विशेषण के द्वारा स्थान, काल, रीति, अथवा कार्यकारण आदि सूचित किए जाते हैं–

जहाँ-जहाँ वह जाता है वहाँ-वहाँ विपत्ति उसका पीछा किए आती है। (स्थान)

जब वह आए तब यह बात कह देना। (काल)

जैसे-जैसे वह विषय समझता गया वैसे-वैसे उसकी उलझन दूर होती गई। (रीति)

जब बादल घिरते हैं तब मोर नाचते हैं। (कारक)

क्रिया विशेषण उपवाक्य जब; जहाँ जैसे आदि अव्ययों से प्रारंभ होता है।

3. **संयुक्त वाक्य :** जिस वाक्य में दो या दो से अधिक वाक्य अथवा मिश्र वाक्य अव्ययों द्वारा जुड़े रहते हैं, उसे संयुक्त वाक्य कहते हैं। इसमें जुड़े हुए वाक्य स्वतंत्र होते हैं। जैसे–

उसने परिश्रम किया और वह पास हो गया।

पहला वाक्य–उसने परिश्रम किया।

दूसरा वाक्य–वह पास हो गया।

संयोजक अव्यय–और संयुक्त वाक्य के प्रमुख वाक्यों को समानाधिकरण उपवाक्य कहा जाता है।

रचना की दृष्टि से वाक्य के भेदों को हम निम्नलिखित चार्ट से आसानी से समझ सकते हैं–

सरल, संयुक्त और मिश्र वाक्य

वाक्य तीन प्रकार के होते हैं : (1) सरल वाक्य (2) संयुक्त वाक्य और (3) मिश्र वावय।

1. नीचे दिए हुए वाक्य पढ़िए :

(1) सुनील पाठशाला <u>जाता है</u>।

(2) आपका पत्र <u>मिला</u>।

(3) प्रकाश प्रेम से लोगों के दिल <u>बहलाएगा</u>।

इन वाक्यों में एक ही उद्देश्य-विधेय है अर्थात् एक ही क्रिया है।

उद्देश्य	विधेय
(1) सुनील	पाठशाला जाता है।
(2) आपका पत्र	मिला।
(3) प्रकाश	प्रेम से लोगों के दिल बहलाएगा।

इस प्रकार के वाक्यों को **सरल वाक्य** कहते हैं।

सरल वाक्य : जिस वाक्य में एक ही उद्देश्य-विधेय और एक ही क्रिया होती है, उसे सरल वाक्य कहते हैं।

2. अब इन वाक्यों को पढ़िए :

(1) उसने खाना खाया और वह पुस्तक पढ़ने लगा।

(2) फोन कर दीजिए या किसी के हाथ संदेश भेज दीजिए।

(3) चोर ने मालिक को देखा, तो वह भाग खड़ा हुआ।

ऊपर के प्रत्येक वाक्य में दो उद्देश्य-विधेय हैं और दो क्रियाएँ हैं। वास्तव में प्रत्येक वाक्य दो स्वतंत्र वाक्यों को जोड़कर बना है। वाक्यों को जोड़ने के लिए समुच्चयबोधक अव्ययों का प्रयोग किया गया है। अव्यय हटा देने पर प्रत्येक वाक्य दो स्वतंत्र वाक्यों में बँट जाता है।

उद्देश्य	विधेय	समुच्चयबोधक अव्यय
1. उसने	1. खाना खाया।	और
वह	2. पुस्तक पढ़ने लगा।	
2. (आप)	1. फोन कर दीजिए।	या
	2. किसी के हाथ संदेश भेज दीजिए।	
3. चोर ने	1. मालिक को देखा	तो
वह	2. भाग खड़ा हुआ।	

इस प्रकार के वाक्य को **संयुक्त वाक्य** कहते हैं।

संयुक्त वाक्य : जो वाक्य दो स्वतंत्र वाक्यों को जोड़कर बनता है, उसे संयुक्त वाक्य कहते हैं।

संयुक्त वाक्य के संयोजन में निम्नलिखित समुच्चयबोधक अव्ययों का प्रयोग होता है :

समुच्चयबोधक अव्यय	उदाहरण
और	श्याम आया और तुरंत चला गया।
तथा	उसने एक पुस्तक तथा एक कलम खरीदी।
अथवा, या	आप ठंडा पिएँगे अथवा (या) लस्सी ?
पर, परंतु, लेकिन,	मैंने बहुत समझाया, पर (परंतु, लेकिन) वह नहीं माना।
क्योंकि	वह देर से आया, क्योंकि देर से उठा था।
तो, नहीं तो	आप कहेंगे, तो वह मान जाएगा मैंने रोक लिया, नहीं तो वह मार देता।
इसलिए, अतः	पता गलत लिखा था, इसलिए (अतः) पत्र नहीं पहुँचा।

3. निम्नलिखित वाक्य पढ़िए :

(1) जो मेहनत करता है, वही सफल होता है।

(2) मैंने जहाँ कहा था, वहाँ वह पहुँच गया।

(3) वह इतना ताकतवर है कि सब डरते हैं।

इन वाक्यों को पढ़ने से पता चलता है कि प्रत्येक वाक्य में एक मुख्य वाक्य है और दूसरा उपवाक्य (गौण वाक्य) है। जैसे–

मुख्य वाक्य	उपवाक्य
1. वही सफल होता है	जो मेहनत करता है।
2. वह वहाँ पहुँच गया	जहाँ मैंने कहा था।
3. सब डरते हैं	वह इतना ताकतवर है।

ऊपर के वाक्यों में उपवाक्य मुख्य वाक्य पर आश्रित है। उसका स्वतंत्र रूप से अर्थ नहीं निकलता। उपवाक्य और मुख्य वाक्य से बने ऐसे वाक्य को 'मिश्र वाक्य' कहते हैं।

मिश्र वाक्य के उपवाक्यों को जोड़ने के लिए कि, यद्यपि, यदि-तो, वहाँ-जहाँ, जब-तब, जो-उसे, जिसने-उसने, जैसा-वैसा आदि अव्ययों का प्रयोग होता है।

मिश्र वाक्य : जिस वाक्य में एक मुख्य वाक्य और एक या अधिक आश्रित उपवाक्य होते हैं, उसे मिश्र वाक्य कहते हैं।

सरल वाक्यों का संयुक्त वाक्यों में परिवर्तन

सरल वाक्य	संयुक्त वाक्य
1. बच्चे के रोने से उनकी पढ़ाई में खलल पड़ता है।	1. बच्चा रोता है, तो उनकी पढ़ाई में खलल पड़ता है।
2. सूर्योदय होने पर लोग जाग गए।	2. सूर्योदय हुआ और लोग जाग गए।
3. संतुष्ट होने पर भी कमल को एक चिंता सताने लगी थी।	3. कमल संतुष्ट थे, लेकिन उन्हें एक चिंता सताने लगी थी।
4. ताँगे वाला इसको पैसेवाला जानकर नाखुश नही करना चाहता था।	4. ताँगे वाला इसको पैसेवाला जानता था, इसलिए नाखुश नहीं करना चाहता था।

संयुक्त वाक्यों का सरल वाक्यों में परिवर्तन

संयुक्त वाक्य	सरल वाक्य
1. वह निराश हुआ और घर से निकला।	1. वह निराश होकर घर से निकला।
2. डॉक्टर ने पट्टी बाँध दी तथा पाँच रुपए माँगे।	2. डॉक्टर ने पट्टी बाँधकर पाँच रुपए माँगे।
3. मैं कहीं आऊँ-जाऊँ तो इन्हें नहीं सुहाता।	3. मेरा कहीं आना-जाना इन्हें नहीं सुहाता।

सरल वाक्यों का मिश्र वाक्यों में परिवर्तन

सरल वाक्य	मिश्र वाक्य
1. इंसान स्वामी और सेवक का अंतर जानता है।	1. इंसान यह जानता है कि स्वामी और सेवक में क्या अंतर होता है।
2. कोई भी उसे इस बीमारी से अच्छा नहीं कर सकता।	2. कोई भी ऐसा नहीं है जो उसे इस बीमारी से अच्छा कर सके।
3. पैसे से सबकुछ खरीदा जा सकता है।	3. ऐसा कुछ भी नहीं है जो पैसे से न खरीदा जा सके।
4. तुम्हारे अंदर का मानव मर चुका है।	4. जो मानव तुम्हारे अंदर था, वह मर चुका है।

मिश्र वाक्यों का सरल वाक्यों में परिवर्तन

मिश्र वाक्य	सरल वाक्य
1. यदि उन्हें रोककर न रखा जाता, तो वे कार में घुसकर बैठ जाते।	1. रोककर न रखने पर वे कार में घुसकर बैठ जाते।
2. जिसने दुख नहीं देखा, उसने दुनिया में कुछ नहीं देखा।	2. दुख न देखनेवाले ने दुनिया में कुछ नहीं देखा।
3. जो जानकार भूकंप को असंभव मानते थे, वे चुप्पी साधे हुए थे।	3. भूकंप को असंभव माननेवाले जानकार चुप्पी साधे हुए थे।

संयुक्त वाक्यों का मिश्र वाक्यों में परिवर्तन

संयुक्त वाक्य	मिश्र वाक्य
1. महात्मा विनोबा यश से भागते हैं, पर कीर्ति उनके पीछे आती है।	1. यद्यपि महात्मा विनोबा कीर्ति से भागते हैं, पर यश उनके पीछे आती है।
2. एक महीने को आते हैं, तो भी कभी मीठे बोल नहीं बोलते।	2. यद्यपि एक महीने को आते हैं, तो भी कभी मीठे बोल नहीं बोलते।
3. मैं उन लोगों का नाम लेता गया और वह उन्हें निंदा की तलवार से काटता गया।	3. जैसे-जैसे में उन लोगों के नाम लेता गया वैसे-वैसे वह उन्हें निंदा की तलवार से काटता गया।

मिश्र वाक्यों का संयुक्त वाक्यों में परिवर्तन

मिश्र वाक्य	संयुक्त वाक्य
1. यद्यपि वह तरह-तरह की मुसीबतों से घिरा था, फिर भी निराश न हुआ।	1. वह तरह-तरह की मुसीबतों से घिरा था, फिर भी निराश न हुआ।
2. जब पेट भर गया, दोनों ने आजादी का अनुभव किया।	2. पेट भर गया, तो दोनों ने आजादी का अनुभव किया।
3. चुपके से भाग जाओ, नहीं तो यहाँ लोग मार डालेंगे।	3. यदि चुपके से भाग नहीं जाओगे, तो यहाँ लोग मार डालेंगे।
4. जैसे ही घर का दरवाजा खुला, वही लड़की निकली।	4. घर का दरवाजा खुला और वही लड़की निकली।

अर्थ की दृष्टि से वाक्य के भेद–

1. विधिवाचक : जो किसी बात का होना सूचित करे–मैंने स्नान किया।

2. निषेधवाचक : जिससे किसी बात का न होना सूचित हो–मैंने स्नान नहीं किया।

3. आज्ञावाचक : जिससे किसी बात की आज्ञा सूचित हो–भाग जाओ।

4. प्रश्नवाचक : जिससे प्रश्न पूछे जाने का बोध हो–कहाँ जाते हो ?

5. विस्मयवाचक : जो आश्चर्य, सुख अथवा दुःख का बोध कराए–हाय ! यह क्या हुआ !

6. संदेहवाचक : जिससे संदेह सूचित हो–तुमने पढ़ा होगा।

7. इच्छावाचक : जिससे इच्छा अथवा शुभकामना सूचित हो–खुश रहो।

8. संकेतवाचक : जब एक वाक्य दूसरे की संभावना पर निर्भर हो–यदि वह आता तो मैं घूमने जाता।

9. विध्यर्थक : उपदेश, विनती अथवा मृदु आज्ञा सूचित करने वाले वाक्य–बालकों को माँ-बाप का कहना मानना चाहिए।

10. क्रियातिपत्यर्थ : जिससे क्रिया की निष्फलता सूचित हो–यदि बीमार न पड़ा होता तो मोहन प्रथम श्रेणी में पास हो जाता।

शैली के अनुसार वाक्य के भेद–शैली के अनुसार वाक्य के तीन भेद होते हैं।

(1) शिथिल

(2) समीकृत

(3) आवर्त्तक

अर्थ के अनुसार वाक्य के भेद–अर्थ के अनुसार वाक्य के आठ भेद माने जाते हैं।

(1) विधि वाक्य–राम पढ़ता है।

(2) निषेध वाक्य–राम नहीं पढ़ता है।

(3) प्रश्न वाक्य–राम पढ़ता है ?

(4) अनुज्ञा वाक्य–तुम पढ़ो ।

(5) इच्छार्थक वाक्य–भगवान तुम्हें सुबुद्धि दें।

(6) संदेहार्थक वाक्य–राम पढ़ता होगा।

(7) संकेतार्थक वाक्य–यदि वह पढ़ता तो बहुत अच्छा करता।

(8) विस्मयादिबोधक वाक्य–अरे ! तुम पढ़ रहे हो ?

पदक्रम

क्रम : वाक्य में सार्थक शब्दों को उचित स्थान पर रखने की क्रिया को क्रम

(शब्द क्रम) अथवा (पदक्रम) कहा जाता है।

शब्द क्रम के सामान्य नियम :

1. हिंदी में वाक्य बनाते समय पहले कर्ता, फिर कर्म और सबके अंत में क्रिया रखी जाती है—मैंने गाना गाया।

2. उद्देश्य के विस्तार को उद्देश्य के पहले और विधेय के विस्तार को विधेय के पहले रखा जाता है : फास्ट गाड़ी बहुत तेज दौड़ती है।

3. अधिकरण, अपादान, संप्रदान और करण कारक कर्ता और कर्म के बीच में क्रमशः आते हैं : राम रथ पर बैठकर नगर से बाहर पिता की आज्ञा का पालन करने के लिए गये और तीर से रावण को मारा।

4. वाक्य में जब दो कर्म होते हैं तो मुख्य कर्म बाद में और गौण कर्म पहले आता है—मैंने अपने मित्र को एक किताब भेंट की।

5. संबोधन और विस्मयादि बोधक शब्द वाक्य के आरंभ में आते हैं—हे प्रभो ! आनंददाता ! ज्ञान हमको दीजिए ! अरे ! तुम आ गए।

6. विशेषण विशेष्य के पहले रखा जाता है—अच्छी पुस्तकें सस्ती नहीं मिलतीं।

7. क्रिया विशेषण का प्रयोग क्रिया के पहले किया जाता है—वह बहुत तेज दौड़ता है।

8. प्रश्नवाचक शब्दों को उन्हीं संज्ञाओं के पहले रखा जाता है जिसके बारे में कुछ पूछा जाता है—क्या, मोहन चला गया ?

9. कभी-कभी प्रश्वाचक शब्दों को वाक्य के अंत में भी रखा जाता है—मोहन चला गया क्या ?

10. प्रश्नवाचक अव्ययों को अंत में रखा जाता है—कहिए, कुशल हैं न ?

11. यदि, तो, यद्यपि, प्रायः वाक्यारंभ में ही रखे जाते हैं—यदि वह आया हो तो बुलाओ।

तो, आपने मेरी बात मान ही ली।

यद्यपि वह छोटा है तो भी बुद्धिमान है।

12. समुच्चय बोधक उन शब्दों अथवा वाक्यों के बीच में आते हैं, जिन्हें वे जोड़ते हैं—राम और श्याम आज पढ़ने नहीं आए।

13. जब समुच्चय बोधक कई शब्दों अथवा वाक्यों को जोड़ते हैं, तब अंतिम शब्द अथवा वाक्य के पूर्व रखे जाते हैं—राम, श्याम और मोहन आज पढ़ने नहीं आए।

14. प्रायः गौण वाक्य पहले और प्रमुख वाक्य बाद में रखे जाते है—मैं शहर में नहीं था इसलिए आपकी शादी में न आ सका।

(कारणवाचक गौण वाक्य)

अर्थ

अर्थ : क्रिया का वह रूप जिससे कहने वाले के (विधान करने की रीति) का ज्ञान होता है अर्थ कहा जाता है। जैसे :

लड़की हँसती है। (निश्चय)

यहाँ से भाग जाओ। (आज्ञा)

क्रिया का मुख्य अर्थ :

1. **निश्चयार्थ :** जिसके द्वारा निश्चित बात (विधान) का ज्ञान हो। जैसे—मैं पढ़ता हूँ। उमा खेलती है।

2. **संभावनार्थ :** जिसके द्वारा अनुमान, इच्छा इत्यादि का ज्ञान हो।

जैसे—हो सकता है आज मोहन पढ़ने न आए। अनुमान

सबको अपने माँ बाप की सेवा करनी चाहिए। कर्तव्य

तुम जीत जाओ। इच्छा

3. **संदेहार्थ :** जिसके द्वारा संदेह सूचित हो। जैसे :

सीता आती होगी। मोहन सोता होगा।

4. **आज्ञार्थ :** जिसके द्वारा आज्ञा, निषेध, उपदेश आदि का ज्ञान हो जैसे :

यहाँ से चले जाओ। आज्ञा

मत दौड़ो। निषेध

सदा सत्य बोलो।उपदेश

5. **संकेतार्थ :** जिसके द्वारा संकेत सूचित हो जैसे :

आप कहते तो वह गाता।

वाक्यों की अशुद्धियाँ

वाक्य संरचना के कुछ नियम होते हैं, जिनकी जानकारी अत्यंत आवश्यक है। इस प्रकार की कतिपय वाक्यगत अशुद्धियों के शुद्धरूप निम्नांकित हैं—

अशुद्ध	शुद्ध
1. अपनी ताकत के बल पर डटे रहो।	अपनी ताकत पर डटे रहो।
2. राम ने बहुत कपड़ा खरीदा।	राम ने बहुत कपड़े खरीदे।
3. मैं घर को जा रहा हूँ।	मैं घर जा रहा हूँ।
4. तुम सबसे सुंदरतम हो।	तुम सुंदरतम हो।
5. मैंने कोई काम नहीं किए।	मैंने कोई काम नहीं किया।
6. तुम्हारे ऊपर इसका क्या भार है।	तुम पर इसका भार है।
7. तुलसी द्वारा रामायण लिखी गई।	तुलसी ने रामायण लिखी।

8. बिल्ली ने दही गिरा दी।	बिल्ली ने दही गिरा दिया।
9. काशी सदा संस्कृति का केन्द्र रहा।	काशी सदा संस्कृति का केन्द्र रही।
10. तुम खाए या नहीं।	तुमने खाया या नहीं ?
11. एक फूल की माला लाओ।	फूल की एक माला लाओ।
12. असली गाय का घी लाओ।	गाय का असली घी लाओ।
13. तुमको इतना देर क्यों हुआ ?	तुम्हें इतनी देर क्यों हुई ?
14. मेरा तो प्राण ही सूख गया।	मेरे तो प्राण ही सूख गये।
15. श्रीकृष्ण के अनेकों नाम हैं।	श्रीकृष्ण के अनेक नाम हैं।
16. उसकी आँखों से आँसू बहने लगा।	उसकी आँखों से आँसू बहने लगे।
17. सारे देश भर में यह बात फैल गयी।	सारे देश में यह बात फैल गयी।
18. मैं तो अवश्य ही जाऊँगा।	मैं तो अवश्य जाऊँगा।
19. बंदूक एक उपयोगी शस्त्र है।	बन्दूक एक उपयोगी अस्त्र है।
20. आज का दिन सबसे अच्छा है।	आज दिन सबसे अच्छा है।
21. आज मैं प्रातःकाल के समय वहाँ गया।	आज मैं प्रातःकाल वहाँ गया।
22. अपराधी दण्ड देने योग्य है।	अपराधी दण्ड पाने के योग्य है।
23. कल शाम धुआँधार वर्षा हुई।	कल शाम मूसलाधार वर्षा हुई।
24. आप लोग अपनी राय दें।	आप लोग अपनी-अपनी राय दें।
25. यौवनावस्था में बहुत-सी बुराइयाँ आ जाती हैं।	युवावस्था में बहुत-सी बुराइयाँ आ जाती हैं।
26. मैं प्रातःकाल के समय घूमने जाता हूँ।	मैं प्रातःकाल घूमने जाता हूँ।
27. उसके बाद फिर क्या हुआ बतलाऊँ।	उसके बाद फिर क्या हुआ कैसे बतलाऊँ।

क्रिया

क्रिया : उस विकारी शब्द को जो किसी कार्य का करना या होना प्रकट करे, क्रिया कहते हैं। जैसे राम जाता है। इस वाक्य में 'जाता है', क्रिया है क्योंकि इससे जाने के भाव का बोध होता है।

जाति की दृष्टि से क्रिया के भेद

1. सकर्मक 2. अकर्मक

सकर्मक : जब क्रिया के व्यापार का फल कर्म पर पड़ता है तब उसे सकर्मक क्रिया कहते हैं। जैसे–राम रोटी खाता है।

इस वाक्य में 'खाना' क्रिया के व्यापार का फल 'रोटी' पर पड़ रहा है। 'रोटी'

इस वाक्य में कर्म है। **अतः यहाँ क्रिया सकर्मक हुई।**

अकर्मक : जब क्रिया के व्यापार का फल कर्ता पर पड़ता है, तब उसे अकर्मक क्रिया कहते हैं। जैसे—राम पढ़ता है।

व्युत्पत्ति की दृष्टि से क्रिया के भेद हैं—

1. मूल क्रिया
2. यौगिक क्रिया

मूल क्रिया : मूल धातु से बनी हुई क्रिया को मूल क्रिया कहते हैं। जैसे—चलना, फिरना, दौड़ना, लिखना इत्यादि।

यौगिक क्रिया : जो क्रिया धातु के साथ दूसरे शब्द लगाकर बनाई जाती है, उसे यौगिक क्रिया कहते हैं। जैसे—भाग खड़ा होना।

यौगिक क्रिया के भेद : 1. प्रेरणार्थक क्रिया 2. नामधातु की क्रिया 3. संयुक्त धातु की क्रिया।

प्रेरणार्थक क्रिया : प्रेरणार्थक क्रिया मूल धातु में प्रत्यय लगाकर बनाई जाती है और किसी के द्वारा प्रेरित किये जाने पर क्रिया के होने का बोध कराती है। जैसे—शिक्षक विद्यार्थी से किताब 'पढ़वाता' है।

'पढ़' धातु में 'वाता' जोड़ने से बना 'पढ़वाता' है।

क्रिया	धातु	प्र.प्रेरणार्थ क्रिया द्वि.	प्रेरणार्थक क्रिया
चलना	चल	चला......ना	चलवाना
लिखना	लिख	लिखा......ना	लिखवाना
सुनना	सुन	सुना......ना	सुनवाना
सोना	सो	सुला......ना	सुलवाना
पीना	पी	पिला.....ना	पिलवाना

नाम धातु की क्रिया : संज्ञा शब्दों से बनी हुई क्रिया को नाम धातु की क्रिया कहते हैं। जैसे—हाथ से हथियाना, लात से लतियाना, उपर से उपराना इत्यादि।

संयुक्त क्रिया : दो या दो से अधिक धातुओं से बनी हुई और नया अर्थ देनेवाली क्रिया को संयुक्त क्रिया कहते हैं जैसे :

'मार बैठना,' 'मार डालना', 'चल बसना' इत्यादि।

वचन

वचन : शब्द का वह रूप जिससे एक अथवा अनेक की पहचान हो, वचन कहते हैं।

वचन के भेद—(1) एकवचन (2) बहुवचन

1. **एकवचन :** जिससे एक का बोध होता हो। यथा—लड़का जाता है।
2. **बहुवचन :** जिससे अनेक का बोध होता हो। यथा—लड़के जाते हैं।

बहुवचन बनाने के नियम :

1. अकारांत पुल्लिग शब्दों को एकारांत बनाकर–
   लड़का-लड़के, घोड़ा-घोड़े
2. कुछ अकारांत संस्कृत पुल्लिग शब्द दोनों वचनों में समान रहते हैं।
   राजा-राजा, भ्राता-भ्राता
3. संबंध और उपनामसूचक 'अकारांत' शब्दों में भी बहुवचन बनाते समय परिवर्तन नहीं होता–
   चाचा-चाचा, मामा-मामा, पण्डा-पण्डा
4. 'अकारांत' स्त्रीलिंग संज्ञा शब्दों को एकारांत बनाकर–
   लता-लताएँ, कथा-कथाएँ
5. 'इकारांत' स्त्रीलिंग शब्दों में याँ लगाकर–
   विधि-विधियाँ, निधि-निधियाँ
6. 'ईकारांत' स्त्रीलिंग शब्दों में 'ई' के स्थान पर 'इयाँ' लगाकर :
   लड़की-लड़कियाँ, गली-गलियाँ
7. कुछ अकारांत स्त्रीलिंग शब्दों में 'एँ' लगाकर–
   किताब-किताबें, कलम-कलमें–

वचन-संबंधी कुछ अन्य नियम :

1. आदर प्रकट करने के लिए बहुवचन का प्रयोग किया जाता है :
   जवाहरलाल नेहरू भारत के प्रथम प्रधानमंत्री थे।
2. भाववाचक संज्ञाएँ एकवचन में ही प्रयुक्त होती हैं :
   उसके चित्रों की सुंदरता देखकर मैं मुग्ध हो गया।
3. अधिकतर समूहवाचक संज्ञाएँ एकवचन में ही प्रयुक्त होती हैं :
   भारत की जनता एक अच्छा शासक चाहती है।
4. द्रव्यवाचक संज्ञाओं का प्रयोग एकवचन में ही होता है :
   भारत में बहुत लोहा है।
5. शरीर के एक से अधिक समान अवयवों का बोध कराने वाले शब्द बहुवचन में ही प्रयुक्त होते हैं :
   उसकी आँखें सुंदर हैं। उसके कान छोटे हैं।

लिंग

लिंग किसी प्राणी अथवा वस्तु के कुदरती अथवा काल्पनिक पुरुषत्व या स्त्रीत्व का बोध कराने वाले स्वरूप को लिंग कहते हैं।

हिंदी भाषा में लिंग के भेद

(1) पुल्लिंग, (2) स्त्रीलिंग

पुल्लिंग : जिससे प्राकृतिक अथवा काल्पनिक पुरुषत्व का बोध हो। यथा : हाथी, घोड़ा, बादल, काव्य, ग्रन्थ।

स्त्रीलिंग : जिससे प्राकृतिक अथवा काल्पनिक स्त्रीत्व का बोध हो यथा : हथिनी, घोड़ी, नदी, कविता, पुस्तक, अंग्रेजी इत्यादि कुछ भाषाओं में लिंग निर्णय करना हिंदी की अपेक्षा आसान है। हिंदी में लिंग निर्णय करने के ऐसे नियम नहीं मिलते जिनका उपयोग निर्विवाद रूप में किया जा सके। हाँ, कुछ ऐसे सामान्य नियम अवश्य हैं, जिनसे लिंग-निर्णय में कुछ आसानी हो जाती है यथा :

पुल्लिंग : 1. पुरुषत्व का बोध कराने वाली संज्ञाएँ :

आदमी, लड़का, पेड़, पहाड़, हिमालय, लोहा, देवदार, गेहूँ, सूर्य, चाँद, चैत्र, सोमवार, हाथ, पैर, कुरता, आनंद इत्यादि।

2. **ऐसी संज्ञाएँ जिनके अंत में :**

आन, आव, त्व, पान, पा, आर,
न, त्र, य, उ, ऊ, व, सार
आय, आस, ख, आश, ण, आकू
ना, त, आँ, अ, बाद और हार। –आए हों
प्रायः पुल्लिंग होती हैं।

आन : वरदान, महान
आव : पड़ाव, चढ़ाव
पन : बचपन, लड़कपन
पा : बुढ़ापा, पुजापा
आर : कोहार, उपकार
न : आगमन, चमन
त्र : अस्त्र, वस्त्र
य : राज्य, सहाय
उ : मधु, अश्रु
ऊ : भालू, आलू
व : गौरव, यादव
सार : मिलनसार,
आय : समुदाय, अध्याय

त्व : महत्व
आस : प्रयास, उपहास
ख : नख, सुख
आश : प्रकाश, आकाश
ण : भूषण, दूषण
आकू : लड़ाकू, पढ़ाकू
ना : चलना, फिरना
त : गात, मत
आँ : धुआँ, कुआँ
अ : पर, घर
वाद : समाजवाद, छायावाद
हार : बिहार, उपहार

स्त्रीलिंग : 1. स्त्रीत्व का बोध कराने वाली संज्ञाएँ :

नारी, बहन, गाय, सीता, गंगा, कस्तूरी, आँख, टाँग, टोपी, पगड़ी, चेचक, हिंदी,

इत्यादि।

2. ऐसी संज्ञाएँ जिनके अंत में :

आई, हट, वट, ट, ता, इया, इ, अन, इश–आए हों।

काल

समान्यतया समय का बोध कराने वाले रूप को काल कहते हैं।

हिंदी में काल, क्रियापरक रूपों का ऐसा समवाय है जो भाषा में प्रत्यक्ष एवं वास्तव में विद्यमान समय को प्रतिबिम्बित करता है, और क्रिया से अभिव्यक्ति व्यापार या अवस्था के संबंध का कथन के क्षण के प्रति निर्देश करता है।

काल के भेद

(1) वर्तमान काल (2) भूत काल (3) भविष्य काल

(1) वर्तमान काल : ऐसे कार्य व्यापार या अवस्था का निर्देश करता है जो कथन के क्षण में होता है या शाश्वत सत्य होता है। यथा–राम पूजा करता है। पृथ्वी सूर्य की परिक्रमा करती है।

(2) भूत काल : ऐसे व्यापार या अवस्था का निर्देश करता है जो कथन के क्षण से पूर्व हो रहा था या हुआ था।

यथा–राम अयोध्या के राजा थे।

(3) भविष्य काल : ऐसे कार्य व्यापार या अवस्था का निर्देश करता है जो कथन के क्षण के पश्चात् होगा। यथा–मैं कल वापस घर चला जाऊँगा।

(1) वर्तमान काल–वर्तमान काल के निम्नलिखित भेद किए गए हैं–

1. सामान्य वर्तमान काल : क्रिया के वर्तमान काल में घटित होने की सामान्य अवस्था का बोध कराने वाला काल, सामान्य वर्तमान काल कहा जाता है। जैसे–

मोहन गाता है। सीता चिल्लाती है।

इन वाक्यों में 'गाता है' और 'चिल्लाती है' क्रिया के गाने और चिल्लाने के वर्तमान काल में होने की सूचना दे रहे हैं। इनके द्वारा वर्तमान काल की किसी विशेष अवस्था का ज्ञान नहीं हो रहा है।

2. तात्कालिक वर्तमान : इससे यह पता चलता है क्रिया वर्तमान काल में चल रही है, समाप्त नहीं हुई है। जैसे–मोहन गा रहा है। सीता चिल्ला रही है।

इन वाक्यों में 'गा रहा है' और 'चिल्ला रही है' क्रिया के रूपों से यह पता चलता है कि क्रिया अभी हो रही है, समाप्त नहीं हुई है।

3. संदिग्ध वर्तमान काल : इससे क्रिया के होने में संदेह प्रकट होती है लेकिन उसकी वर्तमानता में नहीं। जैसे–

मोहन गाता होगा। सीता चिल्लाती होगी।

इन वाक्यों में 'गाता होगा' और 'चिल्लाती होगी' क्रियाओं द्वारा गाने और चिल्लाने में तो संदेह प्रकट हो रहा है, परंतु इस बात में नहीं कि क्रिया वर्तमान काल की है।

4. संभाव्य वर्तमान काल : इससे क्रिया के वर्तमान काल में लगातार होते रहने की संभावना के भाव का ज्ञान होता है। जैसे–

मोहन गाता हो। अगर सीता चिल्लाती हो तो उसे मना करो।

इन वाक्यों में 'गाता हो' और 'चिल्लाती हो' क्रियाओं द्वारा क्रिया के द्वारा गाने और चिल्लाने क्रिया के वर्तमान काल में लगातार होते रहने की संभावना प्रकट होती है।

(2) भूतकाल : जिस काल से यह पता चले कि क्रिया कथन के क्षण से पूर्व समाप्त हो गई, उसे भूतकाल कहते हैं। जैसे–सीता गई। (कथन के क्षण के पहले जाना सूचित होता है) मैंने पढ़ा। (कथन के क्षण के पहले पढ़ना सूचित होता है।)

भेद : 1. सामान्य भूतकाल : जिससे भूतकाल की क्रिया के विशेष समय का ज्ञान न हो : राम दौड़ा। मोहन तैरा।

इन वाक्यों में दौड़ने और तैरने के विशेष समय का ज्ञान नहीं होता, सिर्फ यह पता चलता है ये क्रियाएँ भूतकाल में हुईं।

2. आसन्न भूतकाल : जिससे यह पता चले कि क्रिया अभी-अभी हुई। जैसे : वह घर से लौटा है। मोहन ने पढ़ा है।

3. पूर्ण भूतकाल : जिससे यह पता चले कि क्रिया बहुत पहले समाप्त हो गई है। जैसे–वह आया था। मोहन ने पढ़ा था।

4. अपूर्ण भूतकाल : जिससे क्रिया के भूतकाल में होने की सूचना तो मिले परंतु यह पता न चले कि क्रिया पूर्ण हुई या नहीं। जैसे–गीता गा रही थी। सोहन पढ़ रहा था।

5. संदिग्ध भूतकाल : जिससे क्रिया के भूतकाल में होने में संदेह प्रकट हो जैसे–तुमने गाया होगा। मोहन ने पढ़ा होगा।

6. हेतु हेतुपद भूतकाल : जिससे यह पता चले कि क्रिया भूतकाल में होनेवाली थी, परंतु किसी कारणवश नहीं हो सकी। जैसे–

मैं कहता तो वह गाता। तुमने बुलाया होता तो वह आई होती।

(3) भविष्यत काल : जो काल; कार्य-व्यापार का भविष्य में होना सूचित करे उसे भविष्यत काल कहते हैं। जैसे–

राम जाएगा। (कथन के क्षण नहीं, बाद में अर्थात् भविष्य में जाएगा) सीता आएगी। (कथन के क्षण नहीं, बाद में अर्थात् भविष्य में आएगी)।

भेद : 1. सामान्य भविष्य काल : इसके द्वारा भविष्य में होने वाली क्रिया की काल-संबंधी सामान्य अवस्था सूचित होती है। जैसे—राधा पढ़ेगी। गीता जाएगी।

2. संभाव्य भविष्य काल : इसके द्वारा, क्रिया के भविष्य में होने की संभावना प्रकट होती है जैसे—संभव है, राधा कल पढ़े। हो सकता है, गीता भी परसों गाए।

3. हेतु हेतुपद भविष्य काल : इसके द्वारा, भविष्य में किसी क्रिया का होना, दूसरी क्रिया के होने पर निर्भर करता है, ऐसा भाव प्रकट किया जाता है। जैसे—वह आए तो मैं जाऊँ। वाद्यकार आए तो राधा नाचे।

काल परिवर्तन—काल परिवर्तन को सामान्य रूप से समझने के लिए निम्नलिखित चार्ट पर ध्यान देना अपेक्षित है—

	सामान्य	**अपूर्ण**	**पूर्ण**
वर्तमान काल	वह जाता है	वह जा रहा है	वह जा चुका है वह गया है
भूतकाल	वह जाता था	वह जा रहा था	वह जा चुका था वह गया था
भविष्य काल	वह जाएगा	—	— —

वाच्य

वाच्य : क्रिया का अपना न तो पुरुष होता है, न लिंग और न वचन ही। वाक्य में प्रयुक्त संज्ञा अथवा सर्वनाम जो कर्ता या कर्म के रूप में क्रिया को प्रभावित करते हैं—के अनुसार इसमें परितर्तन होते हैं। क्रिया के ऐसे ही परिवर्तन को जिसरो यह पता चले कि वाक्य में कर्ता की प्रधानता है अथवा कर्म की, या इन दोनों के अतिरिक्त किसी भाव की प्रधानता है, वाच्य कहते हैं। जब वाक्य में कर्ता की प्रधानता होती है तो वाक्य कर्तृवाच्य में होता है। और जब कर्म की प्रधानता होती है तो कर्मवाच्य में होता है। जब वाक्य में कर्ता और कर्म को छोड़कर किसी भाव की प्रधानता होती है तो वाक्य भाव वाच्य में होता है।

वाच्य के भेद

(1) कर्तृवाच्य (2) कर्मवाच्य (3) भाववाच्य

1. कर्तृवाच्य : कर्तृवाच्य क्रिया के उस रूपांतर को कहते हैं, जिससे यह ज्ञात होता है कि वाक्य में क्रिया का उद्देश्य कर्ता है। जैसे—वह फूल तोड़ता है। यहाँ क्रिया का कर्ता 'वह' वाक्य का उद्देश्य है।

2. कर्मवाच्य : क्रिया के जिस रूप में कर्म की प्रधानता होती है, अर्थात् कर्म ही कर्ता के रूप में हो, तो उसे कर्मवाच्य कहते हैं। मोहन द्वारा दवा मँगाई गई। यहाँ दवा कर्ता के रूप में प्रयुक्त है।

3. भाववाच्य : 1. भाववाच्य में क्रिया हमेशा एकवचन, अन्यपुरुष और पुल्लिग में होती है।

2. भाववाच्य का अधिकतर निषेध के अर्थ में ही प्रयोग होता है।

मुझसे बोला नहीं जाता। मुझसे हँसा नहीं जाता इत्यादि।

धातु

धातु : क्रिया पदों के मूल रूप को धातु कहा जाता है। जैसे–

क्रिया	धातु
लिखना	लिख
लिखता	लिख
लिखते	लिख
पढ़ना	पढ़
चढ़ना	चढ़

धातु के संबंध में कुछ महत्त्वपूर्ण बातें–

1. हिंदी में सभी धातु स्वरान्त होते हैं।

2. व्यंजनान्त धातुओं को वर्ण-विकार के द्वारा स्वरान्त बना लिया जाता है। पठ् धातु से हिंदी में पढ़।

धातु के भेद

शब्द निर्माण की दृष्टि से धातु दो प्रकार की होती है–1. मूल धातु, 2. यौगिक धातु। मूल धातु स्वतंत्र होती है और किसी दूसरे शब्द पर आश्रित नहीं होती। जैसे–खा, जा; देख इत्यादि।

यौगिक धातु किसी प्रत्यय की सहायता से बनती है। इस प्रक्रिया में क्रियाएँ अकर्मक से सकर्मक बनती हैं। जैसे–

क्रिया	यौगिक धातु	मूलधातु
खिलाना	खिला	खा
दिखाना	दिखा	देख

यौगिक धातु के प्रकार

1. प्रेरणार्थक धातु–

क्रिया	प्रथम प्रेरणार्थक	द्वितीय प्रेरणार्थक

लिखना	**लिखा (लिखाना)**	लिखवा (लिखवाना)
गिरना	**गिरा (गिराना)**	गिरवा (गिरवाना)
पीना	**पिला (पिलाना)**	पिलवा (पिलवाना)
भागना	**भगा (भगाना)**	भगवा (भगवाना)

2. नाम धातु–

धातुओं के अतिरिक्त अन्य शब्दों (संज्ञा, विशेषण इत्यादि) के आधार पर बननेवाली धातुएँ नाम धातु कही जाती हैं। जैसे–

संज्ञा, विशेषण, अव्यय	**धातु**	
संज्ञा	**हाथ**	हथिया (हथियाना)
	लात	लतिया (लतियाना)
	बात	बतिया (बतियाना)
विशेषण	**आधा**	अधिया (अधियाना)
	चिकना	चिकना (चिकनाना)
अव्यय	**ऊपर**	उपरा (उपराना)

3. अनुकरण धातु–

खटखट खटखटा	(खटखटाना)
भनभनभनभना	(भनभनाना)

हिंदी वर्तनी

वर्तनी का महत्त्व : किसी भाषा की एकरूपता को बनाए रखने के लिए तथा जन प्रयोगों द्वारा होने वाली विकृतियों से उसे बचाए रखने के लिए वर्तनी संबंधी नियमों का पालन करना अत्यावश्यक है।

वर्तनी की परिभाषा : शब्दों के शुद्ध-अशुद्ध लिखने की रीति को वर्तनी कहते हैं। अंग्रेजी में स्पेलिंग, उर्दू में हिज्जे और बंगला में बनाना कहते हैं। हिंदी में इसे अक्षरी भी कहते हैं।

वर्तनी की अशुद्धता के कारण

1. बोलने में कृत्रिमता : यदाकदा लोग बोलने में गलती कर देते हैं। जैसे–बरहार की जगह बड़हार, बज्रांगबली की जगह बजरंग बली।

2. भ्रम : कभी-कभी लोग भ्रमवश अशुद्ध प्रयोग करते हैं। जैसे–द्रौपदी की जगह द्रौपती।

3. अज्ञान : कभी-कभी किसी शब्द का ठीक-ठीक ज्ञान न होने के कारण लोग उसका गलत उच्चारण करते हैं और फिर उसी उच्चारण के अनुसार गलत

लिखते भी हैं। जैसे—बाण की जगह बाड़। गौण की जगह गौड़। उपर्युक्त की जगह उपरोक्त।

4. विदेशी प्रभाव : कभी-कभी विदेशी प्रभाव के कारण भी शब्दों के रूप विकृत हो जाते हैं, जैसे—गुप्त का गुप्ता, श्रीवास्तव का श्रीवास्तवा।

निपात

निपात में वे शब्द आते हैं, जिनके प्रायः अपने शब्दावली संबंधी तथा वस्तुपरक अर्थ नहीं होते हैं। निपातों का प्रयोग निश्चित शब्द, शब्द समुदाय या पूरे वाक्य के अतिरिक्त भावार्थ प्रदान करने के लिए होता है।

निपात सहायक शब्द होते हुए भी वाक्य के अंग नहीं हो सकते हैं, परंतु वाक्य में उनके प्रयोग से उस वाक्य का समग्र अर्थ प्रभावित होता है। जैसे—जी, जी हाँ, जी नहीं, क्या।

निपात के कार्य

निपात के निम्नलिखित कार्य होते हैं—

1. प्रश्न—जैसे—क्या वह ज़ा रहा है ?
2. अस्वीकृति—जैसे—मेरा लड़का आज वहाँ नहीं जाएगा।
3. विस्मयादिबोधक—जैसे—क्या अच्छी कलम है !
4. वाक्य में किसी शब्द पर बल देना—जैसे—बच्चा भी यह जानता है।

निपात के भेद

1. **स्वीकारार्थक निपात**—जैसे—हाँ, जी हाँ।
2. **नकारार्थक निपात**—जैसे—नहीं, जी नहीं।
3. **निषेधबोधक निपात**—जैसे—मत।
4. **प्रश्नबोधक निपात**—जैसे—क्या ? न।
5. **बलदायक निपात**—जैसे—तो, हीं, भी, तक, सिर्फ, भर, केवल।
6. **तुलनाबोधक निपात**—जैसे—सा।
7. **अवधारणाबोधक निपात**—जैसे—ठीक, लगभग, करीब, तकरीबन।
8. **आदरसूचक निपात**—जैसे—जी।
9. **विस्मयादिबोधक निपात**—जैसे—क्या, काश, काशकि।

हिंदी में अधिकांश निपात उस शब्द समुदाय के बाद आते हैं जिनको वे विशिष्टता या बल प्रदान करते हैं। यदि शब्द-समुदाय, जिसके बाद कोई निपात प्रयुक्त होता है अथवा किसी विभक्ति चिह्न के साथ होता है, तो निपात या तो संबंधित शब्द तथा विभक्ति चिह्न के बीच में प्रयुक्त होता है या विभक्ति चिह्न के

बाद यथा–

(1) मैं तो नहीं जाऊँगा। (2) उसके भी लिए। (3) उसके लिए भी।

प्रतिवेदन

वर्तमान अथवा भूत की विशेषतः घटना; विषय या प्रसंग के प्रमुख कार्यों के क्रमबद्ध और संक्षिप्त विवरण को प्रतिवेदन कहते हैं। इससे किसी कार्य की स्थिति और उसके नियमित प्रगति की सूचना मिलती है। इसकी कुछ विशेषताएँ हैं जो निम्नलिखित हैं :

1. प्रतिवेदन में सारी बातें सिलसिलेवार और क्रमबद्ध लिखी जाती हैं।
2. प्रतिवेदन संक्षिप्त में लिखा जाता है।
3. प्रतिवेदन में अनावश्यक बातें न लिखकर किसी घटना या प्रसंग की मुख्य-मुख्य बातें लिखी जाती हैं।
4. प्रतिवेदन की भाषा सरल और रोचक होनी चाहिए।
5. प्रतिवेदन में पक्षपात, कल्पना तथा भावना को स्थान नहीं देना चाहिए। इसमें केवल सच्ची बातों का विवरण होना चाहिए।
6. प्रतिवेदन की सारी बातें सरल और स्पष्ट हों इसकी भाषा साहित्यिक नहीं होनी चाहिए।
7. प्रतिवेदन में सही तथ्य के अलावा कोई ऐसी बात न कही जाय जिससे भ्रम पैदा हो।
8. प्रतिवेदन डायरी या दैनंदिनी नहीं है। प्रतिवेदन में यथार्थ की तस्वीर रहती है और डायरी में यथार्थ के साथ लेखक की कल्पना, भावना और प्रतिक्रिया व्यक्त होती है।

प्रतिवेदन के तीन प्रकार हैं :

1. संगठनात्मक प्रतिवेदन : इस प्रकार के प्रतिवेदन में किसी सभा, संस्था की बैठक इत्यादि का विवरण दिया जाता है। यह प्रतिवेदन–मासिक, अर्द्धवार्षिक या वार्षिक भी हो सकता है।

2. व्यक्तिगत प्रतिवेदन : इस प्रकार के प्रतिवेदन में व्यक्ति अपने जीवन के किसी महत्त्वपूर्ण प्रसंग का विवरण तैयार करता है।

3. विवरणात्मक प्रतिवेदन : इस प्रकार के प्रतिवेदन में किसी पिकनिक, सभा, यात्रा अथवा मेले आदि का विवरण तैयार किया जाता है।

पद-परिचय (पद-विन्यास)

पद–वाक्य से पृथक् रहने पर 'शब्द' और वाक्य में प्रस्तुत हो जाने पर शब्द को पद कहते हैं।

पद-विन्यास : जब दो या उससे अधिक पद क्रमानुसार, निश्चित अर्थ से किसी पद का कार्य करते हैं, तो उन्हें 'पद' विन्यास कहते हैं। पद विन्यास पूरे वाक्य नहीं होते, बल्कि एक तरह के उपवाक्य हैं। अर्थात् वाक्य के टुकड़े हैं, किंतु निश्चित अर्थ एवं क्रम के द्योतक हैं। हिंदी व्याकरण में पद-परिचय के विभिन्न पर्यायरूप प्रचलित हैं, जिनमें पद-विन्यास, पदबन्ध, पदान्वय, पदच्छेद, पद-निर्देश आदि पर्याय शब्द उल्लेखनीय हैं। पद-परिचय के लिए निम्नांकित बातों पर ध्यान देना चाहिए।

पद-विन्यास के भेद : 1. संज्ञा पद-विन्यास 2. सर्वनाम पद-विन्यास 3. विशेषण पद-विन्यास।

संज्ञा पद-विन्यास : संज्ञा के पद-विन्यास में निम्नलिखित अनिवार्य तत्त्व नितांत आवश्यक हैं :

1. भेद, 2. लिंग, 3. वचन, 4. कारक, 5. संबंध।

उदाहरण—राम की गाय फल खा रही है।

इस वाक्य का संज्ञा पद-विन्यास करने के पूर्व 'राम' 'गाय' और 'फल' इन तीन शब्दों को चुनना होगा। संज्ञा के ये कौन से रूप हैं अर्थात् जातिवाचक व्यक्तिवाचक या भाववाचक, संज्ञाओं में से शब्द किस श्रेणी में आते हैं। उसके बाद पुल्लिग या स्त्रीलिंग का निर्धारण करना होगा, वचन का कौन-सा रूप है, एकवचन या बहुवचन भी देखना होगा। इन तीन शब्दों के कारक कौन से हैं ? अंत में शब्द का संपूर्ण वाक्य से संबंध स्थापित करना होगा।

राम—व्यक्तिवाचक संज्ञा, एकवचन, पुल्लिग, संबंध कारक, गाय से संबंध फल खा रही है, क्रिया का संबंध कारक।

गाय—जातिवाचक संज्ञा, एकवचन, स्त्रीलिंग, कर्ताकारक, खा रही है, क्रिया का कर्ता है।

फल—जातिवाचक संज्ञा, एकवचन, 'खा रही है' क्रिया का कर्म।

सर्वनाम शब्द की पद व्याख्या : इसमें भी संज्ञा की भाँति अन्य तत्त्वों को बताते हुए 'पुरुष' भी बताना पड़ता है। संज्ञा की भाँति इसमें भी सर्वनाम शब्द की पद व्याख्या की जाती है। अर्थात् सर्वनाम उत्तम, मध्यम या अन्य पुरुष किस कोटि में आते हैं। कुल छः तत्त्व हैं। भेद, पुरुष, लिंग, वचन, कारक, संबंध।

कमला ने **किसकी** कलम उठाई।

किसकी—प्रश्नवाचक सर्वनाम, अन्य, स्त्रीलिंग, एकवचन, संबंध कारक, कलम से संबंध, 'उठाई' क्रिया का संबंध कारक है।

विशेषण की पदव्याख्या : विशेषण की पदव्याख्या के आवश्यक तत्त्व हैं— 1. विशेषण का भेद, 2. अवस्था, 3. वचन, 4. लिंग, 5. किस संज्ञा या सर्वनाम की विशेषता। उदाहरण—पाँच आम लाओ।

पाँच : निश्चित संख्यावाचक, स्वरूपावस्था, पुल्लिग, बहुवचन, 'आम' विशेषण

की विशेषता का बोध कराता है।

क्रिया की पदव्याख्या : अनिवार्य तत्त्व–1. क्रिया का भेद, 2. वाच्य तथा वाच्य के अनुसार लिंगादि, 3. काल, 4. अवस्था, 5. क्रिया का संबंध किस प्रकार से है। उदाहरण–मोहन पुस्तक पढ़ता है।

'पढ़ता है'–सकर्मक क्रिया, कर्तृवाच्य, सामान्य वर्तमानकाल, सामान्य अवस्था, पुल्लिग, एकवचन 'पढ़ता है' क्रिया का कर्म पुस्तक।

क्रिया विशेषण की पदव्याख्या : आवश्यक तत्त्व–1. क्रिया विशेषण और उसके भेद, 2. अन्य शब्दों से संबंध।

उदाहरण–राम कल आएगा।

'कल' विधिवाचक क्रिया विशेषण 'आएगा' क्रिया की विशेषता बताता है।

संबंधबोधक अव्यय की पदव्याख्या : मुख्य बातें–भेद और संबंध।

उदाहरण–गीता के साथ जाओ।

साथ-संबंध बोधक अव्यय, 'गीता' संज्ञा से संबंध।

समुच्चयबोधक अव्यय की पदव्याख्या : मुख्य बातें–भेद तथा उपवाक्यों या शब्दों से संबंध।

उदाहरण–राधा आई और नीरज चली गई।

'और' समुच्चयबोधक दो वाक्यों को जोड़ता है।

विस्मयादिबोधक अव्यय की पदव्याख्या : जिसमें हमें हर्ष, विस्मय या दुःख के भाव व्यक्त हों।

उदाहरण–'अरे' उसे किसने मारा।

'अरे' विस्मयबोधक अव्यय, विस्मय का भाव व्यक्त करता है।

'अहा' राम आ गया।

'अहा' विस्मयादिबोधक अव्यय, हर्ष का भाव व्यक्त करता है।

विराम चिह्न

विराम का अर्थ है ठहरना, रुकना। जिस तरह प्राणी अनवरत चलते हुए थककर रुक जाता है, उसी प्रकार लेखक को भी लगातार लिखते हुए अपने भावों को स्पष्ट करने के लिए बीच-बीच में रुकने की आवश्यकता होती है।

भावों और विचारों की सुस्पष्ट सम्यक् अभिव्यक्ति तथा वाक्यों के सुंदर गठन के लिए विराम चिह्नों की बड़ी आवश्यकता है। विराम चिह्न लेखक की एक-एक मनोदशा का परिचय देते और भावों को स्पष्ट करते हैं।

यदि इन विराम चिह्नों का प्रयोग न किया जाए तो अर्थ का अनर्थ हो जाता है। जैसे–

1. वह पढ़ने में बहुत तेज है।

2. वह पढ़ने में बहुत तेज है ?

3. वह पढ़ने में बहुत तेज है !

पहले वाक्य में उसके तेज होने का विश्वास मालूम होता है। दूसरे वाक्य द्वारा पूछा जा रहा है कि क्या वह सचमुच तेज है। तीसरे वाक्य द्वारा उसके तेज होने में आश्चर्य प्रतीत होता है। इस प्रकार ठीक प्रयोग से ही ठीक भाव का बोध होता है। प्रमुख विराम चिह्न निम्नलिखित हैं :

हिंदी में प्रयुक्त होने वाले प्रमुख विराम–

1. अल्प विराम (,) 2. अर्ध विराम (;) 3. पूर्ण विराम (।) 4. प्रश्नवाचक (?) 5. उद्धरण (" ") 6. विस्मय सूचक या संबोधन (!) 7. विवरण सूचक (:–) 8. (योजक–) 9. कोष्ठक ( ) [ ] { } 10. लोप सूचक xxx या 11. निदेशक (–) 12. त्रुटिपूर्ण या हंस पद चिह्न (‸)13. –लाघव चिह्न (.)।

अल्प विराम : इसका प्रयोग सबसे कम समय के रुकने के लिए होता है जैसे–

1. आवेश, बुद्धि और विवेक को नष्ट करता है।

2. सुनो, सुनो राधा गाना गा रही है।

3. देखो, कितने सुंदर फूल खिले हैं, मोर नाच रहा है, उपवन कितना सुंदर है !

अर्ध विराम : इसका प्रयोग दो समान उपवाक्यों को अलग करने में होता है। जिस स्थान पर अल्प विराम की अपेक्षा अधिक रुकना पड़ता है, वहाँ अर्ध विराम का प्रयोग होता है।

कभी सुख तो कभी दुःख; कभी हर्ष तो कभी विषाद; कभी मिलन तो कभी बिछोह; कभी संपन्नता तो कभी विपन्नता; यही तो जीवन की परिभाषा है।

मुझे परीक्षा में पास करा दीजिए; मैं प्रत्येक शर्त मानने को तैयार हूँ।

पूर्ण विराम : यह वाक्य के पूर्ण होने पर अन्त में लगाया जाता है जैसे–तुम उदार व्यक्ति हो। आकाश में बादल छाए हुए हैं।

प्रश्नवाचक : यह चिह्न प्रश्नवाचक वाक्यों के अंत में पूर्ण विराम के स्थान पर लगाया जाता है। जैसे–1. फूल क्यों तोड़ रहे हो ? 2. आप कहाँ जा रहे हैं ?

उद्धरण : यह दो प्रकार के होते हैं, इकहरे और दुहरे। उपनाम अथवा शीर्षक इकहरे उद्धरण चिह्न के अन्दर लिखे जाते हैं, जैसे–

1. 'निराला' अत्यंत उदार कवि थे। 2. 'मानस' तुलसीदास की महान् रचना है।

किसी व्यक्ति के कथन, सूक्तियाँ अथवा पुस्तकों का उद्धरण यथावत् उद्धृत करने में उसे दुहरे उद्धरण चिह्नों के भीतर रखा जाता है। जैसे–

"दया सबसे बड़ा धर्म है"—महाभारत

"सुंदर आचरण सुंदर शरीर से अच्छा है"—एमर्सन

संबोधन : इसे विस्मयादिबोधक तथा भाव चिह्न भी कहते हैं। इसका प्रयोग विस्मय, विषाद, हर्ष, घृणा, करुणा आदि मनोभावों की अभिव्यक्ति करने के लिए होता है। जैसे—

हाय ! यह क्या हो गया।

ईश्वर तुम्हारा कष्ट दूर करें !

विवरण सूचक : जब किसी विषय को अलग से समझाने के लिए उदाहरण दिया जाता है, तब इसका प्रयोग होता है। जैसे :—

भारत में केन्द्र शासित प्रांत निम्नलिखित हैं :—

योजक : हिंदी में अल्पविराम के अतिरिक्त सबसे अधिक प्रयोग योजक का ही होता है।

दो या दो से अधिक शब्दों में संबंध प्रकट करने या मिलाने के लिए इसका प्रयोग होता है। जैसे—आज-कल, दिन-रात, जन्म-मरण, छोटी-सी बात, लीला-भूमि, कु-शासन, गली-गली आदि।

कोष्ठक : किसी वाक्य या शब्द का अर्थ स्पष्ट करने के लिए उसे अलग (स्वतंत्र) न लिखकर कोष्ठक में लिखा जाता है, जैसे—ममता मदहारी कामारि कैलाशपति (शिव) मेरी यात्रा सफल कीजिए।

लोप सूचक : जब कोई उद्धरण पूर्णरूप से प्रस्तुत नहीं किया जाता, मध्य की कुछ पंक्तियाँ छोड़ दी जाती हैं तब वहाँ लोप सूचक का प्रयोग किया जाता है।

"अन्याय नहीं जी सकता अब इस धरती पर"

x x x

भूखों अब कोई नहीं यहाँ मर सकता है

निदेशक : इस चिह्न का प्रयोग उद्धरण लिखकर लेखक का नाम देने के लिए, स्पष्टीकरण या विवरण के लिए करते हैं, जैसे—

"तुम्हहि बिलोकि जुड़ानी छाती" —तुलसी

हंसपद त्रुटिपूर्ण : जब किसी वाक्य में लिखते समय शीघ्रता या भूल से कुछ छूट जाता है, तो वहाँ इस चिह्न का प्रयोग करते हैं। जैसे—

उपवन की शोभा ‸ फूलों से है।(सुंदर)

लाघव : किसी शब्द को संक्षेप में लिखने के लिए इसका प्रयोग होता है। जैसे—कु. (कुमारी)। चि. (चिरंजीव)।

उपसर्ग

उपसर्ग उन शब्दांशों को कहते हैं जो किसी शब्द के पहले लगकर उसके अर्थ में

परिवर्तन कर नया अर्थ वाला बना देते हैं। जैसे--अभिभाषण, अभि शब्द के पहले जुड़ा हुआ है, अतः अभि उपसर्ग है।

मुख्य उपसर्ग, अभि, अधि, अति, अनु, अ, आ, अप, प्र, परा, सम्, निस्, निर् उप, प्रति, परि, सु, उत्, कु, चिर, वि, दुस्, दुर आदि हैं।

उपसर्ग	व्यक्तभाव	बने शब्द	मूलशब्द
अभि	अधिकता	अभिजात, अभिमान	जात, मान
अधि	अधिक, ऊपर	अधिपति, अधिकार	पति, कार
अति	अधिकता	अतिवृष्टि, अत्याचार	वृष्टि, अचार
अनु	पीछे, समान	अनुगामी, अनुसार	गामी, सार
अव	हीनता, अपमान	अवनति, अवगुण	उन्नति, गुण
आ	विरोधतक	आगमन, आजन्म	गमन, जन्म
अप	बुरा, हीनता	अपमान, अपकीर्ति	मान, कीर्ति
प्र	आगे, अधिक	प्रबल, प्रस्थान, प्रकोप	बल, स्थान, कोप
परा	उल्टा अर्थ करना	पराधीन, पराजय	अधीन
सम	ठीक तरह	संहार, संसार	हार, सार
निस्	रहित	निश्चल, निश्छल	चल, छल
दुर	बुरा	दुर्गम, दुराचार	गम, आचार
निर	निषेध	निर्बल, निर्दोष	बल, दोष
उप	समीप	उपलक्ष, उपबन	लक्ष, बन
प्रति	एक-एक, विरुद्ध	प्रतिदिन, प्रतिवाद, प्रतिकूल	दिन, वाद, कूल
परि	अधिकता	परिपूर्ण, परिजन	पूर्ण, जन
सु	अच्छा	सुकर्म, सुशोभित	कर्म, शोभित
उत्	ऊँचा, ऊपर	उत्कर्ष, उत्पत्ति	कर्ष, पत्ति
कु	बुरा	कुकर्म, कुविचार	कर्म, विचार
चिर	बहुत	चिरकाल, चिरायु	काल, आयु
वि	विशिष्ट	विवाद, वियोग	वाद, योग
अ	नहीं, रहित	अविद्या, अविदित	विद्या, विदित

कुछ उर्दू उपसर्ग--

ख़ुश	अच्छा	खुशहाल, खुदाबंद	हाल, बंद
कम	हीन, थोड़ा	कमबख्त, कमजोर	बख्त, जोर
ना	अभाव	नाखुदा, नाख़ुश	खुदा, ख़ुश
बे	बिना	बेअदब, बेआबरू	अदब, आबरू
बद	बुरा	बदतमीज, बदकार	तमीज, कार

बला	आफत	बलाकश, बलानोश	कश, नोश
गैर	भिन्न	गैरमुमकिन, गैरहाजिर,	मुमकिन, हाजिर
हर	प्रत्येक	हरचन्द, हररोज	चंद, रोज

प्रत्यय

प्रत्यय उस शब्दांश को कहते हैं जो शब्द के अंत में लगकर भिन्नता या नवीनता उत्पन्न कर देते हैं। जैसे–'ता' प्रत्यय मलीन के आगे जोड़ने से 'मलीनता' शब्द बनता है।

प्रत्यय दो प्रकार के होते हैं–1. कृदन्त प्रत्यय 2. तद्धित प्रत्यय।

कृदंत–कृदंत उन प्रत्ययों को कहते हैं जो क्रिया शब्द के अंत में लगाए जाते हैं। जैसे–'जानेवाला' इसमें 'वाला' प्रत्यय है।

तद्धित–तद्धित प्रत्यय उन्हें कहते हैं जो संज्ञा शब्द के अंत में लगाए जाते हैं। जैसे–मन से मानसिक इसमें 'इक' प्रत्यय है।

कृदंत प्रत्यय के भेद

(1) करणवाचक (2) कर्तृवाचक (3) क्रियाद्योतक (4) भाववाचक (5) कर्मवाचक

करणवाचक–क्रिया को सिद्ध करने वाले साधनों का जिसमें बोध हो, उसे करणवाचक कृदंत कहते हैं इनके मुख्य प्रत्यय 'ना' 'नी' हैं जैसे–चलना, घूमना, कतरनी, चलनी आदि।

कर्तृवाचक–कर्तृवाचक कृदंत उसे कहते हैं जिससे क्रिया के करने वाले का ज्ञान हो। इसके प्रत्यय हैं–हारा, वाला, इया, वैया। जैसे–सृजन हारा, जानन हारा, दौड़ने वाला, गाने वाला, गवइया, सोबैया आदि।

क्रियाद्योतक–क्रिया के होने का अर्थ जिससे प्रकट हो उसे क्रियाद्योतक कहते हैं। जैसे–नाचते हुए, खाते हुए, आते हुए आदि।

भाववाचक–भावपावक कृदंत उसे कहते हैं जिससे क्रिया के भाव का बोध हो। जैसे–सजावट, बुढ़ापा, बचपन, लुनाई आदि।

कर्मवाचक–कर्मवाचक कृदंत उन्हें कहते हैं जो सकर्मक क्रिया के सामान्य मूल में 'हुआ' या 'हुई' लगने से बनते हैं। जैसे–समझा हुआ, लिखा हुआ, देखा हुआ, सजी हुई आदि।

तद्धित प्रत्यय के भेद

1. **गुणवाचक**–जिससे गुण का भाव प्रकट होता है। जैसे–सैनिक, सुखदायी, अनुकरणीय आदि।

2. **स्त्रीवाचक**–जिससे स्त्रीत्व का भाव प्रकट हो। जैसे–पति से पत्नी, बाँस

से बाँसुरी, दैव से देवी आदि।

3. कर्तृवाचक–जिससे कर्ता (काम करने वाले) का बोध हो, जैसे–ट्रक चलाने वाला, किताब वाला, दूध वाला, लकड़हारा आदि।

4. भाववाचक–जिससे भाव का बोध हो, जैसे–कड़ुआहट, मिठास, बचपन, नूतन आदि।

5. अल्पवाचक–जिससे उत्पन्न होने का बोध हो, जैसे–गिरि से गिरिजा, पांचाल से पांचाली, जनक से जानकी आदि।

प्रत्यय और उनसे बने शब्द

मूल्य+वान	= मूल्यवान	प्रारंभ+इक	= प्रारंभिक
दृढ़+ता	= दृढ़ता	उल्लेख+अनीय	= उल्लेखनीय
तल्लीन+ता	= तल्लीनता	दोस्त+ई	= दोस्ती
विशाल+ता	= विशालता	ज्ञान+ई	= ज्ञानी
धृष्ट+ता	= धृष्टता	प्यास+ई	= प्यासी
चुम्बक+त्व	= चुम्बकत्व	चहचहाना+आहट	= चहचहाहट
व्यक्ति+त्व	= व्यक्तित्व	गुर्राना+आहट	= गुर्राहट
सती+त्व	= सतीत्व	रुकना+आवट	= रुकावट
अमर+त्व	= अमरत्व	घबड़ाना+आहट	= घबड़ाहट
गुण+वान	= गुणवान	बुनना+आई	= बुनाई
रूप+वती	= रूपवती	इतिहास+इक	= ऐतिहासिक
गुण+वती	= गुणवती	दिन+इक	= दैनिक
लेखक्+क	= लेखक	वितरण+क	= वितरक
भारत+ई	= भारतीय	विद्युत+ईय	= विद्युतीय
पूर्व+ई	= पूर्वीय	नाटक+कार	= नाटककार

संधि-प्रकरण

संधि शब्द सन् + धा धातु से बना हुआ है जिसका अर्थ है–मेल।

दो वर्णों के आपस में मिलने से जो रूपांतर होता है, उसे संधि कहते हैं। जैसे–

रामानुज। राम+अनुज। यहाँ अ और अ मिलाकर 'आ' हो गए हैं।

विशेष–

यदि व्यंजन हलंत नहीं है तो उसमें कोई न कोई स्वर अवश्य मिला होगा। जैसे राम के 'म' में 'अ' मिला है। व्यंजन के स्वर को निकालने के लिए उसे हलंत कर दिया जाता है। जैसे–क्, च्, ट्,।

संधि-भेद :

(1) **स्वर संधि** (2) **व्यंजन संधि** (3) **विसर्ग संधि**

स्वर संधि : एक स्वर के साथ दूसरे स्वर के मिलने से जो रूपांतर होता है, उसे स्वर संधि कहते हैं। जैसे–

दैत्य+अरि = दैत्यारि	अ+अ = आ
विद्या+अर्थी = विद्यार्थी	आ+अ = आ
भानु+उदयः = भानूदयः	उ+उ = ऊ

स्वर संधि मुख्यतया 7 प्रकार की होती है :

(1) दीर्घ संधि (2) गुण संधि (3) वृद्धि संधि (4) यण संधि (5) अयादि संधि (6) पूर्वरूप संधि (7) पररूप संधि

(1) **दीर्घ संधि**–सूत्र–'अक सवर्णे दीर्घः'

संधि होने पर दो समान स्वर दीर्घ हो जाते हैं। जैसे–

गिरि+ईश= गिरीश। यहाँ 'इ' और 'ई' मिलाकर 'ई' हो गए हैं।

'अ' और 'आ', 'इ' और 'ई' 'उ' और 'ऊ' तथा 'ऋ' और 'ॠ' परस्पर समान स्वर हैं। इनकी संधि को निम्नलिखित नियमों के आधार पर आसानी से समझा जा सकता है।

(1) 'अ' अथवा 'आ' के पश्चात् यदि 'अ' अथवा 'आ' आए तो दोनों की जगह 'आ' हो जाता है।

अ+अ = आ,	दैत्य+अरि = दैत्यारि
अ+आ = आ,	देव+आलय = देवालय
आ+आ = आ,	विद्या+आलय = विद्यालय
आ+अ = आ,	विद्या+अर्थी = विद्यार्थी

(2) 'इ' अथवा 'ई' के बाद यदि 'इ' अथवा 'ई' आए तो दोनों की जगह 'ई' हो जाती है :

इ+इ = ई,	गिरि+इन्द्र = गिरीन्द्र
इ+ई = ई	कपि+ईश = कपीश
ई+ इ = ई,	मही+इन्द्र = महीन्द्र
ई+ई = ई,	श्री+ईश = श्रीश

(3) 'उ' अथवा 'ऊ' के बाद यदि 'ऊ' आए तो दोनों की जगह 'ऊ' हो जाता है–

उ+उ = ऊ,	भानु+उदय = भानूदय
उ+ऊ = ऊ,	साधु+ऊचुः = साधूचुः
ऊ+उ = ऊ	चमूं+उन्नतिः = चमून्नतिः

ऊ+ऊ = ऊ, **चमू+ऊर्ज** = चमूर्ज (सेना की शक्ति)

(4) ऋ, ॠ अथवा ऌ के बाद यदि ऋ, ॠ अथवा ऌ आए तो दोनों की जगह ॠ हो जाता है :

ऋ+ॠ = ॠ **पितृ+ऋद्धि** = पितृद्धि

ऋ+ऌ = ऋ **होतृ+ऌकार** = होतृकार

(2) गुण संधि–सूत्र–'आदगुण'

यदि ह्रस्व 'अ' अथवा दीर्घ 'अ' के बाद ह्रस्व अथवा दीर्घ इ,उ,ऋ,ऌ आए तो उनकी जगह क्रमशः ए, ओ, अर्, और अल् हो जाते हैं, जैसे–

उप+इन्द्र = उपेन्द्र **सूर्य+उदय** = सूर्योदय

नियम का विस्तृत स्पष्टीकरण :

(1) 'अ' अथवा 'आ' के बाद यदि 'इ' अथवा 'ई' आए तो दोनों की जगह 'ए' हो जाता है–

अ+इ = ए, **नर+इन्द्र** = नरेन्द्र

अ+ई = ए, **नर+ईश** = नरेश

आ+इ = ए, **महा+इन्द्र** = महेन्द्र

आ+ई = ए, **महा+ईश्वर** = महेश्वर

(2) 'अ' अथवा 'आ' के बाद यदि 'उ' या 'ऊ' आए तो दोनों की जगह 'ओ' हो जाता है :

अ+उ = ओ, **चन्द्र+उदय** = चन्द्रोदय

अ+ऊ = ओ, **समुद्र+ऊर्मि** = समुद्रोर्मि

आ+उ = ओ, **महा+उत्सव** = महोत्सव

आ+ऊ = ओ, **यमुना+ऊर्मय** = यमुनोर्मय

(3) 'अ' अथवा 'आ' के बाद यदि 'ऋ' या 'ॠ' आए तो दोनों की जगह 'अर्' हो जाता है–

अ+ऋ = अर्, **सप्त+ऋषि** = सप्तर्षि

आ+ऋ = अर्, **महा+ऋषि** = महर्षि

(4) 'अ' अथवा 'आ' के बाद यदि 'ऌ' आए तो दोनों की जगह 'अल्' हो जाता है–

अ+ऌ = अल् **तव+ऌकार** = तवल्कार

(3) वृद्धि संधि–सूत्र–'वृद्धिरेचि'

'अ' अथवा 'आ' के बाद यदि 'ए' अथवा 'ऐ' आए तो दोनों की जगह 'ऐ' और यदि 'ओ' अथवा 'औ' आए तो दोनों की जगह 'औ' हो जाता है। जैसे–

अद्य+एव = अद्यैव, **परम+ऐश्वर्यम्** = परमैश्वर्यम्

नियम का विस्तृत स्पष्टीकरण :

(1) 'अ' अथवा 'आ' के बाद यदि 'ए' अथवा 'ऐ' आए तो दोनों की जगह 'ऐ' हो जाता है।

अ+ए = ऐ,	एक+एक = एकैक
अ+ऐ = ऐ,	नव+ऐश्वर्य = नवैश्वर्य
आ+ए = ऐ,	सदा+एव = सदैव
आ+ऐ = ऐ,	महा+ऐश्वर्य = महैश्वर्य

(2) 'अ' अथवा 'आ' के बाद यदि 'ओ' अथवा 'औ' आए तो दोनों का 'औ' हो जाता है।

अ+ओ = औ,	परम+ओजस्वी = परमौजस्वी
आ+औ = औ,	महा+औध = महौध
अ+औ = औ,	परम+औषध = परमौषध
आ+औ = औ,	महा+औषधि = महौषधि

(4) यण संधि–सूत्र–'इकोयणचि'

ई, ऊ, ऋ, लृ के बाद में किसी असमान स्वर के आने पर इनकी जगह क्रमशः य्, व्, र्, ल् हो जाता है। जैसे–

यदि+अपि = यद्यपि सु+आगत = स्वागत

नियम का विस्तृत स्पष्टीकरण :

(1) 'इ' अथवा 'ई' के बाद यदि कोई असमान स्वर आए तो 'इ' अथवा 'ई' की जगह 'य्' हो जाता है–

इ+आ = या,	अति+आवश्यक = अत्यावश्यक
ई+अ = य,	देवी+अत्र = देव्यत्र

(2) 'उ' अथवा 'ऊ' के बाद यदि कोई असमान स्वर आए तो 'उ' अथवा 'ऊ' की जगह 'व्' हो जाता है–

उ+अ = व,	अनु+अय = अन्वय
ऊ+अ = व,	वधू+अत्र = वध्वत्र

3. 'ऋ' के बाद यदि कोई असमान स्वर आए तो 'ऋ' की जगह 'र्' हो जाता है। जैसे–ऋ+आ = रा, पितृ+आज्ञा = पित्राज्ञा

(4) 'लृ' के बाद यदि कोई असमान स्वर आए तो 'लृ' की जगह 'ल्' हो जाता है, जैसे–लृ+आ = ला, लृ+आकृति = लाकृति

2. स-नियम संधि विच्छेद कीजिए :

प्रत्यक्ष, प्रत्यय, मात्रादेश, अध्यादेश, गूर्वासनम, कव्यागमनम्, भान्वंश, मध्व्वासव, नद्यम्बुक, अन्वेषण।

(5) **अयादि संधि–सूत्र–'एचोऽयवायावः'**

ए, ओ, ऐ, औ के बाद यदि कोई स्वर आए तो इनकी जगह क्रमशः अय्, अव्, आय्, आव् हो जाता है–जैसे–ने+अनम् = नयनम्।

नियम का विस्तृत स्पष्टीकरण :

(1) 'ए' के बाद यदि कोई स्वर आए तो 'ए' की जगह अय् हो जाता है। जैसे–शे+अनम् = शयनम् मुने+ए = मुनये

(2) 'ऐ' के बाद यदि कोई स्वर आए तो 'ऐ' की जगह 'अय' हो जाता है। जैसे–नै+अक = नायक गै+अक = गायक

(3) 'ओ' के बाद यदि कोई स्वर आए तो 'ओ' की जगह 'अव्' हो जाता है। जैसे–पो+अन = पवन श्रो+अन = श्रवण

(4) 'औ' के बाद यदि कोई स्वर आए तो 'औ' की जगह 'आव' हो जाता है। जैसे–पौ+अक = पावक। पौ+अन = पावन।

(6) **पूर्वरूप संधि**–ए अथवा ओ के आगे 'अ' आए तो 'अ' का लोप हो जाता है और उसके स्थान से लुप्त 'अ' का चिह्न (ऽ) हो जाता है। जैसे–

ते+अपि = तेऽपि विष्णो+अत्र = विष्णोऽत्र

वृक्षे+अपि = वृक्षेऽपि सो+अपि = सोऽपि

(7) **पर रूप संधि**–अकारांत उपसर्ग के बाद यदि ए/ओ से प्रारंभ होने वाली धातु हो तो दोनों मिलकर पर रूप अर्थात् ए/ओ हो जाते हैं।

उप+ओष्यति = उपोष्यति (अ–ओ = ओ)

प्र+एजते = प्रेजते (अ+ए = ए)

व्यंजन संधि (हल संधि) : व्यंजन के साथ व्यंजन अथवा स्वर के मिलने से जो रूपांतर होता है–उसे व्यंजन संधि कहते हैं। जैसे–

तत्+मात्रम् तन्मात्रम् (व्यंजन + व्यंजन)

अच्+अन्त = आजन्त (व्यंजन + स्वर)

व्यंजन संधि के भेद–(1) श्चुत्व संधि (2) ष्टुत्व संधि (3) जश्त्व संधि (4) चर्त्व संधि (5) अनुस्वार संधि (6) परसवर्ण संधि (7) अनुनासिक संधि।

(1) **श्चुत्व संधि–सूत्र–'स्तोःश्चुत्वश्चुः (स्तोश्चुनाश्चु)'**

यदि सकार अथवा तवर्ग के आगे अथवा पीछे कोई शकार अथवा चवर्ग आए तो सकार की जगह शकार और तवर्ग की जगह चवर्ग हो जाता है। जैसे–

सत्+चित = सच्चित

हरिस+शेते = हरिश्शेते

महत्+छत्र = महच्छत्र

रामस्+चिनोति = रामश्चिनोति

विशेष : इस संधि में तवर्ग (त थ द ध न) का वर्ण जिस क्रम-स्थान का

होगा चवर्ग का वर्ण भी उसी क्रम-स्थान का होगा। जैसे–

सत्+चरित्र = सच्चरित्र

यहाँ संधि करते समय 'त्' के स्थान पर चवर्ग का पहला वर्ण 'च' जोड़ा गया है।

(2) ष्टुत्व संधि–सूत्र–'ष्टुना ष्टुः'

यदि सकार अथवा तवर्ग के आगे या पीछे णकार अथवा टवर्ग आए तो 'स्' की जगह 'ष्' और तवर्ग की जगह टवर्ग हो जाता है। जैसे :

तत्+टीका = तट्टीका

रामस्+टीकते = रामष्टीकते (राम जाता है)

पेष+ता = पेष्टा (पोसनेवाला)

विशेष : इस संधि में तवर्ग (त थ द ध न) के वर्ण के स्थान पर टवर्ग का वही वर्ण आएगा जो तवर्ग की क्रम-संख्या का होगा। यथा–

बृहत् + टिट्टिभः = बृहट्टिट्टिभः।

यहाँ 'त्' के स्थान पर टवर्ग का पहला अक्षर 'ट' ही संधि के समय जोड़ा गया है।

(3) जश्व संधि–सूत्र–'झलां जशोऽन्ते'

वर्गों के प्रथम अक्षर के बाद यदि ग, घ, द, ध, ब, भ, य, र, ल, व, या कोई स्वर आए तो उस वर्ग के पहले अक्षर की जगह उसी वर्ग का तीसरा अक्षर हो जाता है। यथा :

वाक्+ईश = वागीश षट्+दर्शन = षड्दर्शन

सत्+आचार = सदाचार अच्+अन्त = अजन्त

दिक्+भ्रम = दिग्भ्रम जगत्+ईश = जगदीश

तत्+ रूप = तद्रूप

(4) चर्त्व संधि–सूत्र–'खरिच'

यदि वर्ग के पहले, दूसरे और चौथे वर्ण के बाद वर्ग का पहला, दूसरा वर्ण या श्, ष्, स्, आए तो पहले वर्ण की जगह उसी वर्ग का पहला वर्ण हो जाता है।

जैसे– तद्+कृतम् = तत्कृतम्

लभ+स्यते = लप्स्यते

युध्+सु = युत्सु

(5) अनुस्वार संधि–सूत्र–'मोऽनुस्वार'

मान्त (म् से अंत होने वाले) पद के बाद यदि कोई व्यंजन वर्ण आए तो 'म्' की जगह अनुस्वार हो जाता है। जैसे :

हरिम्+वन्दे = हरिं वन्दे

रामम्+नमामि = रामं नमामि

विशेष : 'म' के बाद यदि स्वर आए तो **'म्'** आगेवाले स्वर में मिल जाता है यथा– पुस्तकम्+आनय = पुस्तकमानय।

(6) परसवर्ण संधि (अ) सूत्र–'अनुस्वारस्य ययि परसवर्णः'

अनुस्वार के बाद यदि 'यस्' (श् ष् स् ह) को छोड़कर कोई दूसरा व्यंजन पद के मध्य में हो तो अनुस्वार की जगह आने वाले वर्ण का पाँचवाँ अक्षर हो जाएगा। जैसे–अंच+इतः = अञ्चितः (पूजित)

यहाँ 'अ' और 'च' के बीच में अनुस्वार है। अनुस्वार के बाद चवर्ग का 'च' वर्ण आया है। इसलिए अनुस्वार की जगह चवर्ग का पाँचवाँ अक्षर 'ञ' हो गया।

पदांत में कभी यह नियम लागू होता है और कभी लागू नहीं होता 'वापादान्तस्य।'

कृष्णम्+नमामि=कृष्णं नमामि। अनुस्वार संधि के अनुसार कृष्णन्नमामि होना चाहिए।

परसवर्ण संधि (ब) सूत्र–'तोलिः'

यदि तवर्ग के बाद 'ल' आए तो तवर्ग के वर्ण की जगह 'ल्' हो जाता है।

जैसे– तत् + लय = तल्लय

विद्वान् + लिखति = विद्वांल्लिखति

महान् + लाभ = महाल्लाभ

(7) अनुनासिक संधि–सूत्र–'यरोऽनुनासिकेऽनुनासिकोवा'

पद के अंत में यदि श्, ष्, स्, ह को छोड़कर कोई दूसरा व्यंजन आए और उसके बाद किसी भी वर्ग (क वर्ग इत्यादि) का कोई पाँचवाँ वर्ण हो जाता है। जैसे– एतद् + मुरारि = एतन्मुरारि।

यहाँ 'द्' व्यंजन के बाद पवर्ग का पाँचवाँ वर्ण **'म'** आया है। अतः नियम के अनुसार 'द्' व्यंजन की जगह उसी वर्ग (तवर्ग) का पाँचवाँ वर्ग (न) संधि में आ गया है।

अभ्यास

1. स-नियम संधि कीजिए–

प्रसादात्+जयः, बालात्+एव, एतस्मिन्+अन्तरे, अन्यत्+च।

2. स-नियम संधि विच्छेद कीजिए–यत्वम्, तपश्चरति, आच्छाद्य।

विसर्ग संधि : स्वर अथवा व्यंजन के मेल से विसर्ग (:) में जो रूपांतर होता है उसे विसर्ग संधि कहा जाता है। जैसे–निः + चय= निश्चय।

इस उदाहरण में विसर्ग के बाद 'च' आया है। विसर्ग और इस 'च' की संधि में विसर्ग की जगह 'श' हो गया है।

विशेष–विसर्ग हमेशा किसी न किसी स्वर के बाद आता है।

विसर्ग संधि के नियम :

1. यदि विसर्ग के बाद 'च' अथवा 'छ' आए तो विसर्ग की जगह 'श' हो जाता है। जैसे :

राम + चलति = रामश्चलति

भानुः + चलति = भानुश्चलति

2. यदि विसर्ग के बाद 'ट' अथवा 'ठ' आए तो विसर्ग की जगह 'ष' हो जाता है। जैसे–धनुः + टंकारः = धनुष्टकारः

निः + ठुर = निष्ठुर

3. यदि विसर्ग के बाद 'त' अथवा 'थ' आए तो विसर्ग की जगह 'स' हो जाता है। जैसे– निः + तार = निस्तार

यशः + तनोति = यशस्तनोति

दुः + थल = दुस्थल

4. यदि विसर्ग के बाद श, ष, स, में से कोई आए तो विसर्ग के स्थान पर विसर्ग ही होता है। अथवा विसर्ग के स्थान पर श्, ष्, स्, हो जाता है। जैसे–

कृष्णः + शेते = कृष्णश्शेते

रार्पः । सर्पति = सर्पः सर्पति अथवा सर्पस्सर्पति

5. विसर्ग के पहले यदि 'अ' आए और विसर्ग के बाद में 'अ' को छोड़कर कोई दूसरा स्वर आए तो विसर्ग का लोप होता जाता है। जैसे :

चंद्रः + उदेति = चंद्र उदेति

आत्मनः + उपरि = आत्मन उपरि

6. यदि विसर्ग के पहले 'अ' और बाद में भी 'अ' आए तो विसर्ग तथा पहले 'अ' का 'ओ' हो जाता है। बाद में 'ओ' का पूर्वरूप (ऽ) बन जाता है।

जैसे– तापः + अजामिः = तपो + अजामिः = तपोऽजामिः

कः + अपि = को + अपि = कोऽपि

श्यामः + अत्र = श्यामो + अत्र = श्यामोऽत्र

7. यदि विसर्ग के पहले 'अ' और 'आ' को छोड़कर यदि कोई दूसरा स्वर आए और बाद में कोई स्वर अथवा कोई मृदु व्यंजन वर्गों के तीसरे, चौथे, पाँचवें वर्ण या (य, र, ल, व, ह) आए तो विसर्ग के स्थान पर 'र' हो जाता है। जैसे–

सखिः + इयम् = सखीरियम्

वपुः + एतद् = वपुरेतद्

गुरोः + आदेश = गुरोरादेश

8. विसर्ग के बाद क्, ख्, प्, या फ में से कोई वर्ण आए तो विसर्ग का लोप नहीं हो जाता है। जैसे—ततः + परम् = ततः परम्

समास

दो अथवा दो से अधिक शब्दों के संयोग को समास कहते हैं। जैसे—सीतापति = सीता का पति। इसमें सीता और पति का संयोग हुआ है और ऐसा करते समय संबंध सूचक 'क' का लोप हुआ है जिसके फलस्वरूप संक्षिप्तता आई है। सामासिक शब्दों को अलग-अलग करने की प्रक्रिया को विग्रह कहते हैं।

समास के भेद : समास के 6 भेद होते हैं :

1. अव्ययीभाव, 2. तत्पुरुष, 3. बहुब्रीहि, 4. कर्मधारय, 5. द्विगु, 6, द्वन्द्व।

1. अव्ययीभाव समास

इसमें पहला शब्द प्रधान होता है और समूचा शब्द क्रिया विशेषण अव्यय होता है। जैसे—

यथाविधि = यथा + विधि। प्रतिदिन = प्रति + दिन। प्रत्यक्ष = प्रति + अक्ष (असिन्)। आजन्म = आ + जन्म। अनुदिन = अनु + दिन। भरपेट = भर + पेट।

2. तत्पुरुष समास

इस समास का पहला शब्द दूसरे शब्द के साथ किसी विभक्ति द्वारा जुड़ा रहता है। जैसे :

राजपुरुष = राजा का पुरुष।

इसमें राजा और पुरुष दोनों शब्द 'का' विभक्ति से जुड़े हुए हैं। तत्पुरुष समास में पहला शब्द गौण होता है और दूसरा प्रधान। कारक के अनुसार तत्पुरुष समास के सात भेद हैं—

(क) **कर्म तत्पुरुष**—इसमें पहला शब्द कर्म कारक का होता है। जैसे—गगनचुंबी (गगन को चूमने वाला), विदेशगत (विदेश को गया हुआ), दुखप्राप्त (दुख को प्राप्त)।

(ख) **करण तत्पुरुष**—इसमें पहला शब्द, दूसरे शब्द के साथ तृतीया विभक्ति से जुड़ा रहता है। जैसे—प्रेमातुर (प्रेम से आतुर), दयाहीन (दया से हीन), मेघाछन्न (मेघ से आछन्न), गुण संपन्न (गुण से संपन्न)।

(ग) **संप्रदान तत्पुरुष**—इसमें पहला शब्द दूसरे शब्द के साथ चतुर्थी विभक्ति

से जुड़ा रहता है। जैसे—सभाभवन (सभा के लिए भवन), गोशाला (गो के लिए शाला), स्नानगृह (स्नान के लिए गृह)।

(घ) **अपादान तत्पुरुष**—इसमें अपादान का चिह्न (से) छिपा रहता है। (जैसे—बलहीन्र (बल से हीन), भयभीत (भय से भीत), स्थानभ्रष्ट (स्थान से भ्रष्ट)।

(च) **संबंध तत्पुरुष**—इसमें पहला शब्द षष्ठी विभक्ति से जुड़ा रहता है। जैसे—देवालय (देव का आलय), गणपति (गण का पति), पराधीन (पर के अधीन), वन माली (वन का माली)।

(छ) **अधिकरण तत्पुरुष**—इसमें अधिकरण का चिह्न में, पै, पर छिपा रहता है जैसे—संगीत कुशल (संगीत में कुशल), घुड़सवार (घोड़े पर सवार), पुरुषोत्तम (पुरुषों में उत्तम), दानवीर (दान में वीर)।

(ज) **नञ् तत्पुरुष**—जब न का किसी संज्ञा शब्द के साथ समास होता है **तब** वह, नञ् तत्पुरुष कहलाता है, जैसे—नास्तिक (न आस्तिक), अनुचित (न उचित), अनंत (न अंत), अनादि (न आदि)।

3. बहुब्रीहि समास

इसमें कोई भी पद प्रधान नहीं होता और दोनों पद मिलकर किसी दूसरे पद की विशेषता बताते हैं जैसे—

दशमुख = दस हैं मुख जिसके वह (रावण)	बहुब्रीहि
लंबोदर = लंबा है उदर जिसका (गणेश)	बहुब्रीहि
चतुर्भुज = चार भुजाएँ हैं जिसकी (ब्रह्मा)	बहुब्रीहि
पीतांबर = पीला है अंबर जिसका वह (कृष्ण)	बहुब्रीहि
जितेन्द्रिय = जीत ली गई हैं इन्द्रियाँ जिसके द्वारा (मुनि)	बहुब्रीहि

4. कर्मधारय समास

इसमें पहला पद विशेषण और दूसरा पद विशेष्य होता है। विशेषण और विशेष्य का समास होने पर विग्रह में 'जो' अथवा 'है जो' मध्य में आता है। जैसे—नील कमल (नीला है जो वह कमल), कमल नयन (कमल रूपी नयन), पीताम्बर (पीला है जो अंबर)।

कर्मधारय के भेद—

1. **विशेषता वाचक**—जिसके द्वारा विशेष्य और विशेषण का भाव सूचित होता है। जैसे काला + पानी। इसमें— काला (विशेषण)
पानी (विशेष्य) है।

2. **उपमावाचक**—इसके द्वारा उपमान और उपमेय = य का भाव सूचित होता

है। जैसे—चंद्रमुख = चंद्र + मुख। इसमें— चंद्र (उपमान)
मुख (उपमेय) है।

5. द्विगु समास

इसमें प्रथम शब्द संख्यावाची विशेषण होता है और दूसरा संज्ञा। जैसे—

त्रिभुवन = त्रि + भुवन	(त्रि)	द्विगु समाज
नवग्रह = नव + ग्रह	(नव)	"
नौनिधि = नौ + निधि	(नौ)	"
दोपहर = दो + पहर	(दो)	"
त्रिशूल = त्रि + शूल	(त्रि)	"

6. द्वन्द्व समास

इसमें दोनों पद प्रधान होते हैं, क्योंकि दोनों पदों को 'और' या 'उसके' जैसे किसी अन्य शब्द को बीच से हटाकर जोड़ दिया जाता है। जैसे—

माता-पिता = माता और पिता। भाई-बहन = भाई और बहन।
अन्न-जल = अन्न और जल। अच्छा-बुरा = अच्छा और बुरा।
रात-दिन = रात और दिन। सीता-राम = सीता और राम।
हार-जीत = हार और जीत। हानि-लाभ = हानि और लाभ।

रस

परिभाषा—रस की निष्पत्ति के संबंध में भरत मुनि ने अपने नाट्यशास्त्र में लिखा है—"विभावानुभाव व्यभिचारि संयोगाद्रस-निष्पत्तिः" अर्थात् विभाव, अनुभाव और व्यभिचारी भावों के संयोग से रस की निष्पत्ति होती है।

वाक्य में अनेकानेक प्रकार के भावों को उत्पन्न करने वाली अनुभूति को रस कहते हैं। रस काव्य की आत्मा है। रस के तीन अंग होते हैं—1. भाव 2. विभाव और 3. अनुभाव।

रस 9 हैं, इनके नाम हैं—1. शृंगार, 2. हास्य, 3. करुण, 4. अद्भुत, 5. रौद्र, 6.वीर, 7. शांत, 8. भयानक, 9. बीभत्स, इसके अतिरिक्त 10वाँ रस है वात्सल्य।

शृंगार रस

रति या प्रेम प्रकट करने वाली रचना को शृंगार रस कहते हैं। जैसे—

देखि रूप लोचन ललचाने।
हरषे जनु निज निधि पहिचाने।

अधिक सनेह देह भई भोरी
सरद ससिहिं जनु चितवचकोरी
× × ×
मधुवन तुम कत रहत हरे
विरह-वियोग स्याम-सुंदर के ठाढ़े क्यों न जरे ?–

हास्य रस

हँसी उत्पन्न करने वाली रचना को हास्य रस कहते हैं। जैसे–
जेहि दिसि बैठे नारद फूली।
सोदिसि तेहि न विलोकी भूली।
पुनि पुनि मुनि उकसहि अकुलाही।
देखि दसा हर गन मुसकाही।

करुण रस

शोक या करुणा प्रकट करने वाली रचना में करुण रस होता है। जैसे–
ऐसे बिहाल बिहाइन सो पग, कंटक जाल लगे पुनि जोए।
हाय महादुख पाए सखा तुम आए इतै न किते दिन खोए।
देखि सुदामा की दीन दशा, करुना करिकै करुनानिधि रोए।
पानि परात को हाथ छुयो नहिं, नैनन के जलसो पग धोए।।

अद्‌भुत रस

विस्मय या आश्चर्य उत्पन्न करने वाली रचना को अद्‌भुत रस कहते हैं। जैसे–
इहाँउहाँ दुइ बालक देखा, मति भ्रम मोर कि आन-विसेखा।।

रौद्र रस

क्रोध उत्पन्न करने वाली रचना। जैसे–
दुर्द्धर्ष से जलते हुए उत्ताप के उत्कर्ष से,
कहने लगे तब वे अरिन्दम वचन व्यक्त अमर्ष से।
सुर, नर, असुर, गंधर्व, किन्नर आदि कोई भी कहीं,
कल शाम तक मुझसे जयद्रथ को बचा सकता नहीं।।

वीर रस

इसका स्थायी भाव उत्साह है। वीररस का वर्णन वीरता के प्रसंग में होता है। जैसे–
1. थर्राती है वसुधा सारी, है आसमान तड़तड़ा रहा।

अरि दल पर कूद पड़ूँ उड़कर है रोम-रोम फड़फड़ा रहा।।
2. भारत माता एक, एकता का रिश्ता न कभी तोड़ो।
बोटी-बोटी कट जाओ पर, पैर न पीछे को मोड़ो।
चढ़ जाओ यूँ कूद लुटेरे हत्यारों की छाती पर
हाथ लगाने कभी न पाए शिवशंकर की थाती पर।।

शांत रस

निर्वेद (वैराग) उत्पन्न करने वाली रचना। जैसे–
मन पछतइहै अवसर बीते।
सुत बनितादि जानि स्वारथरत, न करु नेह सबही ते।
अंतहु तोहि तजेंगे पामर, तू न तजे अबही ते।।

भयानक रस

इसका स्थायी भाव भय है। भयानक दृश्य देखने, सुनने, स्मरण करने अथवा उसकी अनुभूति से उत्पन्न भाव भयानक रस कहलाता है। जैसे–
काली की खप्पर में
खून दान करते हुए
कँहर पैर धरते हुए
शूर लाश ढोते जहाँ
काश, तुम होते वहाँ
स्यार आदि खाते हैं
ऐसे प्राण जाते हैं
दिवा और रात्रि जहाँ, काश तुम होते वहाँ।

बीभत्स रस

जुगुप्सा या घृणा का भाव उत्पन्न करने वाली रचना। जैसे–
सिर पै बैठो काग, आँखि दोऊ खात निकारत।
खींचत जीभहिं स्यार, अतिहिं आनंद उरधारत।।
गिद्ध जाँघ कहँ खोदि खोदि के मांस उचारत।
स्वान आंगुरिन काटि काटि कै खात विदारत।।

दो नए रस

वात्सल्य रस–इसका स्थायी भाव वात्सल्य है। बच्चों के प्रति प्रेम उत्पन्न करने वाली रचना। जैसे–

किलकत कान्ह घुटुरुवनि आवत।
मनिमय कनक नंद के आँगन निज प्रतिबिम्ब पकरिबे धावत
कबहुँ निरखि हरि आप छाँह को, कर सों पकरन चाहत।

भक्ति रस–यह आध्यात्मवाद की प्रेरणा है।

तू दयालु, दीन हों, तू दानि हों भिखारी।
हों प्रसिद्ध पातकी, तू पाप-पुंज हारी।।
नाथ तू अनाथ को, अनाथ कौन मोसों।
मो समान आरत नहि, आरति हर तोसों।।

छंद

छंद कवि की सहज अभिव्यक्ति होती है। यह कविता का आवश्यक अंग है। इसमें वर्ण या मात्रा दोनों का निश्चित मापक्रम होता है। छंद में यति गति विद्यमान रहते हैं तथा निश्चित चरण होते हैं। छंद का दूसरा नाम पिंगल भी है। इसका कारण यह है कि छंद-शास्त्र के आदि प्रणेता पिंगल नाम के ऋषि थे।

मात्रा और वर्ण के विचार से छंद के दो भेद होते हैं–(1) मात्रिक और (2) वार्णिक। जो छंद मात्रा की गणना के अनुसार चलते हैं उन्हें मात्रिक और जो वर्णों को आधार बनाकर चलते हैं उन्हें वार्णिक कहते हैं। आजकल एक नए छंद की भी रचना होने लगी है जिसे मुक्तक कहते हैं।

हिंदी में तीन प्रकार के छंद होते हैं–1. वार्णिक, 2. मात्रिक, 3. मुक्तक छंद।

गति–पढ़ते समय कविता के स्पष्ट सरल सुखद प्रवाह को गति कहते हैं।

यति–प्रत्येक छंद में अनेक स्थानों पर विराम अथवा रुकने के नियम बने होते हैं। इन्हीं विराम स्थलों को काव्य शास्त्र में यति कहते हैं।

गण–तीन-तीन वर्णों के समूह को गण कहते हैं। वर्णों के लघु और दीर्घ के विचार से गणों की संख्या आठ मानी गई है।

'यमाताराजभानसलगम्'

1–यगण	यमाता	। ऽ ऽ
2–मगण	मातारा	ऽ ऽ ऽ
3–तगण	ताराज	ऽ ऽ ।
4–रगण	राजभा	ऽ । ऽ
5–जगण	जभान	। ऽ ।
6–भगण	मानस	ऽ । ।
7–नगण	नसल	। । ।
8–सगण	सलगम्	। । ऽ

कतिपय छंद

चौपाई–चौपाई के प्रत्येक चरण में सोलह मात्राएँ होती हैं। चरण के अंत में जगण (।ऽ।) तगण (ऽऽ।) नहीं रखा जाता है। जैसे–

प्रेम मगन मुख बचन न आवा।
पुनि-पुनि पद सरोज सिर नावा।।

× × ×

आनन रहित सकल रस भोगी।
बिनु बानी बकता बड़योगी।।

दोहा–दोहा के प्रथम और तृतीय चरणों में 13 तथा द्वितीय और चतुर्थ में 11 मात्राएँ होती हैं। चरण के अंत में लघु होना आवश्यक है। जैसे–

रहिमन औछो नरन सों, बैर भलो ना प्रीति।
काटे-चाटे स्वान के दोऊ भाँति विपरीत।
रहिमन विपदा हूँ भली, जो थोड़े दिन होय।
हित-अनहित या जगत में, जानि परत सब कोय।।

सोरठा–इसके विषम चरणों में 11 तथा सम चरणों में 13 मात्रा होती हैं। यह दोहे का उल्टा होता है। जैसे–

नील सरोरुह श्याम, तरुण अरुण बारिज नयन।
करह सो मम उर धाम, सदा क्षीर सागर शयन।।

× × ×

फूले फले न बेत, यद्यपि सुधा बरसहिं जलद।
मूरख हृदय न चेत, जो गुरु मिलहि विरंचि सम।

मत्तगयंद–इसका दूसरा नाम इंदव तथा मालती भी है। प्रत्येक चरण में सात भगण और दो गुरुवर्णों के योग से 23 वर्णों की यह सवैया होती है। यह दोहे का उल्टा होता है। जैसे–

वर दंत की पंगत कुंदकली, अधराधर-पल्लव खोलन की।
चपला चमकै घन बीच जगै, छबि मोतिन माल अमोलन की।
घुँघरारि लटें लटकैं मुख ऊपर, कुंडल लोल कपोलन की।
नेबछावरि प्रान करैं तुलसी, बलि जाऊँ लला इन बोलन की।

इंद्रवज्रा–इसके प्रत्येक चरण में क्रमशः दो तगण एक जगण और दो गुरु वर्णों का प्रयोग होता है। इस प्रकार कुल मिलकर वर्णों की संख्या 11 होती है।

होता उन्हें केवल धर्म प्यारा।
सत्कर्म ही जीवन का सहारा।।

उपेंद्रवज्रा–इसके प्रत्येक चरण में क्रमशः एक जगण एक तगण, एक जगण

और दो गुरु होते हैं। यह भी 11 वर्णों का वृत्त है जैसे—

बिना बिचारे जब काम होगा।
कभी न अच्छा परिणाम होगा।।

कुण्डलिया—यह एक मिश्रित छंद है। यह दोहा और रोला छंदों के मिश्रण से बना है। इसमें चरणों की संख्या 6 होती है। प्रथम दो चरण दोहे के होते हैं और अंतिम चरण रोला के होते हैं जैसे—

साई अपने भ्रात को, कबहुँ न दीजै त्रास।
पलक दूरि नहिं कीजिए, सदा राखिए पास।।
सदा राखिए पास, त्रास कबहूँ नहिं दीजे।
त्रास दियो लंकेश, ताहि की गति सुनि लीजै।।
कह गिरधर कविराय, राम सौ मिलिगौ जाई।
पाय विभीषण राज, लंक पति बाज्यौ साई।।

हरि गीतिका—इसमें 28 मात्राएँ होती हैं। अंत में लघु गुरु होता है।

कहते हुए यों उत्तरा के नेत्र जल से भर गए।
हिम के कणों से पूर्ण मानों हो गए पंकज नए।।

द्रुत विलंबित—इसमें 1 नगण, 2 भगण, 1 रगण होते हैं।

गगन का अवसान समीप था।
गगन था कुछ लोहित हो चला।।
तरु शिखा पर थी अब राजती।
कमलिनी कुल बल्लभ की प्रभा।।

मत्त गयंद या मालती—यह 23 अक्षरों का होता है। इसमें सात भगण और दो गुरु होते हैं—

शीश पगा न झगा तन में प्रभु जाने को आहि बसे केहि ग्रामा।
धोती फटी सी लटी दुपटी अरु पाँए उपानह की नहि सामा।
द्वार खड़ो द्विज दुर्बल एक रह्यो चकिसो बसुधा अभिरामा।
पूछत दीन दयाल को धाम बतावत आपन नाम सुदामा।।

दुर्मिल—इसमें 24 अक्षर होते हैं। यह आठ सगण का होता है। जैसे—

कबहूँ ससि माँगत आरि करें, कबहूँ प्रतिबिंब निहारि डरैं।
कबहूँ करताल बजाइ के नाचत, मातु सबै मन मोद भरैं।।

अलंकार

जिस प्रकार अलंकारों को धारण करने से नारी के साज सौंदर्य में आकर्षण और निखार की वृद्धि होती है, उसी प्रकार अलंकार से कविता प्रभावी, सरस और सुंदर बनती है।

अलंकार का अर्थ है–आभूषण या गहना। अलंकारों से कविता में चमत्कार आ जाता है। कवि केशव के शब्दों में–

जदपि सुजाति सुलच्छनी सुबरन सरस सुवृत्त।
भूषण बिनु न बिराजई कविता, बनिता, भित्त।।

अलंकार के दो भेद होते हैं–1. शब्दालंकार, 2. अर्थालंकार।

शब्दालंकार–जहाँ कविता या गद्य में शब्द संबंधी चमत्कार पाया जाए, वहाँ शब्दालंकार होता है। जैसे–

1. *'तरनि तनूजा तट-तमाल तरुबर बहु छाए'* इसमें 'त' से बने शब्द बार-बार आकर चमत्कार पैदा करते हैं।

2. *दमके [illegible] दुति दामिनि ज्यों, किलकें कल बाल विनोद करै।*

शब्दालंकार 7 प्रकार के होते हैं, इनमें अनुप्रास, यमक, श्लेष, वक्रोक्ति मुख्य हैं।

अनुप्रास अलंकार–जहाँ किसी पंक्ति के शब्दों में एक ही वर्ण कई बार आए, वहाँ अनुप्रास अलंकार होता है। जैसे–

1. गोपी ग्वाल-गाइ गोसुत तव मलिन बदन कृस गात।
2. चारु चंद्र की चंचल किरणें खेल रही हैं जल थल में।

यमक अलंकार–जहाँ एक ही शब्द बार-बार आते हैं, किंतु उनके अर्थ भिन्न-भिन्न होते हैं वहाँ यमक अंलकार होता है। जैसे–

1. कनक-कनक ते सौ गुनी मादकता अधिकाइ।
वा खाए बौराय नर, वा पाए बौराइ।
2. ऊँचे घोर मंदर के अंदर रहनवारी,
ऊँचे घोर मंदर के अंदर रहाती हैं,
कंदमूल भोग करे, कंदमूल भोग करें,
तीनबेर खाती ते वे तीन बेर खाती हैं।

श्लेष अलंकार–जहाँ एक ही शब्द में कई अर्थ छिपे रहते हैं वहाँ श्लेष अलंकार होता है। जैसे–

1. चरन धरत चिंता करत, चितवत चारहुँ ओर।
सुबरन को खोजत फिरत, कवि व्यभिचारी चोर।।
2. 'रहिमन' पानी राखिए, बिनु पानी सब सून।
पानी गए न ऊबरै, मोती मानुष चून।।

वक्रोक्ति–जहाँ बात किसी दूसरे आशय से कही जाए और सुनने वाला उससे भिन्न दूसरा अर्थ लगाए, वहाँ वक्रोक्ति अलंकार हो[illegible] है। जैसे–

1. मैं सुकुमारि नाथ वन जोगू। तुमहि उचित तप मोकहँ भोगू।।
2. को तुम हौ ? घन श्या[illegible] अहै ? घन श्याम अहौ कितहूँ बरसौ।

चितचोर कहावत हैं हम तो, तहँ जाँहु जहाँ घन है सरसौ।

अर्थालंकार—**जहाँ शब्द की अपेक्षा अर्थ संबंधी सौंदर्य हो वहाँ अर्थालंकार होता है।**

अर्थालंकार के भेद हैं—उपमा, रूपक, उत्प्रेक्षा, अतिशयोक्ति, भ्रांतिमान, उल्लेख, व्यतिरेक, अन्योक्ति।

उपमा अलंकार—जहाँ किसी प्रकार एक वस्तु की समता दूसरी वस्तु से की जाए, वहाँ उपमा अलंकार होता है। जैसे—

1. *कोटि कुलिस सम बचन तुम्हारा।*
2. *अरविंद सो आनन रूप मरंद अनंदित लोचन भृङ्ग पिए।*
3. *पीपर पात सरिस मन डोला।*

रूपक अलंकार—जहाँ किन्हीं दो वस्तुओं की समता या तुलना की जाय किंतु समता प्रकट करने वाले शब्दों का प्रयोग न हो वहाँ रूपक अलंकार होता है।

उदाहरण—1. *अवधेश के बालक चारि सदा,*
तुलसी मन-मंदिर में बिहरैं।

2. *उदित उदयगिरि मंचपर, रघुकुल बाल पतंग।*
विकसे संत-सरोजजन, हरषे लोचन भृङ्ग।

उत्प्रेक्षा अलंकार—जहाँ पर उपमेय (जिनका वर्णन किया गया हो) उपमान (जिनसे समता की गई हो) की कल्पना या संभावना की जाती है—वहाँ उत्प्रेक्षा अलंकार होता है। जैसे—

1. *कहुँ सुंदरी नहात नीर कर जुगल उछारत।*
जुग अंबुज मिलि मुक्त-गुच्छ मनु सुच्छ निकारत।

अतिशयोक्ति अलंकार—जहाँ किसी वस्तु का वर्णन इतना बढ़ा कर किया जाए कि लोक सीमा का उल्लंघन हो जाए तो वहाँ अतिशयोक्ति अलंकार होता है। जैसे—

1. *पानी परात को हाथ छुयो नहिं नैनन के जल सो पग धोए।*
2. *अद्भुत एक अनूपन बाग।*
जुगल कमल पर गज क्रीडत है, तापर सिंह करत अनुराग।
3. *देख लो साकेत नगरी है यही।*
स्वर्ग से मिलने गगन में जा रही।।

भ्रांतिमान अलंकार—जहाँ एक वस्तु के भ्रम से दूसरी वस्तु का भान हो वहाँ भ्रांतिमान अलंकार होता है। जैसे—

'नाक का मोती अधर की कांति से,
बीज दाड़िम का समझकर भ्रांति से,
देखकर सहसा हुआ शुक मौन है,
सोचता है अन्य शुक यह कौन है।'

उल्लेख अलंकार–जहाँ किसी व्यक्ति या वस्तु का अनेक प्रकार से वर्णन किया जाता है, वहाँ उल्लेख अलंकार होता है। जैसे–

1. *तू रूप है किरन में, सौंदर्य है सुमन में,*
   तू प्राण है पवन में, विस्तार है गगन में,
   तू ज्ञान हिंदुओं में, ईमान मुस्लिमों में,
   तू प्रेम क्रिश्चियन में, है सत्य तू सुजन में।।
2. *यह मेरी गोदी की शोभा, सुख सुहाग की लाली।*
   शाही शान भिखारिन की है, मनोकामना मतवाली।।

व्यतिरेक अलंकार–जहाँ उपमेय को उपमान से बढ़ाकर वर्णन किया जाता है, वहाँ व्यतिरेक अलंकार होता है। जैसे–

राधा मुख को चंद्र सा कहते हैं मतिरंक।
निष्कलंक है यह सदा, उसमें प्रगट कलंक।।

अन्योक्ति अलंकार–जहाँ किसी वस्तु को लक्ष्य कराके किसी अन्य वस्तु का वर्णन किया जाए वहाँ अन्योक्ति अलंकार होता है। जैसे–

1. *माली आवत देखकर, कलियन करी पुकार।*
   फूले-फूले चुन लिए, काल्हि हमारी बार।।
2. *जिन दिन देखे वे कुसुम, गई सो बीति बहार।*
   अब अलि रही गुलाब में, अपत कटीली डार।।

विशेषोक्ति अलंकार–जहाँ कारण के न होने पर भी काम न हो, वहाँ विशेषोक्ति होती है।

पानी बिच मीन पियासी।
मोहि सुनि-सुनि आवै हाँसी।।

पर्यायवाची शब्द

एक शब्द के लिए समान अर्थ वाले जो दूसरे शब्द कहे जाते हैं, उन्हें पर्यायवाची शब्द कहते हैं, कुछ पर्यायवाची शब्द निम्नांकित हैं :–

1. **अमृत**–सोम, सुधा, मधु, सुरभोग, अमिय, पीयूष, शशिरस।
2. **अग्नि**–अनल, पावक, हुताशन, कृशानु, वैश्वानर, धूम्रकेतु, वह्नि।
3. **अश्व**–वाजि, हय, तुरंग, सारंग, घोड़ा, घोटक, सैन्धव, रविसुत।
4. **असुर**–रजनीचर, तमीचर, मनुजाद, दानव, दनुज, दैत्य, निशिकर, राक्षस।
5. **आम**–आम्र, अमृतफल, पिकबंधु, मन्मथालय, अमृतफल, रसाल।
6. **आकाश**–नभ, व्योम, शून्य, अंबर, गगन, अंतरिक्ष
7. **आँख**–अक्षि, दृग, लोचन, नयन, नेत्र, अंबक।
8. **इच्छा**–आकांक्षा, स्पृहा, इप्सा, वाञ्छा, कामना, मनोरथ, अभिलाषा।

9. **ईश्वर**–जगत्पिता, जगदीश, नियंता, सृजनहार, परमात्मा, परमेश्वर।
10. **इंद्र**–शुक्र, सुरेश, सहस्राक्ष, सुरेंद्र, सुरपति, मघवा, देवेंद्र।
11. **उमा**–शिवा, शैलजा, सती, शैलसुता, भवानी, अन्नपूर्णा, अपर्णा।
12. **उल्लास**–प्रमोद, प्रसन्नता, आनंद, हर्ष, आह्लाद, आमोद।
13. **उल्लू**–लक्ष्मीवाहन, तमचर, श्रीयान, उलूक।
14. **कमल**–सरसिज, सरोज, पयोज, नीरज, पंकज, वारिज, अंबुज, कंज।
15. **कपड़ा**–वसन, वस्त्र, चीर, पट, दुकूल, अंबर।
16. **कृष्ण**–गोपाल, हरि, श्याम, मुरारि, नन्द-नन्दन, वासुदेव, गोविंद।
17. **कल्पवृक्ष**–पारिजात, कल्पद्रुम, कल्पतरु, सुरतरु, मंदार।
18. **कुबेर**–धनाधिप, यक्षपति, किन्नरेश, यक्षेश, धनेश, धनाधिप।
19. **कामदेव**–मदन, मन्मथ, मार, मौन, मनोज, मनसिज, मनोभव।
20. **किरण**–अंश, मरीचि, कर, दीधिति, रश्मि, मयूख।
21. **कोयल**–वसंतप्रिय, परभृत, पिक, कोकिल, वसंतदूती।
22. **गङ्गा**–भागीरथी, त्रिपथगा, सुरसरि, जाह्नवी, विष्णुपगा, देवापगा।
23. **गणेश**–गणपति, गौरीसुत, गजबदन, गजानन, लंबोदर, एकदंत।
24. **गरुड़**–खगपति, अहिरिपु, खगेश, पन्नगारि, विष्णुरथ, वैनतेय।
25. **गर्दभ**–खर, धूसर, वेशर, रासभ, गदहा, वैशाखनंदन, चक्रीवन।
26. **घर**–गृह, धाम, निलय, निकेतन, आलय, आवास, आगार, सदन, भवन।
27. **गज**–हाथी, हस्ती, कुंजर, नाग, करी, दंती, द्विप, मदकल, सुंडाल।
28. **गाय**–गौ, धेनु, कपिला, सुरभी, रोहिणी, बहुला।
29. **चंद्रमा**–शशि, शशिलांछन, श्वेतद्युति, शीतभानु, सुभ्रांशु, मृगलांछन, द्विजपति, विश्वस्पा, शशिभृत, सोम, सुधांशु, अज, विधु, इंदु, हिमांशु, हरि, निशानाथ, मृगांक, तारापीड़, तपस, दशबाजी, रोहणीश, हरिणांक।
30. **चाँदनी**–चंद्रिका, ज्योत्स्ना, चंद्रमरीचि, कुमुदकला, कौमुदी, जुन्हाई।
31. **चाँदी**–रजत, रौप्य, रूक्म, कलधौत, चामीकर, जातरूप।
32. **चोर**–तस्कर, कंभिल, दस्यु, बटमार, मोषक, साहसिक।
33. **जगत**–जग, संसार, विश्व, भुवन, लोक।
34. **जल**–अंबु, अमृत, उदक, वारि, तोय, पय, सलिल, जीवन, सारंग, वन, रस, अप, शंबर।
35. **झंडा**–निशान, फरहरा, विजयिनी, वैजयंती, पताका, ध्वजा।
36. **तरकश**–तूणीर, तूण, उपसंग, निसंग, भाथा।
37. **तलवार**–असि, खड्ग, करवाल, कृपाण, चंद्रहास।
38. **तीर**–शर, वाण, शायक, नाराच, विशिख, शिलीमुख।
39. **तालाब**–तड़ाग, सर, सरोवर, जलाशय, पुष्कर, कासार।

40. **दाँत**–रद, मुखनुर, दंत, द्विज, दंश।
41. **दिन**–दिवस, वासर, अहन, वार, दिवा।
42. **दुःख**–क्लेश, व्यथा, अवसाद, क्षोभ, खिन्नता।
43. **दुर्गा**–धात्री, कुमारी, कल्याणी, कालिका, चंद्रिका, अष्टभुजा।
44. **दूध**–पय, क्षीर, अमृत, स्तन्य, दुग्ध।
45. **देवता**–देव, अमर्त्य, वसु, विबुध, अमर, सुर, वृंदारक।
46. **धनुष**–धनु, कोदंड, कार्जुक, चाप, शरासन, सारंग, पिनाक।
47. **नर**–जन, व्यक्ति, आदमी, मनुज, मानव, इंसान, मनुपुत्र।
48. **नारी**–कलत्र, त्रिया, मानवी, गृहिणी, भामिनी, वामा, स्त्री, अबला।
49. **नाव**–तरिण, नौका, पतंग, तरी, जलयान, बनवाहन।
50. **पति**–कंत, भर्ता, स्वामी, वल्लभ, नाथ, ईश, वर, प्राणनाथ।
51. **पत्नी**–भार्या, दारा, सहचरी, वधू, प्राणवल्लभा, वल्लभा, प्राणप्रिया।
52. **पत्थर**–शिला, प्रस्तर, कुलिश, उत्पल, पाषाण।
53. **पवन**–हवा, प्रभंजन, समीर, मारुत, वायु, अनिल, वात, वहिष्पाण।
54. **पर्वत**–नभ सिर, अचल, भूधर, शैल, आद्रि, महीधर, धराधर।
55. **पक्षी**–खग, विहंग, द्विज, शकुंत, पतंग, सारंग, नभचर, खेचर।
56. **पृथ्वी**–भू, धरा, अवनि, मही, रसा, वसुमती, वसुंधरा, वसुधा।
57. **प्रकाश**–कांति, ज्योति, चमक, द्युति, आलोक, प्रभा।
58. **पुत्र**–बेटा, तनय, सुत, सुवन, तनुज, आत्मज, नंदन, दारक, दायाद।
59. **पुत्री**–तनया, सुता, आत्मजा, नन्दनी, दुहिता, स्वजा, जाया, अपत्या।
60. **पुष्प**–फूल, पुहुप, प्रसून, कुसुम, मंजरी, सुमन, फल्प।
61. **पेड़**–तरु, वृक्ष, रूख, गाछ, पादप, द्रुम, विटप, शाखी।
62. **पैर**–पग, पाँव, चरण, पद।
63. **बाग**–बगीचा, वाटिका, उपवन, उद्यान, फुलवारी।
64. **बादल**–वारिद, नीरद, जलद, मेघ, घन, पयद, पयोद, पयोधर।
65. **ब्राह्मण**–विप्र, वटु, भूसुर, भूदेव, अग्रजन्मा, द्विज।
66. **बुद्धि**–मति, मनीषा, मेधा, प्रज्ञा, धी।
67. **बंदर**–बानर, कपि, कीश, हरि, मर्कट, शाखामृग।
68. **ब्रह्मा**–स्रष्टा, स्वयंभू, विधि, विधाता, बिरंचि, अज, चतुरानन।
69. **बाल**–कच, केश, कुंतल, चिकुर, चूल, जटा, शिरोरूह।
70. **भौंरा**–मधुकर, मधुप, मिलिंद, अलि, चंचरीक, भ्रमर, षष्टपद।
71. **भाग्य**–लिपि, ललाट, ब्रह्मलेख, प्रारब्ध, विधिलेख।
72. **मछली**–मीन, मकर, मत्स्य, शफरी, शकली, जलजीव।
73. **मदिरा**–शराब, सुरा, सोमरस, मद्य, मधु, आसव, वारुणी, हाला।

74. **मयूर**–मोर, शिखी, केकी, कलपी, नीलकण्ठ, शिखण्डी।
75. **माता**–माई, जन्मधात्री, अंबा, जननी, धात्री।
76. **मित्र**–सखा, सनेही, सुहद, तात, मीत, आत्मीय।
77. **माला**–माल्य, हार, मालिका, सुमिरनी, गुणिका, दाम, उरबसी।
78. **मधु**–शहद, सौर, सारंग, मकरंद, कुसुमा, माक्षिक, शहत, माधवीक।
79. **मृग**–कृष्ण, हिरण, कुग्गम, कुरंग, सारंग, करसायर, मुणिक।
80. **यमराज**–अंतक, धर्मराज, काल, कृतांत, रविसुत।
81. **यमुना**–रविसुता, सूर्यसुता, तरणि, तनुजा, यमी, कालिंदी, हंससुता।
82. **राजा**–नृप, नरेश, सम्राट, दंडधर, भूपति, भूप, भुवाल, नृपति, नरेंद्र, अवनीपति, महीपति, महीप, महिपाल।
83. **रात्रि**–निशा, यामिनी, क्षमा, शर्वरी, विभावरी, तमा।
84. **लक्ष्मी**–श्री, रमा, पद्मा, सिंधुजा, इंदिरा, कमला, चंचला।
85. **लोभी**–लोलुप, लबार, लंपट, लालची।
86. **बसंत**–माधव, कुसुमाकर, पिकानंद, ऋतुराज, ऋतुपति, मधु।
87. **विष्णु**–श्रीपति, शेषशायी, रमापति, लक्ष्मीनाथ, हरि, श्रीनाथ।
88. **विष**–गरल, हलाहल, धूलक, कालकूट, माहुर।
89. **शरीर**–देह, गात्र, वपु, तन, काया, कलेवर, चोला।
90. **पिता**–तात, जनक, वप्ता, जनिता, सबिता, जन्मद, बाप, बीजी।
91. **बिजली**–तड़ित, दामिनी, चपला, चंचला, सौदामिनी, शम्पा, विद्युत।
92. **कली**–मुकुलित, पुष्प, कलिका, जालक, कोरक, मुकुल।
93. **शिक्षक** पाठक, अध्यापक, गुरु, आदेशक, उपदेशक, आचार्य, आदिष्टा।
94. **शोभा**–दीप्ति, कांति, छवि, द्युति, सुषमा, बिभा, आभा, छटा।
95. **शिव**–चंद्रमौलि, वृषकेतु, शंभु, शिव, पशुपति, हर, गंगाधर, महादेव।
96. **समुद्र**–सागर, रत्नाकर, जलधि, उदधि, पयोधि, अर्णव, सिंधु, अब्धि।
97. **सरस्वती**–शारदा, सरस्वती, भारती, मीरा, वीणापाणि, वागेश्वरी।
98. **सर्प**–अहि, पन्नग, सरीसृप, हरि, उरग, व्याल, भुजंग, विषधर।
99. **सूर्य**–दिनकर, दिवाकर, अर्क, आदित्य, मार्तण्ड, भानू, सविता, अंशुमाली, पतंग, मिहिर, दिनेश, भास्कर, सहस्रांशु, दिनमणि।
100. **सिंह**–हरि, वनराज, केशरी, मृगेंद्र, मृगराज, पंचानन, केशी, शैलाट।
101. **सोना**–हेम, कनक, स्वर्ण, जातरूप, कलधौत, कंचन, कुंदन, हिरण्य।
102. **सेना**–दल, सैन्य, वरुथिनी, अनी, वाहिनी, कटक, चमू।
103. **स्वर्ग**–सुरपुर, देवलोक, द्यौ, त्रिविद, अमरलोक, वैकुण्ठ, दिव, सौरिक।
104. **सुंदर**–रम्य, रुचिर, चारु, सुरम्य, मंजुल, ललाम, आकर्षक, मनोरम।
105. **हाथ**–कर, हस्त, पाणि, पंचशाख, शय।

अनेकार्थक शब्द

जिस शब्द के एक से अधिक अर्थ होते हैं, उन्हें अनेकार्थवाची शब्द कहते हैं। ऐसे शब्द रचना में प्रयुक्त होकर उसके सौंदर्य में आकर्षक निखार लाते हैं। कुछ अनेकार्थक शब्द तथा उनके अर्थ–

1. **अज**–ब्रह्मा, बकरा, अजन्मा, दशरथ के पिता, शिव, विष्णु, कामधेनु।
2. **अजा**–बकरी, माया।
3. **अरुण**–सूर्य का सारथी, सूर्य का लाल रंग, आचार्य अरुण।
4. **अर्क**–काढ़ा, ताम्र, तत्त्व, सूर्य, निचोड़, रविवार, स्फटिक।
5. **अंबर**–वस्त्र, आकाश।
6. **अंक**–गोद, गिनती, चिह्न, धब्बा, नाटक का अध्याय।
7. **अर्थ**–धन, तात्पर्य, कारण, उद्देश्य।
8. **अलि**–सखि, वृश्चिक, भ्रमर।
9. **अधर**–आकाश, ओष्ठ, आधारहीन।
10. **अक्षर**–जो नष्ट न हो, जल, तप, आकाश, वर्ण, ब्रह्मा, सत्य, धर्म।
11. **अशोक**–शोक रहित, एक मौर्य राजा, एक वृक्ष का नाम।
12. **अंग**–खंड, भेद, पक्ष, सहायक, अवयव।
13. **अमृत**–सुधा, जल, दुग्ध, अन्न, पारद।
14. **इंद्रवधू**–वीरबहूटी, इंद्र की पत्नी शची।
15. **कर**–हाथ, टैक्स, सूर्य, किरण।
16. **कर्ण**–कुंती का पुत्र, कान, समकोण के सामने वाली त्रिभुज की भुजा।
17. **कल**–बीता हुआ पिछला या आनेवाला अगला कल, चैन, शांति।
18. **कुल**–वंश, सब, परिवार।
19. **काल**–समय, मृत्यु, यमराज।
20. **कला**–चंद्रमा का अंश, गुण, छात्र, समय का एक अंश।
21. **कनक**–सोना, धतूरा।
22. **कृष्ण**–काला, व्यासजी, श्रीकृष्ण।
23. **कुटिल**–वक्र, टेढ़ा, दुष्ट।
24. **काम**–कार्य, कामना, कामदेव।
25. **खग**–तारा, वाण, पक्षी, गंधर्व, हवा।
26. **खल**–औषधि कूटने का संयंत्र, गदहा, तृण, एक राक्षस।
27. **गो**–गाय, इंद्रिय, बज्र, पृथ्वी, सूर्य, स्वर्ग, नेत्र।
28. **गति**–चाल, दशा, मोक्ष।
29. **घन**–घना, बादल, हथौड़ा, लंबाई, चौड़ाई तथा ऊँचाई का गुणनफल।

30. **चक्र**–घेरा, पहिया, चाक, चकवा, सेना।
31. **चीर**–चीड़, वृक्ष, वस्त्र, चीरना।
32. **चपला**–लक्ष्मी, बिजली।
33. **जलधर**–समुद्र, बादल, सरोवर।
34. **जाल**–माया, फंदा, समूह, जादू, झरोखा।
35. **ज्येष्ठ**–बड़ा, श्रेष्ठ, जेठ का महीना, पति का बड़ा भाई।
36. **जीवन**–जल, जिंदगी, आजीविका।
37. **तारा**–प्रिय स्त्री, आँख की पुतली, बालि की पत्नी, नक्षत्र।
38. **दक्ष**–ब्रह्मा का पुत्र, निपुण।
39. **दल**–सेना, पक्ष, पत्ता, पर्त, समूह।
40. **द्विज**–दाँत, ब्राह्मण, नख, केश, वैश्य, क्षत्रिय, पक्षी।
41. **द्रोण**–एक पर्वत, दोना, कौआ, दोणाचार्य।
42. **ध्रुव**–भक्तध्रुव, ध्रुवतारा, अटल, सत्य केंद्र।
43. **धर्मराज**–युधिष्ठिर, न्यायीराजा, यमराज, बुद्धि।
44. **नग**–नगीना, संख्या, पर्वत, वृक्ष।
45. **नाग**–केशर, हाथी, सर्प।
46. **निशाचर**–उल्लू, चोर, प्रेत, राक्षस।
47. **सूर**–अंधा, सूर्य, वीर, शूल, सूरदास।
48. **सारंग**–फूल, कमल, सूर्य, विष्णु, शिव, मोर, बादल, पपीहा, सिंह, हंस, हाथी, जल, कोमल, कपूर, दीपक, कामदेव, धनुष।
49. **हरि**–हंस, सर्प, विष्णु, सिंह, बानर, अश्व, गज, शिव, हरा रंग, ब्रह्मा।
50. **हलधर**–वृषभ, कृषक, बलराम, हलवाहा।
51. **शिलीमुखी**–भौंरा, वाण।

शब्द समूहों के लिए शब्द

हिंदी साहित्य में कुछ ऐसे शब्द हैं जो शब्द समूहों के भाव को प्रकट करते हैं। इस प्रकार के शब्दों के प्रयोग से भाषा सुगठित और सुंदर हो जाती है। ऐसे शब्द रचना में अनावश्यक विस्तार को रोकते हैं। इस प्रकार के कुछ शब्द नीचे दिए जा रहे हैं–

1. जिसका कोई शत्रु न हो (अजातशत्रु)
2. जो काटा न जा सके (अकाट्य)
3. जो सबकी भलाई करता है (हितैषी)
4. जो ईश्वर को मानता हो (आस्तिक)
5. जो ईश्वर को न मानता हो (नास्तिक)

6. जिस स्त्री का पति जीवित हो (सधवा)
7. जिस स्त्री का पति मर गया हो (विधवा)
8. जो नारी कविता की रचना करती हो (कवयित्री)
9. जो नारी पढ़ाती हो (अध्यापिका)
10. जिस स्थान पर पशु चराए जाते हों (चरागाह)
11. जो किए गए उपकार को न मानता हो (कृतघ्न)
12. जो किए गए उपकार को मानता हो (कृतज्ञ)
13. जो प्राणी जल में रहे (जलचर)
14. जिस पुरुष की पत्नी मर गई हो (विधुर)
15. जिस बालक के माता-पिता न हों (अनाथ)
16. जो तेजी से चलने वाला हो (द्रुतगामी)
17. जो स्वयं अपने ऊपर निर्भर रहता हो (आत्मनिर्भर)
18. जो दूसरों की भलाई करता हो (परोपकारी)
19. दोपहर के बाद का समय (अपराह्न)
20. दोपहर का समय (मध्याह्न)
21. इंद्र की नगरी (इंद्रपुरी)
22. सूर्योदय के पहले का समय (उषाकाल)
23. पृथ्वी के नीचे का सातवाँ लोक (पातालपुरी)
24. सितार के ढंग का एक बाजा जिसमें केवल एक तार होता है (बेला)
25. प्रातः स्मरण करने योग्य (प्रातःस्मरणीय)
26. जो मनुष्य बहुत बोलता हो (वात्यायी)
27. घोड़े बाँधे जाने का स्थान (अस्तबल)
28. गंगा का उद्गम स्थान (गंगोत्री)
29. शिवजी का निवास स्थान (कैलाश)
30. जीवन के चार आश्रमों में अंतिम आश्रम (संन्यास)
31. जनता या प्रजा का राज्य (प्रजातंत्र)
32. स्त्री पुरुष का जोड़ा (दम्पति)
33. जो सब कुछ जानता हो (सर्वज्ञ)
34. जो अपना मतलब सिद्ध करना जानता हो (स्वार्थी)
35. जो अपनी हत्या अपने आप करे (आत्मघाती)
36. जो दूर की बात सोचता हो (दूरदर्शी)
37. जिसका आचरण अच्छा हो (सदाचारी)
38. जो अधिक व्यय न करने वाला हो (मितव्ययी)

39. जो व्यक्ति पहले किसी पद पर रह चुका हो (भूतपूर्व)
40. जो कुल की भलाई न चाहे (कुलद्रोही)
41. जो पढ़ा हुआ न हो (अपठित)
42. जो चिंता से रहित हो (निश्चिंत)
43. जिसके लिए कोई फीस न ली जाए (निःशुल्क)
44. जिसका कोई निश्चित मूल्य न हो सके (अमूल्य)
45. जो किसी से न डरे (निर्भय)
46. जो सब कुछ जानता हो (सर्वज्ञ)
47. जिसे सब पसंद करें (लोकप्रिय)
48. विष्णु के शयन करने का स्थान (क्षीर सागर)
49. जिस स्त्री के संतान न पैदा हो (वंध्या)
50. शीत ऋतु में होने वाली वर्षा (महावद)
51. जिस स्त्री का चाल चलन अच्छा न हो (कुलटा)
52. हाथी हाँकने का हथियार (अंकुश)
53. जिसके समान दूसरा न हो (अद्वितीय)
54. जिसका जन्म बाद में हुआ हो (अनुज)
55. जिसको ज्योतिष का ज्ञान हो (ज्योतिषी)
56. जिसके बिना काम न चले (अनिवार्य)
57. जिसका कोई आकार न हो (निराकार)
58. जो देखने योग्य हो (दर्शनीय)
59. जो दिखाई न पड़े (अदृश्य)
60. जो पढ़ने योग्य हो (पठनीय)
61. जो समय बीत गया हो (भूत, अतीत)
62. जो पुरुष काव्य रचना करे (कवि)
63. जो दूसरों के अधीन हो (पराधीन)
64. जो दूसरों से ईर्ष्या करे (ईर्ष्यालु)
65. जो मार्गदर्शन करावे (पथप्रदर्शक)
66. जो पृथ्वी से संबंधित हो (पार्थिव)
67. जो विदेश में रहने लगे (प्रवासी)
68. जो काल को जीत ले (कालजयी)
69. जो आदर करने योग्य हो (आदरणीय)
70. जो वंदना के योग्य हो (वंदनीय)
71. जो क्षण भर में नष्ट हो जाए (क्षणभंगुर)
72. रात्रि व संध्या के बीच की वेला (गोधूली)

73. जिसके हृदय में ममता न हो (निर्मम)
74. जिसके हृदय में दया न हो (निर्दय)
75. अनुचित बात के लिए आग्रह (दुराग्रह)
76. सभी जातियों से संबंध रखने वाला (अंतर्जातीय)
77. जो उच्च कुल में उत्पन्न हुआ हो (कुलीन)
78. जो अधिक समय जीवित रहे (दीर्घजीवी)
79. जो मार्गदर्शन करावे (मार्ग दर्शक)
80. जो भेदा न जा सके (अभेद्य)
81. जिसकी आशा न की गई हो (अप्रत्याशित)
82. पर्वत के नीचे की भूमि (उपत्यका)
83. बिना खिला हुआ फूल (कली)
84. मुर्दे जलाने का स्थान (श्मशान)
85. चार बजे का समय (भोर का) (ब्रह्म मुहूर्त)
86. साथ में पढ़ने वाला साथी (सहपाठी)
87. आधी रात का समय (निशीथ)
88. अमावस की अँधेरी रात (कुहू)
89. पूर्णिमा की रात (राका)
90. ऊँची आकांक्षाएँ रखने वाला (उच्चाकांक्षी)
91. दूसरों का उपकार करने वाला (परोपकारी)

श्रुति भ्रम भिन्नार्थक शब्द

हिंदी भाषा में कुछ ऐसे शब्द हैं जिसके उच्चारण लगभग समान होते हैं। लेकिन उनके अर्थ में अंतर होता है। इस प्रकार के कुछ शब्द हैं :

अन्न = अनाज ! अन्य = दूसरा। कृत = किया हुआ। कृत्य = काम। अनल = आग। अनिल = हवा। कृतज्ञ = उपकार मनाने वाला। कृतघ्न = उपकार न मानने वाला। अनु = पीछे। अणु = छोटा भाग। ग्रह = नक्षत्र। गृह = घर। आली = सखी। अलि = भौंरा। योग्य = लायक। योग = जोड़। अंबु = जल। अंब = माता। कड़ी = कठोर। कढ़ी = निकली। अभ्यास = संकेत। आवास = रहने का स्थान। प्रसाद = कृपा। प्रासाद = महल। शकल = टुकड़ा। सकल = संपूर्ण। अंस = कंधा। अंश = हिस्सा। परिणाम = नतीजा। परिमाण = तौल। अँगना = घर का आँगन। अंगना = घर की स्त्री। शूर = वीर। सूर = अंधा, सूर्य। सन् = साल। सन = पटुवा। भवन = महल। भुवन = संसार। पाणि = हाथ। पानी = जल। निशान = झंडा। निसान = चिह्न। व्यसन = बुरी लत। बसन = कपड़ा। अवलंब = सहारा। आविलंब = शीघ्र। अंशु = किरण। अंश = भाग। दीन = गरीब। दिन

= दिवस। अजा = बकरी। अज = ब्रह्मा। तुरंग = घोड़ा। तरंग = लहर। इति = समाप्त। ईति = आपका। निशा = रात। नशा = मद। उद्यत = तैयार। उद्धत = उदण्ड। नाड़ी = नब्ज। नारी = स्त्री। कच = बाल। कुच = स्तन। उपल = पत्थर। उत्पल = कमल। आयु = उम्र। आय = आमदनी। चिर = पुराना। चीर = कपड़ा। अभिनव = नया। अभिनय = नाटक। नीड़ = घोंसला। नीर = पानी। अंबुद = बादल। अंबुज = कमल। मणि = एक रत्न। मणी = सर्प। शम = शांति। सम = बराबर। बहु = बहुत। बहू = स्त्री। कलुष = पाप। कुलिश = बज्र। प्रकृति = स्वभाव। प्रकृत = यथार्थ। कुल = वंश। कूल = किनारा। प्रथा = रीति। पृथा = कुंती। स्वेद = पसीना। श्वेत = सफेद। छात्र = विद्यार्थी। क्षात्र = क्षत्रिय। सत्व = सत्ता। स्वत्व = अधिकार। हृद = हृदय। ह्रद = तालाब। कुपथ = बुरा पथ। कुपथ्य = हानिकारक भोजन। प्रधान = मुख्य। परिधान = पहिनावा। श्वान = कुत्ता। स्वान = सूर्य। वीरांगना = वीर स्त्री। वारांगना = वेश्या। अर्घ्य = पूजा। अर्घ = मूल्य। अयोग्य = जो योग्य न हो। अयोग = कुसमय। अक्षि = नेत्र। अक्ष = धुरा। प्रभाव = असर। प्रवाह = बहना। अभिराज = सुंदर। अविराम = लगातार। श्रवण = कान। स्रवण = बहना। आहूत = बुलाया गया। आहुति = होम। विष = जहर। विस = कमल की नाल। वृत्त = घेरा। वित्त = धन। सुत = पुत्र। सूत = सारथी। साह = चौखट के आधार पर लगने वाले आमने सामने स्तंभ। शाह = राजा। शालि = चावल, गन्ना। शाली = मेथी, काला, जीरा। सालि = पीड़ा। साली = पत्नी की बहन। सालिका = बाँसुरी। शालिका = गृह। सालिका = कवच। शब = रात। सब = संपूर्ण। सहर = जादू, टोना, प्रातःकाल। शहर = नगर। कमर = कटि। कमर = चाँद। शंबर = जल बादल। संबर = सेतु, एक तरह का हिरन। तरणि = सूर्य। तरणी = नौका। तरस = दया। तरस् = बल।

तद्भव एवं तत्सम शब्द

संस्कृत से हिंदी में परिवर्तित अशुद्ध शब्दों को तद्भव तथा परिवर्तित संस्कृत के शुद्ध शब्दों को तत्सम शब्द कहा जाता है। क्रमशः तद्भव और उनके तत्सम शब्दों की संक्षिप्त सूची दी जाती है–

नींद = निद्रा। मौत = मृत्यु। नाच = नृत्य। मग = मार्ग। पतोहू = पुत्रबधू। मानुष = मनुष्य। परस = स्पर्श। मोर = मयूर। पहर = प्रहर। माथा = मस्तक। मामा = मातुल। विराग = वैराग्य। मोती = मुक्ता। साँझ = संध्या। मेढ़क = मण्डूक। सरण = शरण। रात = रात्रि। सेस = शेष। साईं = स्वामी। ससि = शशि। आग = अग्नि। साखि = साक्षी। सुहाग = सौभाग्य। हिय = हृदय। सीख = शिक्षा। सावन = श्रावण। सुजसु = सुयश। श्राप = शाप। सुमिरण = स्मरण। हाथी = हस्ती। सिंगार = शृंगार। अरपन = अर्पण। सुनार = स्वर्णकार। फागुन = फाल्गुन।

नाक = नासिका। रिषि = ऋषि। पाँच = पंच। सूत = सूत्र। अधरम = अधर्म। असीम = आशीष। अमिय = अमृत। अनरथ = अनर्थ। अमोल = अमूल्य। अजान = अज्ञान। अमावस = अमावस्या। अनत = अन्यत्र। अचरज = आश्चर्य। अलक्ष = अलक्ष्य। कान्हा = कृष्ण। अवसि = अवश्य। कुआँ = कूप। अकास = आकाश। कोयल = कोकिल। आज = अद्य। कुम्हार = कुंभकार। आँख = अक्ष। खंभा = स्तंभ। आँवला = अम्लक। छन = क्षण। आसरा = आश्रय। खेत = क्षेत्र। आखर = अक्षर। गधा = गर्दभ। आँसु = अश्रु। ग्यान = ज्ञान। ईख = इक्षु। गाहक = ग्राहक। उछाह = उत्साह। गाँव = ग्राम। उलाहना = उपालंभ। घड़ा = घट। अचरज = आश्चर्य। ऊँट = उष्ट्र। घर = गृह। औगुन = अवगुण। घरनी = गृहणी। ओला = उपज। घी = घृत। ओठ = ओष्ठ। चाँदनी = चंद्रिका। औतार = अवतार। चुरन = चूर्ण। कन = कण। छाता = छत्र। करतब = कर्तव्य। क्षन = क्षण। कंकन = कंकण। चरन = चरण। कपूत = कुपुत्र। जतन = यत्न। किरन = किरण। जमुना = यमुना। काग = काक। जश = यश। कारज = कार्य। जम = यम। कृसानू = कृशानु। जोगी = योगी। कृस = कृश। जुग = युग। कबूतर = कपोत। जीभ = जिह्वा। काँट = कंटक। किसान = कृषक। जोवन = यौवन। काठ = काष्ठ। जोती = ज्योति। जेठ = ज्येष्ठ। पत्थर = प्रस्तर। जुन्हैंया = ज्योत्स्ना। पाहन = पाषाण। डंक = दंश। पंख = पक्ष। तिनका = तृण। पंछी = पक्षी। तेल = तैल। पुन्य = पुण्य। थन = स्तन। पुहुप = पुष्प। थल = स्थल। परगट = प्रगट। थिर = स्थिर। प्रान = प्राण। दरिद = दरिद्र। परमारथ = परमार्थ। दही = दधि। बछड़ा = बत्स। दूध = दुग्ध। बरस = वर्ष। दीठि = दृष्टि। वृच्छ = वृक्ष। दोस = दोष। बहू = बधू। दुति = द्युति। बाजा = वाद्य। धरती = धरित्री। बिजली = विद्युत। धुआँ = धूम्र। बैल = बृषभ। धुनि = ध्वनि। भगत = भक्त। धीरज = धैर्य। भाप = वाष्प। नखत = नक्षत्र। भौंरा = भ्रमर। निरगुन = निर्गुण। भौं = भ्रु। नेह = स्नेह। मक्खी = मक्षिका। नैन = नयन। मीत = मित्र। मरम = मर्म। मरजादा = मर्यादा।

विलोमार्थक शब्द

जो शब्द परस्पर अर्थों में विरोध रखते हैं, उन्हें विलोम या विपरीतार्थक शब्द कहते हैं। विपरीतार्थक, विपर्याय, विलोमार्थक, विलोम के पर्याय हैं।

विलोम शब्द—आदि—अंत। आदान—प्रदान। अचल—चल। आसक्त—अनासक्त। अंधकार—प्रकाश। आधुनिक—प्राचीन। अनुकूल—प्रतिकूल। आस्तिक—नास्तिक। आशा—निराशा। अपेक्षा—उपेक्षा। आज्ञा—अवज्ञा। अपना—पराया। अति—अल्प। अपमान—सम्मान। आयात—निर्यात। उपकार—अपकार। आरोह—अवरोह। उपयोग—अनुपयोग। अग्रज—अनुज। एक—अनेक। अमर—मर्त्य। वरदान—अभिशाप।

अरुचि–सुरुचि। सुरक्षित–अरक्षित। अमृत–विष। सौभाग्य–दुर्भाग्य। अलौकिक–लौकिक। आवश्यक–अनावश्यक। दूरदर्शिता–अदूरदर्शिता। आदर–निरादर। बलिष्ठ–निर्बल। अधर्म–धर्म। सत्संग–कुसंग। अनभिज्ञ–भिज्ञ। व्यवस्थित–अव्यवस्थित। आमिष–निरामिष। समता–विषमता। अर्पण–ग्रहण। इच्छा–अनिच्छा। आकर्षण–विकर्षण। नीति–अनीति। अनुराग–विराग। निर्भीक–भीरु। असंतोष–संतोष। प्रत्यक्ष–अप्रत्यक्ष। अनिवार्य–ऐच्छिक। आसुरी–दैवी। आकाश–पाताल। सार्थक–निरर्थक। आय–व्यय। वर्तमान–अतीत। स्वतंत्रता–परतंत्रता। गुप्त–प्रकट। शांत–अशांत। गमन–आगमन। स्थिर–अस्थिर। घृणा–प्रेम। संयोग–वियोग। चर–अचर। संक्षेप–विस्तार। जंगम–स्थावर। स्पष्ट–अस्पष्ट। जीवन–मरण। एक–अनेक। जीवित–मृत। दुर्लभ–सुलभ। ज्योतिर्मय–तपोमय। सदय–निर्दय। जीवात्मा–परमात्मा। प्राचीन–अर्वाचीन। सच्चा–झूठा। निंदा–स्तुति। तृष्णा–तृप्ति। शोक–हर्ष। जल–थल। मृदु–कठोर। दाता–याचक। निकट–सुदूर। लघु–दीर्घ। कोमल–कठोर। सुख–दुख। राग–द्वेष। देव–दनुज। एकत्र–विकीर्ण। मूढ़–चतुर। क्रय–विक्रय। जय–पराजय। कृपा–कोप। जाग्रत–सुषुप्त। कृतज्ञ–कृतघ्न। धनी–निर्धन। इष्ट–अनिष्ट। नख–शिख। इहलोक–परलोक। नूतन–पुरातन। उत्तम–अधम। निष्काम–सकाम। उत्थान–पतन। सगुण–निर्गुण। कुमार्ग–सन्मार्ग। साकार–निराकार। सत्कर्म–कुकर्म। दिन–रात। वीर–कायर। शाश्वत–नश्वर। गुण–दोष। साक्षर–निरक्षर। गत–आगत। पक्ष–विपक्ष। गुरु–लघु। दुराचार–सदाचार। गुरु–शिष्य। धैर्य–अधैर्य। परिचित–अपरिचित। हित–अहित। प्रख्यात–कुख्यात।–हिंसा–अहिंसा। योगी–भोगी। हर्ष–विषाद। भाग्य–अभाग्य। उतार–चढ़ाव। मुक्ति–बंधन। तेजस्वी–निस्तेज। मूक–वाचाल। घात–प्रतिघात। मुख्य–गौण। उत्कर्ष–अपकर्ष। पूर्व–पश्चिम। भूत–भविष्य। पाप–पुण्य। विधवा–सधवा। यश–अपयश। श्रोता–वक्ता। सरस–नीरस। लघु–दीर्घ। सुपुत्र–कुपुत्र। लाभ–हानि। शीतल–उष्ण। वाद–प्रतिवाद। शुभ–अशुभ। मंगल–अमंगल। स्मरण–विस्मरण। मौखिक–लिखित। पठित–अपठित। महात्मा–दुरात्मा। रोगी–निरोगी। स्वदेश–विदेश। बुराई–भलाई। शोषक–पोषक। राजा–रंक। सम–विषम। विभव–पराभव। संधि–विग्रह। संयुक्त–विभक्त। वृष्टि–अनावृष्टि। विजय–पराजय। विशिष्ट–सामान्य। स्वर्ग–नर्क। सफल–निष्फल। संत–असंत। सत्य–असत्य। संकीर्ण–विकीर्ण। संकल्प–विकल्प। द्वैत–अद्वैत। क्षमा–दण्ड। असीम–परिमित। संहार–पालन। कृत्रिम–अकृत्रिम। ज्ञेय–अज्ञेय। उदय–अस्त। ज्ञान–अज्ञान। सदय–निर्दय। नीर–क्षीर।

युग्म शब्द

भाई-भाई, बात-चीत, देख-भाल, जीव-जन्तु, दना-दन, सुख-दुख, घर-घर, गली-गली, यहाँ-वहाँ, कहाँ से कहाँ, कहीं न कहीं, दाने-दाने, मरते-मरते, कुछ का कुछ, अन्न-जल, काम-काज, छेड़-छाड़, ऊँच-नीच, शत्रु-मित्र, आना-जाना, मेल-जोल, आदि।

समूह वाचक शब्द

किसी वस्तु विशेष के समूह का बोध कराने वाले शब्दों को समूह वाचक शब्द कहते हैं। उदाहरण के लिए कतिपय शब्द निम्नांकित हैं :

कुंज–लताओं का। काफिला–यात्रियों अथवा ऊँटों का। गट्ठर–वस्त्रों का। गठ्ठा–लकड़ियों का। गुच्छा या गुच्छ–फलों या फूलों का। छत्ता–बर्रे या मधुमक्खियों का। टुकड़ी–सैनिकों की। दल–राजनीतिकों या घुड़सवारों का। पुञ्ज–पापों या तारों का। माला–फूलों या पर्वतों की। मण्डली–गायकों या मित्रों की। मण्डल–राष्ट्रों या नक्षत्रों का। समिति–व्यक्तियों की या विशेष उद्देश्य से गठित। कोष–मुद्राओं का। भंडार–वस्तुओं का। आलम–शिक्षा, विद्या या विशिष्ट वस्तुओं की। संस्था–उद्देश्य प्रेरित लोगों की। शृंखला–पर्वतों या कड़ियों की। समाज–सभ्यों या विद्यार्थियों का। संप्रदाय–धार्मिकों का। व्यूह–सैनिकों का।

विशेष अर्थ बोधक शब्द

कोकिला–मधुर भाषी। कर्ण–दानी व्यक्ति। कुबेर–धनी व्यक्ति। काइयाँ–बहुत धूर्त। कौआ–बहुत चालाक मनुष्य, कर्कशस्वर। गौ–सीधे स्वभाव वाला। चार सौ बीस–धोखेबाज आदमी। चकोर–आदर्श प्रेमी। चातक–चकोर की तरह उच्च कोटि के प्रेम का प्रतीक। भ्रमर–प्रेम में प्राणतक न्योछावर करने वाला। उच्छृंखल और स्वार्थी। लक्ष्मी–सुशील और सुंदर फल देने वाली। तोता–रट्टू आदमी। उल्लू–मूर्ख व्यक्ति। साँप–अकारण कष्ट देने वाला। जयचंद–कुलद्रोही, देशद्रोही। विभीषण–कुलद्रोही, देश भेदिया। नारद–झगड़ा लगाने वाला। हरिश्चंद्र–सत्यवादी। वृहस्पति–बहुत बड़ा विद्वान। सूरदास–अंधा व्यक्ति। श्रवण–आज्ञाकारी पुत्र। भरत–परमभ्रातृ प्रेमी। सुदामा–संतोषी व्यक्ति। सीता सावित्री–पतिव्रता स्त्री। चाणक्य–कूटनीतिज्ञ पुरुष। युधिष्ठिर–सत्यबोलने वाला। शकुनी–कपटी।

खड़ी बोली के रूप

सहमी–सहमकर। सुनहु–सुनो। सरबस–सर्वस्व। तवन छाँड़त–तब भी नहीं छोड़ते। बिगरी–बिगड़ी। मुए–मर गए। सरिश–सदृश। बछरा–बछड़ा। परसपर–परस्पर।

भाजि—भागकर। दौरि—दौड़कर। जानिके—जानकार। सुच्छ—स्वच्छ। नीदरिया—नींद। सो—से। तो—ते। काके—किसके। मोरी—मेरी। नचायो—नचाया। लै—ले। खायो—खाया। कछु—कुछ।

समानार्थक शब्द में सूक्ष्म भेद

1. **संवेदना**—किसी के दुःख से दुःखी होकर धैर्य देना।
   सहानुभूति—किसी के सुख-दुःख को अपना सुख-दुःख समझना।
2. **द्रोह**—कर्तव्य विरुद्ध शत्रुता करना।
   द्वेष—अकारण बैर करना।
3. **विलाप**—दुःख में रोना।
   प्रलाप—व्यर्थ की बातें करना।
4. **अज्ञ**—जिसे कुछ भी ज्ञान न हो।
   मूर्ख—जड़ बुद्धि वाला।
5. **मनुष्य**—पुरुष स्त्री दोनों का बोध कराता है।
   पुरुष—केवल पुरुष जाति का बोध कराता है।
6. **आयु**—संपूर्ण जीवन को आयु कहते हैं।
   अवस्था—जन्म से वर्षों की गणना अवस्था कही जाती है।
7. **भ्रांति**—असत्य धारणा को भ्रांति कहते हैं
   संदेह—मन के अस्थिर विचारों को संदेह कहते हैं।
8. **परामर्श**—अपनी बात के लिए दूसरों से सलाह लेना।
   मंत्रणा—गुप्त विचारों का आदान-प्रदान।
9. **प्रार्थना**—गुरुजनों से विनम्र भाव से इच्छा प्रकट करना।
   निवेदन—दूसरों की इच्छानुसार विनम्र भाव स्वयं रखना।
10. **प्रयास**—साधारण रूप से किसी कार्य को करना।
    प्रयत्न—तन-मन से किसी कार्य को करना।
11. **लोभ**—अनियमित रूप से दूसरे के धन को लेने की इच्छा।
    लालसा—किसी वस्तु की प्राप्ति की तीव्र इच्छा।
12. **श्रद्धा**—बड़ों के प्रति विश्वासपूर्ण अनुराग।
    भक्ति—देवता या ईश्वर के प्रति प्रेम।
13. **अज्ञान**—जिसमें समझने की शक्ति न हो।
    अनभिज्ञ—जो अनुभव रहित हो।
14. **अलौकिक**—जो लोक या समाज से पहले देखा गया हो।
    स्वाभाविक—जो संसार के नियम के विरुद्ध न हो।
15. **अमूल्य**—जिसका कोई निश्चित मूल्य न हो सके।

अतिमूल्य–अधिक एवं अनुचित मूल्य।

बहुमूल्य–अधिक मूल्यवाला।

16. **उद्योग**–किसी कार्य के लिए प्रयत्न करना।

उद्यम–कोई धंधा।

17. **दया**–दूसरों के दुख को दूर करने की स्वाभाविक इच्छा।

कृपा–छोटों के प्रति दया।

18. **प्रणाम**–अपने से बड़ी आयु वालों को किया जाता है।

नमस्कार–अपनी बराबरी आयु वालों को किया जाता है।

आराधना–देवता से वर माँगने के लिए प्रार्थना और पूजा करना आराधना कहलाता है।

उपासना–देवता की प्रसन्नता के लिए समीप बैठकर पूजा कृत्य करना उपासना है।

19. **श्रम**–शारीरिक मेहनत करना श्रम है।

परिश्रम–विशेष श्रम करना परिश्रम है।

20. **बाधा**–कार्य आरंभ होने के पूर्व ही कोई अड़चन पड़ जाना बाधा है।

विघ्न–कार्य आरंभ होने के पूर्व ही कोई अड़चन पड़ जाना विघ्न है।

21. **भ्रम**–किसी वस्तु को समझ लेना भ्रम है।

संदेह–किसी वस्तु के विषय में ठीक निश्चय न कर सकना संदेह है।

22. **पत्नी**–अपनी स्त्री।

स्त्री–संपूर्ण स्त्री जाति का बोध होता है।

23. **संकोच**–किसी कार्य को करने से पहले हिचकिचाहट होना संकोच है।

लज्जा–समाज द्वारा तिरस्कार, अनुचित कार्य करने में जो संकोच होता है।

24. **मित्र**–किसी मनुष्य से घनिष्ठ संबंध हो जाने पर मित्र हो जाता है।

सखा–समवयस्क जिससे प्रेम हो, सखा हो जाता है।

सुहृद–हित-अहित की चिंता करने वाले मित्र को सुहृद कहते हैं।

25. **सेवा**–गुरुजनों, माता-पिता आदि की परिचर्या।

शुश्रूषा–रोगी की परिचर्या।

26. **प्रतियोगिता**–किसी के अहित की भावना बिना अपनी श्रेष्ठता सिद्ध करने के लिए होड़ करना।

प्रतिद्वंद्विता–जलन या हानि पहुँचाने के भाव से होड़ करना।

27. **उत्साह**–भय की अनुपस्थिति में कार्य करने की प्रेरणा।

साहस–भय की उपस्थिति में कार्य करने की प्रेरणा।

28. **अस्त्र**–फेंककर प्रहार करने वाले हथियार। जैसे–बाण।

शस्त्र–हाथ में पकड़कर प्रहार करने वाले हथियार। जैसे–भाला।

29. **वात्सल्य**–अपनी संतान के प्रति प्रेम।
स्नेह–छोटों के प्रति।
प्रेम–व्यापक अर्थ में।
प्रणय–स्त्री का पति से प्रेम।

30. **मुनि**–धर्म और तत्त्व पर विचार करने वाले को मुनि कहते हैं।
ऋषि–वेद मंत्रों की व्याख्या करने वाले को ऋषि कहते हैं।

31. **अहंकार**–झूठे अपनेपन का बोध।
अभिमान–प्रतिष्ठा में अपने को बड़ा और दूसरे को छोटा समझना।
घमंड–सभी स्थितियों में स्वयं को बड़ा और दूसरे का छोटा समझना।
दर्प–नियम विरुद्ध काम करने पर भी घमंड करना।

32. कष्ट–अभाव में मानसिक शारीरिक कष्ट।
क्लेश–मानसिक अभावों का सूचक।
पीड़ा–रोग-चोट के कारण शारीरिक कष्ट।

33. आधि–मानसिक पीड़ा।
व्याधि–शारीरिक पीड़ा।

34. अर्चना–धूप, दीप, फूल आदि से देवता की पूजा।
पूजा–बिना सामग्री के भी भक्तिपूर्ण विनय या प्रार्थना।

35. पुष्प–[illegible] फूल।
कुसुम–[illegible] आवश्यक नहीं।

36. राजा–एक सामान्य राजा।
सम्राट–राजाओं का राजा।

37. कंगाल–जिसे पेट पालने हेतु भीख माँगनी पड़े।
दीन–निर्धनता के कारण जिसका आत्म-गौरव गिर गया हो।

आदर सूचक शब्द

किसी व्यक्ति का नाम लेने से पहले उसे आदर सूचक शब्दों से संबोधित किया जाता है। ऐसे कुछ शब्द निम्नलिखित हैं :—

श्री – सभी पुल्लिंग नामों से पूर्व।
श्रद्धेय – आदरणीय व्यक्तियों के लिए।
श्रीमान – आदरणीय व्यक्ति के नाम से पूर्व।
श्रीयुत – सभी पुल्लिंग नामों से पूर्व।
आदरणीय – अपने से बड़े व्यक्ति के लिए।
श्रीमती – स्त्रियों के नामों से पूर्व।
सुश्री – स्त्रियों के नामों से पूर्व।

मौलवी	– विद्वान मुसलमानों के लिए।
जनाब	– अपने से बड़े लोगों के लिए आदर सूचक शब्द।
स्वामी	– महात्माओं के लिए

संख्यावाचक शब्द

एक	– ईश्वर, चंद्रमा, गणेश का दाँत, शुक्राचार्य की एक आँख, पृथ्वी आदि।
दो पक्ष	– शुक्ल पक्ष, कृष्ण पक्ष।
दो जीव	– जीव और ब्रह्म।
तीन गुण	– रजोगुण, तमोगुण, सतोगुण।
तीन लोक	– मृत्युलोक, स्वर्गलोक, पाताललोक।
तीन कर्म	– प्रारब्ध, क्रियमाण, संचित।
तीन अग्नि	– दावाग्नि, बडवाग्नि, जठराग्नि।
तीन ऋण	– देवऋण, गुरुऋण, पितृऋण।
तीन बल	– धनबल, मनबल, तनबल।
तीन ताप	– दैविक, भौतिक, दैहिक।
तीन देव	– ब्रह्मा, विष्णु, महेश।
चार नीति	– साम, दाम, दंड, भेद।
चार धाम	– द्वारिका, रामेश्वर, जगन्नाथ, बद्रीनाथ।
चार वेद	– ऋगवेद, सामवेद, यजुर्वेद, अथर्ववेद।
चार युग	– सतयुग, त्रेता, द्वापर, कलियुग।
चार फल	– अर्थ, धर्म, काम, मोक्ष।
चार जीव	– अंडज, उदिज, जरायुज, स्वेदज।
चार सेना	– हाथी, घोड़ा, पैदल, रथ।
चार आश्रम	– ब्रह्मचर्य, गृहस्थ, वानप्रस्थ, संन्यास।
चार वर्ण	– ब्राह्मण, क्षत्रिय, वैश्य, शूद्र।
चार शत्रु	– काम, क्रोध, लोभ, मोह।
पाँच कन्या	– अहल्या, मन्दोदरी, तारा, कुंती, द्रौपदी।
पाँच तत्त्व	– क्षिति, जल, पावक, गगन, समीर।
पाँच अँगुलियाँ	– तर्जनी, मध्यमा, अंगुष्ठा, कनिष्ठिका, अनामिका।
पाँच कर्मेंद्रियाँ	– हाथ, पैर, मुख, लिंग, गुदा।
पाँच ज्ञानेंद्रियाँ	– नाक, कान, आँख, जीभ, त्वचा।
पंचामृत	– दूध, दही, घी, मधु, चीनी।
छह ऋतु	– शरद, शिशिर, वसंत, हेमंत, ग्रीष्म, वर्षा।

छह रस	– खट्टा, मीठा, कड़ुआ, तीखा, खारा, कसैला।
छह दर्शन	– योग, सांख्य, न्याय, वेदांत, कर्ममीमांसा, वैशेषिक।
सप्तलोक	– भूलोक, भुवलोक, महालोक, स्वर्गलोक, तपोलोक, जनलोक, सत्यलोक।
सप्तऋषि	– कश्यप, अत्रि, वशिष्ठ, यमदग्नि, गौतम, विश्वामित्र, भरद्वाज।
सप्तस्वर	– धैवत, ऋषभ, षड्ज, निषाध, पंचम, गांधार, मध्यम।
सात सुख	– खान, पान, ज्ञान, गान, परिधान, शोभा, संयोग।
सात द्वीप	– कुश, क्रोच, जंबू, शाल्मली, पुष्कर, गोभेद, शाक।
सातसागर	– दधि, क्षीर, घृत, लवण, मधु, मदिरा, इक्षु।
सात पुरी	– मथुरा, माया, काशी, अयोध्या, अवंतिका, काञ्ची, द्वारिकापुरी।
आठ वसु	– द्रोण, प्राण, ध्रुव, अर्क, अग्नि, दोष, वसु, विभावसु।
आठ सिद्धि	– अणिमा, गरिमा, महिमा, लघिमा, ईशत्व, वृशित्व, प्राप्ति, प्राकाम्य।
आठ कर्म	– खाना, पीना, सोना, जागना, शत्रु संरक्षण, सन्तानोत्पत्ति, जन्म, मरण।
आठ पहर	– उषा, पूर्वाह्न, मध्याह्न, अपराह्न, सायं, प्रदोष, निशीथ, त्रियामा।
आठ विवाह	– देव, आर्य, ब्राह्मण, स्वयंवर, पैशाच, असुर, प्रजापत्य, गंधर्व।
नौरस	– शृंगार, वीर, करुण, हास्य, अद्भुत, भयानक, रौद्र, बीभत्स, शांत।
नौनिधि	– पद्म, महापद्म, शंख, मकर, कच्छप, कुंद, मुकुंद, नील, खर्व।
नौभक्ति	– श्रवण, कीर्तन, स्मरण, अर्चन, वंदन, पादसेवन, आत्मनिवेदन, दास्य, साख्य।
नौमद	– कुलमद, रूपमद, यौवनमद, ज्ञानमद, विद्यामद, राज्यमद, ध्यानमद, धनमद, जातिमद।
नौग्रह	– रवि, सोम, मंगल, बुध, गुरु, शुक्र, शनि, राहु, केतु।
नौरत्न	– अमरसिंह, वैगल, धनवंतरि, छपणक, सुजन, वररुचि, वाराहमिहिर, बिश्वाभूषण, कालिदास।
दस दिशाएँ	– पूर्व, पश्चिम, उत्तर, दक्षिण, ईशान, आग्नेय, वायव्य, नैऋत, ऊपर, नीचे।
दस दिग्पाल	– यम, कुबेर, इंद्र, वरुण, रुद्र, अग्नि, विष्णु, नैऋत, पवन, विधि।
दस अवतार	– मत्स्य, वाराह, कच्छप, नृसिंह, वामन, परशुराम, राम, कृष्ण, बुद्ध, कल्कि।
दसधर्म के लक्षण	– क्षमा, धैर्य, दया, शौच, सत्य, निग्रह, इंद्रिय, अहिंसा, विद्यापाठ, अक्रोध, अस्तेय।
बारह आभूषण	– चूड़ी, नथ, नूपुर, कंठ श्री, बाजूबंद, बेंदी, टीका, कंकण, किंकणी, मुंदरी, शीशफूल, हार।

बारह राशि – मेष, वृष, मकर, मिथुन, मीन, धनु, तुला, कन्या, वृश्चिक, कुंभ, सिंह, कर्क।

बारह माह – चैत्र, वैशाख, ज्येष्ठ, आषाढ़, श्रावण, भाद्र, आश्विन, कार्तिक, मार्ग (अगहन), पौष, माघ, फाल्गुन।

चौदह रत्न – श्री, मणि, रंभा, वारुणी, अमिय, शंख, गजराज, कल्पद्रुम, शशि, धेनु, धनु, धनवंतरि, विष, बाज।

सोलह दान – सोना, चाँदी, वस्त्र, फल, पान, आसन, पृथ्वी, अन्न, सेज, सुगंधित वस्तु, पुष्प माला, गिन्नी, पानी, दीपक, क्षत्र, खड़ाऊँ।

सोलह संस्कार – गर्भाधान, पुंसवन, सीमंत, जातकर्म, नामकरण, निष्क्रमण, अन्न प्राशन, चूड़ाकर्म, वेदारंभ, कर्णबोध, उपनयन, समावर्तन, विवाह, वानप्रस्थ, संन्यास, अंत्येष्टि संस्कार।

सोलह श्रृंगार – सुगंध, भालतिलक, पुष्पहार, कुंकुम, चिबुकविंदु, बसन, भूषण, तांबूल, दंतमंजन, अंगराज, अंजन, महावर केशबंधन, उबटन, शौच, स्नान।

अठारह पुराण – ब्रह्मा, विष्णु, शिव, पद्म, स्कन्द, कूर्म, मत्स्य, अग्नि, भागवत्, ब्रह्माण्ड, गरुड़, वाराह, ब्रह्म, वैवर्त, लिंग, नारद, मार्कण्डेय, भविष्य।

सत्ताइस नक्षत्र – आश्विनी, भरणी, कृतिका, रोहिणी, मृगशिरा, आद्रा, पुनर्वसु, पुष्य, अश्लेषा, मघा, पूर्वा, फाल्गुनी, उत्तरा फाल्गुनी, हस्त, चित्रा, स्वाति, विशाखा, ज्येष्ठा, मूल, पूर्वाषाढ़, उत्तराषाढ़, श्रवण, घनिष्ठा, शतभिषा, पूर्वा भाद्रपद, उत्तरा भाद्रपद, रेवती।

मुहावरे और लोकोक्तियाँ

एवं परिभाषा–हिंदी में मुहावरा को वाग्धारा कहते हैं। किंतु वह अधिक प्रचलित । बातचीत अथवा अभ्यास के अर्थ में प्रयुक्त अरबी भाषा का यह शब्द जाति वाचक संज्ञा है।

मुहावरे भाषा के अलंकार होते हैं। इनके प्रयोग से भाषा आकर्षक बन जात है। प्रत्येक मुहावरे का एक अपना विशिष्ट एवं परंपरागत अर्थ होता है। मुहावरे क प्रयोग स्वतंत्र न होकर वाक्यों में होता है।

कतिपय विशिष्ट मुहावरे

1. **अंक भरना**–प्रेम से लिपटा लेना।
   कौशल्या ने सीता को देखते ही अंक भर लिया।

2. **अंकुश रखना**–दबाव में रखना।
अंकुश न रखने से बच्चे बिगड़ जाते हैं।
3. **अंग में अंग चुराना**–शरमाकर सिकुड़ना।
अङ्ग में अङ्ग चुराना स्त्रियों का ही स्वभाव है।
4. **आँखें दिखाना**–धमकाना, डराना।
देखो राम; काम प्रेम से होगा, आँख दिखाने से नहीं।
5. **आँखें लाल करना**–क्रोधित होना।
शूर्पणखा की कटी नाक देखकर रावण की आँखें लाल हो गईं।
6. **आँख मारना**–इशारा करना।
मदारी के आँख मारने से बंदर नाचने लगा।
7. **अंधे की लकड़ी**–एक मात्र सहारा।
श्रवण कुमार अपने माता-पिता के लिए अंधे की लकड़ी थे।
8. **अक्ल के घोड़े दौड़ाना**–अनुमान लगाना।
अक्ल के घोड़े दौड़ाओ शायद यह पहेली समझ में आ जाए।
9. **अपने मुँह मियाँ मिट्ठू बनना**–अपनी प्रसंशा स्वयं करना।
लक्ष्मण ने परशुराम से कहा–आप तो अपने मुँह मियाँ मिट्ठू बन रहे हैं।
10. **आँखों में खून उतरना**–अत्यधिक क्रोधित होना।
अभिमन्यु के मारे जाने की खबर से अर्जुन की आँखों में खून उतर आया।
11. **आकाश-पाताल का अंतर**–बहुत बड़ा अंतर।
भारत-पाकिस्तान में आकाश-पाताल का अंतर है।
12. **आकाश-पाताल एक करना**–अत्यधिक प्रयत्न करना।
इंदिरा गाँधी ने देश की उन्नति के लिए आकाश-पाताल एक कर दिया।
13. **आग बबूला होना**–अत्यधिक क्रोधित होना।
आग बबूला होने से विवेक मर जाता है।
14. **आपे से बाहर होना**–क्रोधित होना।
आपे से बाहर होने से बना बनाया काम बिगड़ जाता है।
15. **उल्लू सीधा करना**–स्वार्थ सिद्ध करना।
हमेशा अपना उल्लू सीधा करने वाले कभी सुख नहीं पाते।
16. **कुत्ते की मौत मरना**–बहुत कष्ट पाकर मरना।
दूसरों को दुःख देने वाले कुत्ते की मौत मरते हैं।
17. **खाक छानना**–मारे-मारे फिरना।
नौकरी के लिए खाक छान रहा हूँ।
18. **खून सूखना**–चिंता से कमजोर होना, भयभीत होना।
इंदिरा गाँधी की हत्या की खबर सुनते ही मेरा खून सूख गया।

19. **गड़े मुर्दे उखाड़ना**–लड़ाने वाली पुरानी बातों को याद दिलाना।
गड़े मुर्दे उखाड़ने से अब कोई लाभ नहीं, भविष्य की बात सोचो।

20. **गुलछर्रे उड़ाना**–मौज उड़ाना।
बाप की कमाई पर गुलछर्रे उड़ाकर बाद में पछताओगे।

21. **घुटने टेकना**–हार मानना।
सत्य के सामने असत्य हमेशा घुटने टेकता है।

22. **चेहरे का रंग उड़ना**–चेहरा फीका पड़ना।
बेहोश लक्ष्मण को देखते ही राम के चेहरे का रंग उड़ गया।

23. **छाती पर मूँग दलना**–कष्ट देना।
किसी गरीब की छाती पर मूँग दलने से ईश्वर को पीड़ा होती है।

24. **झख मारना**–विवश होना।
अँग्रेजों को झख मारकर भारत छोड़ना पड़ा।

25. **डींग मारना**–शेखी बघारना।
काम डींग मारने से नहीं, परिश्रम से होता है।

26. **तारे गिनना**–नींद न आना, दुःख में रात काटना।
राम के वियोग में भरत तारे गिन-गिनकर रात काटने लगे।

27. **तिल का ताड़ बनाना**–छोटी बात बहुत बढ़ा-चढ़ा कर कहना।
स्वार्थी हमेशा तिल का ताड़ बनाकर झगड़ा करते हैं।

28. **अपने पाँव आप कुल्हाड़ी मारना**–संकट मोल लेना।
चोरों डकैतों से झंझट करना अपने पाँव आप कुल्हाड़ी मारना है।

29. **आस्तीन का साँप**–विश्वासघाती।
किसी को विश्वास नहीं था। किंतु वे अंतसिंह आस्तीन का साँप निकला

30. **आठ-आठ आँसू रोना**–फूट-फूटकर रोना।
अभी से पढ़ाई में लापरवाही बरतने से बाद में आठ-आठ आँसू रोओगे।

31. **आँचल में बाँधना**–हर समय याद रखना।
इंदिरा गाँधी को कोई भूल नहीं सकता, जनता ने उन्हें आँचल में बाँध लिया है।

32. **आटे दाल का भाव मालूम पड़ना**–कष्ट का अनुभव होना।
गृहस्थी जब अपने सिर आती है तभी आटे दाल का भाव मालूम पड़ता है।

33. **आँखों में धूल झोंकना**–चालाकी से काम करना।
मोहन की थैली से रुपया चुराकर कालू सबकी आँखों में धूल झोंककर भाग गया।

34. **आकाश से बातें करना**–अधिक ऊँचा।
बंबई की ऊँची अट्टालिकाएँ आकाश से बातें करती हैं।

35. **आग में घी डालना**–क्रोध बढ़ाना।
राजेश की पुरानी बातें याद दिला-दिलाकर क्यों आग में घी डालते हो।

36. **इज्जत गँवाना**–प्रतिष्ठा खो देना।
चोरी में पकड़े जाने से शंभु दादा ने इज्जत गँवा दी।

37. **ईद का चाँद होना**–बहुत कम दिखलाई पड़ना या मिलना।
आजकल आप ईद के चाँद हो गए हैं।

38. **ईंट से ईंट बजाना**–घोर युद्ध करना।
बानरी फौज ने लंका की ईंट से ईंट बजा दी।

39. **ईंट का जवाब पत्थर से देना**–दुष्ट को दुष्टता से उत्तर देना।
ईंट का जवाब पत्थर से देने पर ही दुराचारी सुधरते हैं।

40. **ईमान का सौदा**–विश्वास का व्यापार।
ईमान का सौदा करना महापाप है।

41. **उल्टी गंगा बहाना**–प्रतिकूल कार्य करना।
रवींद्र उल्टी गंगा बहाने का प्रयत्न न करो, कभी बालू से तेल निकल सकता है।

42. **उँगली पर नचाना**–अधिकार रखना।
दुनिया पैसेवालों की उँगली पर नाच रही है।

43. **अपना घर समझना**–निस्संदेह निर्वाह।
इसे अपना ही घर समझें, संकोच की कोई बात नहीं।

44. **उड़ती चिड़िया पहचानना**–मन की बात जान लेना।
तुम मुझे धोखा देने का यत्न न करो, मैं उड़ती चिड़िया पहचानता हूँ।

45. **अँगुली पकड़कर पहुँचा पकड़ना**–थोड़ा पाकर अधिक की चेष्टा करना।
अँगुली पकड़कर पहुँचा पकड़ने वाले ही धोखा खाते हैं।

46. **ऊँट किस करवट बैठता है**–परिणाम का संदिग्ध होना।
कॉंग्रेस सरकार तो बन गई अब देखें ऊँट किस करवट बैठता है।

47. **एक आँख से देखना**–बराबर मानना।
घर के मालिक को सबको एक आँख से देखना चाहिए।

48. **एक पंथ दो काज**–एक काम के साथ दूसरा कार्य भी पूरा करना।
एक भिखारी ने दूसरे से कहा चलो काशी, भिक्षा भी मिलेगी, गंगा स्नान भी होगा। इस प्रकार एक पंथ दो काज हो जाएगा।

49. **एड़ी चोटी का पसीना एक करना**–कठिन परिश्रम करना।
अभय ने एड़ी चोटी का पसीना एक कर दिया फिर भी परीक्षा में उत्तीर्ण नहीं हुआ।

50. **एक म्यान में दो तलवार होना**–एक स्थान पर दो प्रतिद्वंद्वी होना।

जिस प्रकार एक म्यान में दो तलवारें नहीं रह सकतीं उसी प्रकार एक वन में दो सिंह नहीं रह सकते।

51. **ओखली में सिर देना**–जान-बूझकर संकट मोल लेना।
जब ओखली में सिर दे दिया है तो तूफान की क्या चिंता।

52. **कलेजा ठंडा होना**–संतोष होना।
इंदिरा गाँधी की हत्या होने से देश के दुश्मनों का कलेजा ठंडा हो गया।

53. **किस खेत की मूली**–अधिकारहीन, शक्तिहीन।
भारत के सामने पाकिस्तान किस खेत की मूली है।

54. **कुआँ खोदना**–दूसरों को हानि पहुँचाने का प्रयत्न करना।
दूसरों की राह में कुआँ खोदने वालों को ईश्वर कभी क्षमा नहीं करता।

55. **खेत रहना**–युद्ध में मरना।
मुल्क की आजादी की लड़ाई में कितने वीर खेत रहे गिनती करना कठिन है।

56. **खाक छानना**–भटकना।
रामू दर-दर की खाक छानता रहा, किंतु नौकरी नहीं मिली।

57. **गाल बजाना**–व्यर्थ की प्रशंसा करना।
मनुष्य कर्म से महान बनता है, गाल बजाने से नहीं।

58. **गिन-गिनकर पैर रखना**–धीरे-धीरे चलना।
क्या नई वधू की तरह गिन-गिनकर पैर रख रहे हो, कुछ तेज चलो।

59. **गिरगिट की तरह रंग बदलना**–सिद्धांत पर दृढ़ न रहना।
आज कल के नेताओं का क्या भरोसा सब गिरगिट की तरह रंग बदलने लगे हैं।

60. **गूलर का फूल होना**–लापता होना।
तुम तो गूलर के फूल हो गए हो, दिखाई नहीं देते।

61. **गुदड़ी का लाल**–गरीब के घर में गुणवान का होना।
भीलों में एकलव्य गुदड़ी का लाल था।

62. **गागर में सागर भरना**–थोड़े स्थान में अधिक कर दिखाना।
बिहारी के दोहे गागर में सागर के समान हैं।

63. **घी के दीए जलाना**–जिसकी आशा न हो, इस तरह के लाभ पर हर्ष।
बेटे को नौकरी मिलते ही माँ के हृदय में घी के दीए जल गए।

64. **घाट-घाट का पानी पीना**–अनेक स्थान का अनुभव होना।
वीरा को कम मत समझना, वह घाट घाट का पानी पिए बैठा है।

65. **घर का भेदी लंका ढावे**–आपस की फूट बुरी होती है।
जब घर का भेदी लंका ढाने को तैयार है, तो अपना क्या कसूर ?

66. **घर का ना घाट का**–कहीं का नहीं।
आलस्य मनुष्य को न घर का रहने देती है न घाट का।
67. **गुड़ खाय गुलगुला से परेहज**–बनावटी परहेज रखना।
68. **चिराग तले अँधेरा**–नजदीक ही बुराई का छिपा होना।
जब प्रधानमंत्री की सुरक्षा में ही चिराग तले अँधेरा है तो आम जनता की सुरक्षा का क्या भरोसा।
69. **चिराग बुझना**–इकलौते संतान का मर जाना।
पंजाब के उग्रवादियों ने अनेकों घरों के चिराग बुझा दिए।
70. **चुल्लू भर पानी में डूब मरना**–अत्यंत लज्जा की बात होना।
देश की एकता को चोट पहुँचाने वाले देशद्रोहियों को चुल्लू भर पानी में डूब मरना चाहिए।
71. **जमीन पर पैर न पड़ना**–अधिक घमंड करना।
नौकरी मिलते ही मदन के पैर जमीन पर नहीं पड़ते।
72. **जान पर खेलना**–साहसिक कार्य करना।
देश की रक्षा के लिए जान पर खेलने से सम्मान मिलता है।
73. **झगड़ा मोल लेना**–अकारण लड़ाई उत्पन्न कर लेना।
सज्जन व्यक्ति हमेशा झगड़ा मोल लेने से बचते हैं।
74. **टाँग अड़ाना**–अड़चन डालना।
बड़ों के काम में बच्चों को टाँग नहीं अड़ाना चाहिए।
75. **टट्टी की ओट शिकार खेलना**–छिपे तौर पर किसी के विरुद्ध कुछ करना।
गद्दार ही टट्टी की ओट से शिकार खेलते हैं।
76. **टेढ़ी खीर**–कठिन कार्य।
कविता लिखना भी टेढ़ी खीर है।
77. **डंका बजना**–प्रभाव होना।
विश्व में आज भारत का डंका बज रहा है।
78. **डूबते को तिनके का सहारा**–निराशा में आशा की झलक।
आपकी यह दो रुपए की मदद मेरे लिए डूबते को तिनके का सहारा है।
79. **ढपोर शंख**–बढ़-चढ़कर बातें करना।
मोहन तो ढपोर शंख है, राधा तो कुछ काम भी करती है।
80. **ढाक के तीन पात**–जैसे को तैसा।
81. **तिल का ताड़ करना**–बात को तूल देना।
82. **दाहिना हाथ**–बड़ा सहायक।
83. **थूक कर चाटना**–बचन देकर बदलना।
थूक कर चाटना गद्दारों के लिए कोई कठिन काम नहीं।

84. **दबे पाँव आना**–चुपचाप आना।
85. **दम मारने की फुरसत न होना**–समय न मिलना।
86. **दाँत खट्टे करना**–परास्त करना।
भगतसिंह ने अँग्रेजों के दाँत खट्टे कर दिए।
87. **नौ दो ग्यारह होना**–भाग जाना।
88. **पेट फूलना**–रहस्य को छिपा न सकना।
89. **पेट में चूहे कूदना**–जोर से भूख लगना।
90. **पत्थर की लकीर**–अटल प्रतिज्ञा।
91. **पुल बाँधना**–बहुत बढ़ा चढ़ा कर कहना।
92. **लकीर का फकीर होना**–पुरानी प्रथा पर चलना।
93. **लोहा मानना**–श्रेष्ठ समझना।
94. **श्री गणेश करना**–प्रारंभ करना।
95. **साँप छछूंदर की हालत**–द्विविधा।
माता जी और पत्नी के प्रतिदिन के झगड़े से मेरी तो साँप छछूंदर की हालत हो गई है।
96. **हथियार डाल देना**–हार मान लेना।
97. **हाथ मलना**–पछताना।
98. **सिर माथे लेना**–स्वीकार करना।
99. **पेट काटना**–कंजूसी करना।
100. **काम तमाम करना**–मार डालना।
101. **रंग में भंग होना**–हर्ष में विषाद होना।
102. **दिन फिरना**–अच्छा समय लौटना।
103. **दिन ढलना**–भाव कम होना।
104. **सिर नीचा कर लेना**–झुक जाना।
105. **अँगुली उठाना**–कलंक लगाना।
106. **ओठ फड़कना**–क्रोध से काँपना।
107. **नाक रगड़ना**–दीनतापूर्वक प्रार्थना करना।
108. **सिर उठाना**–विद्रोह करना।
109. **कलेजा जलाना**–दुःख देना।
110. **कलेजा बाँसों उछलना**–बहुत अधिक प्रसन्न होना।
111. **कंधे से कंधा देना**–पूरी सहायता करना।
112. **नाक काटना**–इज्जत जाना।
113. **आँखें भर आना**–दया से आँसू निकल पड़ना।
114. **आँख खुलना**–सावधान होना।

115. **आँखें बिछाना**–स्वागत करना।
116. **आँख की किरकिरी होना**–किसी के लिए कष्टकारक होना।
117. **गला भर आना**–प्रेम से मिलना।
118. **पैर उखड़ना**–हार मानकर भाग जाना।
119. **गले बाँधना**–जबर्दस्ती देना।
120. **हवा से बातें करना**–तेज दौड़ना।
121. **उल्लू बनाना**–मूर्ख बनाना।
122. **आँसू पोंछना**–धीरज देना।
123. **कान भरना**–चुगली करना।
124. **दाँतों तले अँगुली दबाना**–आश्चर्य करना।
125. **कान काटना**–मात करना।
126. **घड़ों पानी पड़ना**–बहुत अधिक लज्जित होना।
127. **थूककर चाटना**–कहकर बदल जाना।
128. **बिजली दौड़ जाना**–संकट का अनुभव करना।
129. **हिलोरें मारना**–उत्साहित होना।
130. **नमक मिर्च मिलाना**–बात को बढ़ा चढ़ाकर कहना।
131. **पत्थर की लकीर होना**–अटल हो जाना।
132. **तूती बोलना**–शोहरत बढ़ना।
133. **दाल न गलना**–वश न चलना।
134. **चैन की वंशी बजाना**–मौज उड़ाना।
135. **ढिंढोरा पीटना**–प्रचार करना।
136. **दाँत खट्टे करना**–हराना।
137. **फूँक-फूँक कर पाँव रखना**–सोच-समझकर काम करना।
138. **मुँह में पानी भरना**–लालच आना।
139. **रंगा सियार होना**–धोखेबाज होना।
140. **मूँछों पर ताव देना**–अकड़ना।
141. **मुहर लगा देना**–पुष्ट कर देना।
    इलाहाबाद की संधि ने दिल्ली पर अँग्रेजों के पूर्णतः आधिपत्य की मुहर लगा दी।
142. **मौत से लड़ना**–अमर होना।
    मेरी आयु 90 वर्ष की हो गई, यह मत समझो कि मैं मौत से लड़ रहा हूँ।
143. **सिर माथे चढ़ाना**–आदरपूर्वक स्वीकार करना।
    प्रत्येक व्यक्ति को राज्य का आदेश सिर माथे चढ़ाना चाहिए।

144. हामी भरना–स्वीकार करना।
मेरे पिताजी ने नाले की पुलिया बनवाने की ग्रामवासियों से हामी भर ली है।

145. जड़ हिलाना–किसी की स्थिति बिगाड़ देना।
प्लासी की विजय ने बंगाल के नबावों की जड़ हिला दी।

146. कहा सुनी करना–झगड़ा करना।
आज चौराहे पर श्याम से मेरी कहा सुनी हो गई।

147. काया पलट होना–ढाँचा बदलना, या भारी हेर-फेर होना।
आविष्कारों से आज विश्व की काया पलट हो गई है।

148. लट्टू होना–मोहित होना।
मैं अपने मित्र के रामायण पाठ पर लट्टू हूँ।

149. आँखों से गुजरना–दिखाई पड़ना।
तारा जैसी घोड़ी मेरी आँखों से आज तक नहीं गुजरी।

150. हृदय में हलचल होना–उथल-पुथल होना।
मेरे हृदय में बड़ी हलचल थी कि आखिर रामू ने यह कुकृत्य क्यों किया ?

151. हृदय पर साँप लोटना–दुःखी होना।
शत्रु की प्रशंसा सुनकर उसके हृदय पर साँप लोट गया।

152. आँखें गड़ाना–निगाह जमी होना।
सुल्तान पर खड्गसिंह की आँखें गड़ी हुई थीं।

153. सिर मारना–विचार करना।
लाखों बार सिर मारा परंतु प्रश्न समझ में न आया।

154. गले उतरना–अच्छी तरह समझना।

155. गंध न होना–पता तक न चलना।
मुझे तनिक भी गंध न थी कि मेरा पुत्र लुटेरा बनेगा।

156. हाथ पैर हिलाना–परिश्रम करना।
प्रत्येक मनुष्य को हाथ पैर हिला कर भोजन करने का अधिकार है।

157. राम बाण होना–प्रभाव अचूक होना।
राम द्वारा दी गई सिर दर्द की दवा मेरे लिए राम बाण हो गई।

158. धरना देना–सर पड़ जाना।
मेरे द्वार पर धरना दिए क्यों बैठे हो ? आगे जाकर देखो।

159. छक्के छूट जाना–साहस छूट जाना।
शिवाजी के सैनिकों के समक्ष मुगलों के छक्के छूट जाते थे।

160. मिजाज दिखाना–घमंड के कारण किसी से बात न करना।
क्यों मिजाज दिखा रहे हो, चुपचाप खाना खा लो।

161. **मुँह छिपाना**–लज्जा से सामने न आना।
रामू चोरी करके मुँह छिपा रहा है।

162. **रंग जमाना**–धाक जमाना।
आजकल कॉलेज में शर्मा जी का रंग जम रहा है।

163. **माटी का चोला माटी में मिलना**–शरीर मिट्टी से बना है और मिट्टी में ही मिल जाएगा।
इतना गर्व क्यों करते हो एक दिन यह माटी का चोला माटी में मिल जाएगा।

164. **काफूर होना**–समाप्त होना, नष्ट होना।
मार के आगे मेरा नशा काफूर हो गया।

165. **बिजली दौड़ जाना**–सन्नाटा छा जाना।
शेर की दहाड़ सुनते ही जोन्स के शरीर में बिजली दौड़ गई।

166. **काम तमाम करना**–जेम्स ने एक ही गोली में शेर का काम तमाम कर दिया।

167. **घात लगाना**–शत्रु को हानि पहुँचाने के लिए अवसर ढूँढ़ना।
बिल्ली चूहे पर घात लगाए रहती है।

168. **ठंडा होना**–मर जाना।
गोली लगते ही सूअर ठंडा हो गया।

169. **टूट पड़ना**–आक्रमण कर देना।
रमेश के ऊपर कई गुंडे एक साथ टूट पड़े।

170. **पीठ दिखाना**–युद्ध भूमि से भाग जाना।
राजपूत युद्ध क्षेत्र में प्राण दे देते हैं परंतु पीठ नहीं दिखाते हैं।

171. **हँसी खेल न होना**–आसान काम नहीं।
शत्रु को पराजित करना हँसी खेल नहीं है।

172. **अपमान का घूँट पीना**–अपमान को चुपचाप सहन करना।
राम द्वारा अपमानित किए जाने पर भी मेरे पिता उस अपमान का घूँट पीकर रह गए।

173. **त्राहि-त्राहि मचना**–हा-हाकार होना।
आंतरिक सुरक्षा कानून लागू होते ही डाकुओं व तस्करों में त्राहि-त्राहि मच गई।

174. **देखते ही देखते**–शीघ्र ही।
देखते ही देखते यहाँ पुलिस आ गई और चोर को पकड़ ले गई।

175. **हृदय भर आना**–दुखी होना।
मार्ग में बिलखती हुई एक वृद्ध अबला को देखकर मेरा हृदय भर आया।

176. **धराशायी होना**–मर जाना
महाभारत के युद्ध में अनेकों वीर धराशायी हुए।

177. **प्रलय ढाना**–विनाश करना।
राणा प्रताप ने युद्ध भूमि में प्रलय ढा दिया।

178. **खेत रहना**–मारा जाना।
कुरुक्षेत्र के भीषण युद्ध में अनेक वीर योद्धा खेत रहे।

179. **छिन्न भिन्न होना**–नष्ट होना।
अर्जुन की वीरता के कारण कौरवों की सेना छिन्न भिन्न हो गई।

180. **झक मारना**–व्यर्थ परिश्रम करना।
बैठ-बैठे क्यों झक मार रहे हो पंखे को बाजार में ही ठीक करा लो।

181. **नौबत न आना**–अवसर न मिलना।
श्याम के वाराणसी जाने की नौबत ही न आई क्योंकि वह बीमार पड़ गया।

182. **गला भर जाना**–दुखी होकर रुआंसा होना।
पुत्र का दुःख देखकर माता का गला भर आया।

183. **मुँह छिपाना**–करुणा से पिघल जाना।
उसके दुख से मेरा दिल पसीज गया और मुझे मुँह छिपाना पड़ा।

184. **रोग पालना**–बुरी आदत डालना।
मेरे भाई ने सिगरेट पीने का रोग पाल लिया है।

185. **लानत भेजना**–भर्त्सना करना।
मैं तुम्हारे दुर्व्यवहार पर लानत भेजता हूँ।

186. **कच्ची गोलियाँ खेलना**–सावधान रहना।
उसने अपने मित्र से कहा कि मैंने कच्ची गोलियाँ नहीं खेली हैं।

187. **दाँत पीसना**–क्रोधित होना।
बच्चे की असावधानी पर मैं दाँत पीसकर रह गया।

188. **सिर मुड़ाते ओले पड़ना**–कार्य के प्रारंभ में कठिनाई होना।
महेश ने कपड़े का व्यापार शुरू ही किया था कि बाजार मंदा हो गया। अर्थात सिर मुड़ाते ही ओले पड़े।

189. **हाथ-पाँव फूल जाना**–होश-हवाश खो देना।
जंगल में सिंह को देखकर शिकारी के हाथ-पाँव फूल गए।

190. **जान बची तो लाखों पाए**–मरने से बचे।
कार दुर्घटना में गौतम के हाथ में चोट लग गई। उसके मित्र ने सांत्वना देते हुए कहा 'जान बची तो लाखों पाए'।

191. **चूना लगाना**–बेवकूफ बनाना।
व्यापारी ग्राहक को बहुधा चूना लगाते हैं।

192. **खून का प्यासा होना**–प्राण लेने को तैयार रहना।
पता नहीं क्यों रमेश अपने पुराने मित्र आशु के खून का प्यासा हो गया।

193. **खेत की मूली–महत्त्वपूर्ण न होना।**
वह तो बड़े से बड़े का अपमान कर देता है, भला तुम किस खेत की मूली हो ?

194. **नौ नगद न तेरह उधार**–देर से बड़े लाभ की अपेक्षा तुरंत कम लाभ अच्छा है।

195. **खाक छानना**–व्यर्थ भटकना।
आज कल नवयुवक नौकरी के लिए दर-दर की खाक छानते घूमते हैं।

196. **बेतरह टूट पड़ना**–जोश में आक्रमण करना।
पाकिस्तानी सेना पर भारतीय सेना बेतरह टूट पड़ी।

197. **स्तब्ध रहना**–आश्चर्यचकित करना।
डाकू पिस्तौल लेकर मंच पर कूद पड़ा और सब दर्शकों को स्तब्ध कर दिया।

198. **स्वर्णाक्षरों में अंकित रहना**–सदैव याद किया जाना।
सरदार पटेल का नाम भारतीय इतिहास में स्वर्णाक्षरों में अंकित रहेगा।

199. **प्राणों की बाजी लगाना**–कार्य सिद्ध करने के लिए अथक प्रयत्न करना।
वीर सैनिकों ने देशोद्धार के लिए अपने प्राणों की बाजी लगा दी।

200. **हिलोर मारना**–लहराना।
गौतम बुद्ध के हृदय में मानव मात्र के लिए प्रेम और करुणा का समुद्र हिलोरें मारता था।

201. **आँखें लगी रहना**–ईर्ष्या भरी दृष्टि से देखना।
चोर की आँखें दूसरे का धन लेने के लिए हमेशा लगी रहती हैं।

लोकोक्तियाँ (कहावतें)

लोकोक्तियाँ किसी न किसी घटना से संबंधित होती हैं और उनका प्रयोग भी उसी प्रकार की घटनाओं या प्रसंगों में किया जाता है। ये किसी विशेष अवसर पर कही जाती हैं। इनका अपना स्वतंत्र रूप होता है। लोकोक्तियाँ भाषा में अपने प्रभाव से प्राण फूँक देती हैं।

1. **अकेला चना भाड़ नहीं फोड़ सकता**–अकेला आदमी बहुत बड़ा काम नहीं कर सकता।
देश में भ्रष्टाचार मिटाने के लिए जनता को सरकार का साथ देना चाहिए क्योंकि अकेला चना भाड़ नहीं फोड़ता।

2. **अक्ल बड़ी कि भैंस**–बुद्धि में बल है।
जो काम भीम नहीं कर सके, उसे अभिमन्यु ने कर दिखाया सच है अक्ल बड़ी कि भैंस।

3. **अरहर की टट्टी गुजराती ताला**–छोटी बात के लिए बड़ा प्रबंध।
गीता की जर्जर आलमारी में बड़ा ताला बंद देखकर उसकी सहेलियाँ हँसकर बोलीं, अरे, यह अरहर की टट्टी और गुजराती ताला।
4. **अपनी-अपनी डफली अपना-अपना राग**–मतभेद होना।
परिवार में जब सभी अपनी-अपनी डफली, अपना-अपना राग अलापने लगें तो परिवार सुगठित कैसे रह सकता है।
5. **दूर की ढोल सुहावनी**–दूर से प्रत्येक वस्तु अच्छी लगती है।
मोहन से अरब की प्रशंसा सुनकर रमेश ने कहा–अरे भारत से कोई अच्छा नहीं, बस दूर की ढोल सुहावनी।
6. **ओछे की प्रीत बालू की भीत**–मूर्ख से मित्रता अधिक दिन नहीं रह सकती।
मित्रता हमेशा अपने से बराबर व्यक्ति से करनी चाहिए, दुष्टों की संगति ओछे की प्रीत बालू की भीत की तरह होती है।
7. **अंधे के हाथ बटेर**–अयोग्य व्यक्ति को अनायास कोई सुंदर वस्तु मिल जाना।
कुरूप मोती की सुंदर पत्नी को देखकर सब कहने लगे अंधे के हाथ बटेर लगी है।
8. **आँख का अंधा नाम नैन सुख**–गुण के प्रतिकूल नाम।
युद्धस्थल से भागकर घर आए हुए सैनिक की पत्नी ने जब उसकी वीरता की प्रशंसा की तो साथ खड़े मित्र ने सैनिक से कहा–वाह, आँख का अंधा नाम नैन सुख।
9. **अधजल गगरी छलकत जाय**–नीच अधिक इतराता है।
कई दिन भीख माँगने के बाद जब कालू को कुछ रुपया मिला तो वह लंबी डींग हाँकने लगा। सच है अधजल गगरी छलकत जाय।
10. **ऊँट के मुँह में जीरा**–अधिक खाने वाले के लिए थोड़ा भोजन।
कालू जैसे भोजन भट्ट के लिए केवल एक पूरी, यह तो ऊँट के मुँह में जीरा के समान है।
11. **अपनी करनी पार उतरनी**–अपने कर्मों से ही फल मिलता है।
बार-बार असफल होने पर भी सफलता के लिए प्रयत्न करना चाहिए। क्योंकि अपनी करनी पार उतरनी।
12. **एक हाथ से ताली नहीं बजती**–कोई काम अकेले नहीं होता।
साथ निभाने के लिए सबका दिल साफ होना चाहिए। एक हाथ से ताली नहीं बजती।
13. **आम के आम गुठलियों के दाम**–दुहरा लाभ।
रुपया हमेशा बैंक में जमा करना चाहिए, उससे रुपया भी सुरक्षित और उत्तम ब्याज भी अर्थात् आम के आम गुठलियों के दाम।

14. **एक और एक ग्यारह होते हैं**–संगठन से शक्ति बढ़ती है।
हिंदू-सिक्ख-ईसाई और मुसलमान मिलकर एक और एक ग्यारह हो सकते हैं।

15. **का वर्षा जब कृषि सुखानी**–अवसर बीत जाने पर मेहनत व्यर्थ होती है।
मरीज के मर जाने के बाद जब डॉक्टर आया, लोगों ने कहा कि का वर्षा जब कृषि सुखानी।

16. **नक्कार खाने में तूती की आवाज**–बड़ों में छोटों की कोई नहीं सुनता। रावण की सभा में विभीषण का सुझाव नक्कार खाने में तूती की आवाज के समान था।

17. **ओस के चाटे प्यास नहीं बुझती**–छोटी वस्तु से बड़ी वस्तु की आवश्यकता पूरी नहीं हो सकती।
भूख से व्याकुल व्यक्ति एक रोटी खाकर बोला–बाबू दो रोटियाँ और। ओस के चाटने से प्यास नहीं बुझती।

18. **आसमान से गिरा खजूर पे अटका**–कठिनता से काम पूरा होने पर बीच में बाधा आ जाना।
किसी तरह रुपए का तो प्रबंध हो गया किंतु कॉलेज में नाम नहीं लिखा जा रहा है। यह तो ऐसा हुआ जैसे आसमान से गिरा खजूर पे अटका।

19. **ऊँट के गले में चंपा की कली**–ऐसा व्यक्ति जो किसी दुर्लभ वस्तु को पा जाए, जो उसके लायक न हो।
कुरूप कालू की सुंदर पत्नी को देखकर लोग कहने लगे–ऊँट के गले में चंपा की कली।

20. **नाच न आवे आँगन टेढ़ा**–अपना दोष दूसरे के सिर पर मढ़ना।
गाने की लय तो मालूम नहीं, दोष देते हो गाने और बाजों को–वही कहावत नाच न आवे आँगन टेढ़ा।

21. **घर का भेदी लंका ढावे**–घर की फूट परिवार को नष्ट कर देती है।
जयचंद के विश्वासघात से पृथ्वीराज पराजित हो गया; सच है; घर का भेदी लंका ढावे।

22. **घर की मुर्गी दाल बराबर**–सहज प्राप्य वस्तु का आदर नहीं होता है।
शारदा कॉलेज की प्राचार्या होकर भी घर में चूल्हे चौके का काम करती है, सच है घर की मुर्गी दाल बराबर।

23. **चमड़ी जाय पर दमड़ी न जाय**–अत्यधिक कंजूस होना।
इकलौता बेटा मर गया पर इतने पर भी बनिए ने डॉक्टर को नहीं दिखाया। इसका अजीब हाल है चमड़ी जाय पर दमड़ी न जाय।

24. **चिकना घड़ा होना**–निर्लज्ज पर कोई प्रभाव नहीं पड़ता।
सरोज को समझाने से कोई लाभ नहीं, वह अपनी आदत नहीं छोड़ेगी, चिकने घड़े पर पानी नहीं ठहरता।

25. **जल में रहकर मगर से बैर**–समर्थ से शत्रुता नहीं रखनी चाहिए।
अगर इस कार्यालय में काम करना ही है तो अधिकारी से शत्रुता कितने दिन चलेगी, जल में रहकर मगर से बैर ठीक नहीं।

26. **जस दूल्हा तस बनी बराता**–समान व्यक्तियों का साथ हो जाना।
राम करन जैसा शराबी है वैसे ही उसके साथी भी हैं जस दूल्हा तस बनी बराता।

27. **जैसा देश वैसा भेष**–स्थान के अनुसार कर्म करना।
वैसे तो जगदीश जी बड़े भक्त बनते हैं लेकिन पार्टी में जूते पहनकर खाते हैं। पूछने पर उन्होंने उत्तर दिया जैसा देश वैसा भेष।

28. **झोंपड़ी में रहकर महलों के ख्वाब**–हैसियत से अधिक की आशा करना। स्वयं हाईस्कूल उत्तीर्ण हैं, पत्नी बी. ए. पास चाहते हैं, यह तो वैसा ही है जैसे झोंपड़ी में रहकर महलों का ख्वाब देखें।

29. **दान की बछिया के दाँत नहीं देखे जाते**–मुफ्त की चीज का दाम क्या आँकना।
शादी में साइकिल ही सही, कहीं दान की बछिया के दाँत देखे जाते हैं।

30. **न रहे बाँस न बजे बाँसुरी**–झगड़े की जड़ ही नष्ट कर देना।
कर्नल नासिर ने कहा था इजराइल को दुनिया के नक्शे से मिटा दो, न रहेगा बाँस और न बाजेगी बाँसुरी।

31. **जो फलेगा सो झड़ेगा**–पतन अवश्यंभावी है।
सामाजिक वैभव दो दिनों का है, क्योंकि जो फलेगा सो झड़ेगा।

32. **बंदर क्या जाने अदरक का स्वाद**–मूर्ख गुणों का महत्त्व नहीं जानता।
भावना में बहने में बड़ा आनंद है तुम इसे नहीं समझ सकते क्योंकि बंदर क्या जाने अदरक का स्वाद।

33. **भरी थाली में लात मारना**–अभिमान से तिरस्कार करना।
जब घमंडी पत्नी सुयोग्य पति को तलाक देने लगी तो लोगों ने समझाया भरी थाली में लात मारना ठीक नहीं।

34. **भैंस के आगे बीन बाजे भैंस खड़ी पगुराए**–मूर्ख को शिक्षा देना।
आपको उपदेश देना भैंस के आगे बीन बजाना है।

35. **लातों के देवता बातों से नहीं मानते**–दुष्ट शक्ति से ही वशीभूत होते हैं।
मुरारी सीधे नहीं मान सकता क्योंकि लातों के भूत बातों से नहीं मानते।

36. **सिर मुड़ाते ही ओले पड़ना**–कार्य के आरंभ में विघ्न आना।
अभी दुकान खोले एक मास भी नहीं हुआ, भाव गिर जाने से एक हजार का कर्ज हो गया। क्या बताएँ सिर मुड़ाते ही ओले पड़े।
37. **सीधी उँगली घी नहीं निकलता**–सीधेपन से काम नहीं चलता।
सख्ती करने से पैसा मिलेगा, क्योंकि सीधी उगली घी नहीं निकलता है।
38. **उल्टा चोर कोतवाल को डाँटे**–दोषी निर्दोष को दोषी ठहरावे।
इक्के वाले ने किसान से डपटकर कहा, यदि तुम खेत में होते तो मेरा घोड़ा यहाँ कभी न आता। इस पर किसान बोला, उल्टा चोर कोतवाल को डाँटे।
39. **एक मछली सारे तालाब को गंदा कर देती है**–एक दोष से सारे दोष आ जाते हैं।
कुछ ही छात्र शैतान होते हैं। बदनामी पूरी कक्षा की होती है। ठीक ही कहा है एक मछली सारे तालाब को गंदा कर देती है।
40. **एक तो करेला दूसरे नीम चढ़ा**–दोहरी कटुता।
उसकी आवाज वैसे ही कठोर है, और फिर जब वह क्रोध में आ जाती है तो क्या कहना। सच है एक तो करेला दूसरे नीम चढ़ा।
41. **कंगाली में आटा गीला**–विपत्ति पर विपत्ति आना।
राशन समाप्त हो गया था, आटा पिसने गया था–सोचा था दूध पी लेंगे, लेकिन वह भी फट गया; कंगाली में आटा गीला हो गया।
42. **काला अक्षर भैंस बराबर**–अनपढ़ व्यक्ति।
बड़ी भाग्यशालिनी हो, काला अक्षर भैंस बराबर होकर भी इतने बड़े विद्वान से तुम्हारा विवाह हो गया।
43. **कहने से धोबी गधे पर नहीं चढ़ता**–हठी मनुष्य कहना नहीं मानता।
बार-बार कहने पर भी जब गायिका ने गीत नहीं गाया तो श्रोताओं ने कहा भाई ठीक ही तो है कहने से धोबी गधे पर नहीं चढ़ता।
44. **खोदा पहाड़ निकली चुहिया**–अधिक परिश्रम से कम लाभ।
रात दिन एक करने पर जब मुझे तृतीय श्रेणी ही मिली तो लोगों ने कहा खोदा पहाड़ निकली चुहिया।
45. **गेहूँ के साथ घुन भी पिस जाता है**–बुरे की संगति में भले भी बदनाम हो जाते हैं।
शराबी दोस्त के साथ मुझे भी पुलिस की गालियाँ सुननी पड़ीं। कहा भी है गेहूँ के साथ धुन भी पिस जाता है।
46. **अंधों में काना राजा**–मूर्खों में थोड़े ज्ञान वाला व्यक्ति आदर पाता है।

अपढ़ मूर्खों से भरे उस गाँव में यदि वह मिडिल पास लड़का सरपंच हो गया तो इसमें आश्चर्य क्या ? अंधों में तो काना राजा होता ही है।

47. **अब पछताए होत क्या जब चिड़िया चुग गई खेत**–काम बिगड़ने पर पश्चात्ताप करना।

अनुत्तीर्ण होने पर दुख मनाना बेकार है क्योंकि अब पछताए होत क्या जब चिड़िया चुग गई खेत।

48. **हाथ कंगन को आरसी क्या**–प्रत्यक्ष के लिए प्रमाण की क्या आवश्यकता।

49. **उतर गई लोई तो क्या करेगा कोई**–निर्लज्ज को बुरे कामों से भय नहीं लगता।

50. **कभी नाव गाड़ी पर कभी गाड़ी नाव पर**–सबको एक-दूसरे की सहायता की आवश्यकता होती है।

51. **दूध का जला छाछ फूँक-फूँक कर पीता है**–एक बार धोखा खाया व्यक्ति दोबारा विश्वास नहीं करता।

52. **दूध का दूध पानी का पानी**–ठीक ठीक निर्णय करना।

53. **छछूंदर के सिर पर चमेली का तेल**–अयोग्य को अच्छी चीज मिलना।

54. **चार दिन की चाँदनी फिर अँधेरी रात**–थोड़े दिन का सुख।

55. **घर का जोगी जोगड़ा आन गाँव का सिद्ध**–सुयोग्य व्यक्ति की भी प्रतिष्ठा अपने समाज में नहीं होती।

56. **दाई से पेट नहीं छिपता**–जानकार से बात नहीं छिपती।

57. **नया नौ दिन पुराना सौ दिन**–नया काम अस्थायी, पुराना स्थायी।

58. **पढ़े फारसी बेचे तेल-देख सखी किस्मत का खेल**–पढ़े-लिखे लोगों का छोटा काम करना।

59. **बाप न मारी मेढ़की, बेटा तीरंदाज**–व्यर्थ शेखी मारना।

60. **नौ नगद न तेरह उधार**–उधार से लाभ होने की आशा बुरी है।

61. **भागे भूत की लंगोटी ही सही**–मूल डूबने की दशा में ब्याज न खो देना ही बुद्धिमानी है।

62. **सौ चूहा खाके बिलार चली हज्ज को**–हजारों पाप करके भी सज्जनता का ढोंग रचाना।

63. **होनहार बिरवान के होत चिकने पात**–प्रतिभा संपन्न व्यक्ति के लक्षण प्रारंभ से ही दिखाई पड़ते हैं।

64. **काठ की हाड़ी बार-बार नहीं चढ़ती**–छल से एक ही बार काम चल सकता है।

पशु-पक्षियों की बोलियाँ

1. सिंह–दहाड़ता है। 2. शेर–गरजता है। 3. गदहा–रेंकता है। 4. कोयल–कूकती

है। 5. तोता–टें-टें करता है। 6. पपीहा–पीउ-पीउ करता है। 7. मुर्गी–कुकड़ूँकूँ करती है। 8. भौंरा–गुनगुनाता है। 9. कौवा–काँव-काँव करता है। 10. मोर–केंकार करता है। 11. कबूतर–गुटरू-गूँ करता है। 12. मक्खियाँ–भिनभिनाती हैं। 13. चिड़िया–चहचहाती हैं। 14. उल्लू–घुघुआता है। 15. कुत्ता–भूँकता है। 16. ऊँट–बलबलाता है। 17. घोड़ा–हिनहिनाता है। 18. गाय–रँभाती है। 19. बिल्ली–म्याऊँ-म्याऊँ करती है। 20. बकरा–मेमियाता है। 21. साँप–टिटकारता है। 22. बंदर–किकियाता है। 23. हाथी–चिंघाड़ता है। 24. मुर्गा–बाँग देता है। 25. झींगुर–झनकते हैं। 26. मेढक–टरटराता है। 27. नाग–फुफकारता है।

पत्र-लेखन

जिस प्रकार मुस्कान प्रेम की परिभाषा है उसी प्रकार पत्र हृदय की कुंजी है। जो मन के भावों और विचारों को खोलकर स्पष्ट करता है। हमारे दैनिक जीवन में पत्र-लेखन का बड़ा महत्त्व है। पत्र दो दिलों को, जोड़ता भी है। पत्रों के माध्यम से हम अपने सुदूर रहने वाले प्रियजनों, मित्रों, व्यापारियों आदि से कम व्यय में अपना विचार-विनिमय करते हैं।

पत्रों के भेद

पत्र तीन प्रकार के होते हैं। 1. व्यक्तिगत पत्र, 2. व्यावसायिक पत्र, 3. आधिकारिक पत्र।

1. व्यक्तिगत पत्र–ये अपने प्रियजनों को लिखे जाते हैं। जैसे–इष्ट-मित्र, माता-पिता, भाई, पुत्र आदि।

2. व्यावसायिक पत्र–ये व्यापार-संबंधी होते हैं।

3. आधिकारिक पत्र–ये पत्र स्कूल, कॉलेज के प्रधानाध्यापकों, प्राचार्यों तथा सरकारी अधिकारियों को लिखे जाते हैं।

पत्र लिखते समय उसकी कुछ विशेष बातों पर ध्यान देना चाहिए। उसकी कुछ सामान्य विशेषताएँ हैं, जो इस प्रकार हैं–

1. पत्र भेजने वाले को अपना पता पत्र के ऊपर दाएँ कोने में लिखना चाहिए।
2. पत्र जिसे लिखा जाए, उसके संबंध के अनुसार संबोधन का प्रयोग करना चाहिए।
3. जिस जगह पत्र भेजने वाला अपना पता लिखे, ठीक उसके नीचे तारीख लिखनी चाहिए।
4. व्यक्तिगत या सामाजिक पत्रों में संबंध के अनुरूप संबोधन का चिह्न होना चाहिए।
5. पत्र प्रभावपूर्ण भाषा में तथा रोचक होना चाहिए।

6. पत्रोत्तर देते समय अलग-अलग परिच्छेदों में प्रत्येक बात का उत्तर लिखना चाहिए।
7. पत्र लिखने की शैली सुंदर और रोचक होनी चाहिए।
8. पत्र में किसी एक बात का पृष्ठप्रेषण नहीं होना चाहिए।
9. व्यापारिक पत्र संक्षिप्त होना चाहिए। पत्र में सभी विचार स्पष्ट हों।
10. पत्र में कोई ऐसा शब्द नहीं लिखना चाहिए जिससे पढ़ने वाले को कष्ट हो और स्वयं शर्मिन्दा होना पड़े।

11. पत्र के अंत में अभिनिवेदन के बाद प्रेषक का पूरा हस्ताक्षर होना चाहिए। प्रापक के लिए प्रशस्ति, अभिवादन तथा समाप्ति के बाद यथोचित इस तरह लिखना चाहिए। नमूने की एक तालिका–

प्रापक प्रशस्ति	अभिवादन	समाप्ति
1–परमपूज्य, पूज्य/पूज्या, आदरणीय/आदरणीया मान्यवर, परमपूज्य, महानुभाव, महोदया, स्वस्तिमती, शुभ श्री (जो बड़ा हो, उसके लिए यथोचित लिखें)	सादर प्रणाम, चरण स्पर्श, सादर अभिवादन, प्रणाम	आपका आज्ञाकारीपुत्र, आपका आज्ञाकारी शिष्य, कृपाभिलाषी, स्नेहभाजन, विनीत, दास, प्रिय, कृपाकांक्षी, कृपापात्र आदि।
प्रियमित्र, प्रियवर, श्रीयुत् सुश्री शुभश्री, प्रिय बंधु आदि।	नमस्ते, सप्रेम नमस्कार, सस्नेह	भवदीय, आपका शुभाकांक्षी, हितैषी, स्नेही, अभिन्न साथी
प्रिय, श्रीयुत् (नाम), (जो छोटा हो उसके लिए)	शुभाशिर्वचन, शुभाशीर्वाद, आशीष, चिरायु भव, प्रसन्न रहो	हित चिंतक, शुभ चिंतक, स्नेह के साथ

निमंत्रण पत्र

प्रिय भाई रमेशजी — शांति निकेतन

नमस्कार ! — 6-8-99

मुझे यह सूचित करते हुए परम प्रसन्नता हो रही है कि हमारे यहाँ दिनांक 11-9-99 को रामचरित मानस समारोह का उद्घाटन है। इस शुभ अवसर पर आपकी उपस्थिति सादर प्रार्थित एवं अपेक्षित है।

कृपया नियत समय पर अवश्य पधारें। कष्ट के लिए हम वैयक्तिक रूप से आभारी रहेंगे।

शुभाकांक्षी
लक्ष्मण माने

पिता को पत्र

आदरणीय पिताजी, पुणे
सादर प्रणाम ! 8-7-99

आपको गए हुए कई महीने बीत गए, अभी तक आपका कोई कृपा-पत्र नहीं प्राप्त हुआ। विजय भैया का भी इधर कोई समाचार नहीं मिला। मन बहुत व्यग्र है। परीक्षा निकट है। आपके लिए जाड़े का स्वेटर बुनकर रखा है, रवींद्र के साथ भेज दूँगी।

आप शिमला कब जा रहे हैं। वहाँ का पता भेजिएगा। मेरी एक-दो सहेलियाँ वहाँ रहती हैं, उन्हें संदेश देना है। पत्रोत्तर शीघ्र लिखिएगा।

माँ को प्रणाम तथा अभय भैया को नमस्कार।

आपकी बेटी
प्रिया

व्यावसायिक पत्र

सेवा में, कोल्हापुर
व्यवस्थापक, 6-5-99
वाणी प्रकाशन, मुंबई

महोदय,

मुझे ज्ञात हुआ है कि आपके यहाँ से 'संस्कृत-भाष्कर' नामक पुस्तक का प्रकाशन हुआ है, जो संस्कृत भाषी सभी विद्यार्थियों के लिए बड़ी उपयोगी है। मेरे कुछ साथी भी उसे खरीदने के इच्छुक हैं। कृपया 20 प्रतियाँ मेरे नाम अवश्य भेजें; वी.पी.पी. आते ही छुड़ा लूँगा।

कष्ट के लिए धन्यवाद।

भवदीय
सुरेश पंडित

नियुक्ति के लिए प्रार्थना-पत्र

सेवा में,

श्रीयुत् प्राचार्य महोदय 5-8-99

शिशु शिक्षा निकेतन, सोलापुर

विषय—नौकरी के लिए आवेदन पत्र

महोदय,

सविनय निवेदन है कि प्रार्थी ने बी.एस-सी. की परीक्षा द्वितीय श्रेणी में उत्तीर्ण की है। कतिपय अपरिहार्य कारणों से आगे अध्ययन जारी करने में असमर्थ है।

अतः स्वयं अपने शिक्षण संस्थान में कोई उपयुक्त पद देने की कृपा करें जिससे प्रार्थी अर्थ संकट से उबर सके। प्रार्थी के प्रति आपको शिकायत का कोई अवसर नहीं मिलेगा। आशा है मेरी दीनता और प्रार्थना पर ध्यान देकर सेवा का अवसर अवश्य प्रदान करेंगे।

107, जे.जे.रोड प्रार्थी

मुंबई-56 रणजीत

मित्र को पत्र

प्रिय मित्र पवन अंधेरी मुंबई-69

नमस्ते ! 3/8/99

लगभग दो महीनों से कोई समाचार नहीं मिला। पत्र क्यों नहीं देते; क्या बात है ! सलमा मजे में तो है ! मेरा दिल न जाने क्यों नहीं लग रहा है। जगदीश आया था, तुम्हारे लिए कुछ कपड़े दे गया है। कोई जाने लगा तो भेज दूँगा। ख्याल रखना। यहाँ सब ठीक है। जवाब जल्द देना। खुदा हाफिज।

तुम्हारा

रहमान

अधिकारिक पत्र

श्रीमान् प्रधानाध्यापक

विजय बाफना प्रा. पा. खार

महोदय,

सविनय निवेदन है कि मैं प्रार्थी पंकज आपके विद्यालय की कक्षा पाँचवीं का छात्र हूँ। मेरी आर्थिक दशा वर्तमान परिस्थिति में कमजोर है। स्कूल-फीस देने में

में असमर्थ हूँ। कृषि के अलावा आय का स्रोत दूसरा नहीं है।

अतः श्रीमान जी से प्रार्थना है कि स्कूली-फीस माफ कर दें ताकि भविष्य में मैं पढ़ाई जारी रख सकूँ।

इस कृपा के लिए सदैव आपका आभारी रहूँगा।

आपका आज्ञाकारी छात्र

21-5-99 पंकज

सहेली को लिखा गया पत्र

विमला निवास
नैनीताल
14-8-99

प्रिय रेखा,

प्रेमाभिवादन !

आशा है सकुशल होंगी। मेरे यहाँ इस समय भीषण शीत-लहरी है। परीक्षा निकट है, अध्ययन में मन नहीं लग रहा है। तुम्हारी परीक्षा कब है। पापा जी एवं मम्मी जी को प्रणाम बोलना। ज्ञानेंद्र भाई साहब तो पुणे होंगे। इधर तुम्हारा कोई पत्र नहीं आया पत्रोत्तर शीघ्र देना। शेष फिर कभी। शुभकामनाओं के साथ।

तुम्हारी सहेली—
दीपा

निबंध

संस्कृत शब्द 'निबंध' का शाब्दिक अर्थ 'बाँधना' या 'सँवारकर सीना' है। अर्थात् जो मन को बाँधे वही निबंध है। किसी विचार पर सरस, सुंदर और रोचक शैली से संक्षेप में क्रमानुसार स्पष्ट किए हुए विचार समूह को लेख या निबंध कहते हैं। "निबंध उस गद्य रचना को कहते हैं, जिसमें एक सीमित आकार के भीतर किसी विषय का वर्णन या प्रतिपादन एक विशेष निजीपन, स्वच्छता, सौष्ठव या सजीवता तथा आवश्यकता, संगति और संबद्धता के साथ किया गया हो।" अंग्रेजी विश्वकोश में निबंध की परिभाषा इस प्रकार दी गई है–"साहित्यिक रूप के लिहाज से निबंध औसत लंबाई की साधारणतः गद्य में की गई ऐसी रचना है जिसमें किसी विषय पर सरल एवं स्वच्छंद ढंग से विचार किया गया हो और जिसमें विषय का प्रतिपादन उसी रूप में किया गया हो, जिस रूप में उसके लेखक को प्रभावित किया है।

निबंध लिखते समय निम्न बातों का ध्यान रखना चाहिए :–

(1) जिस विषय पर निबंध लिखना हो उस विषय पर चिंतन, मनन कर लिया गया हो।

(2) विषय का प्रतिपादन रमणीय एवं स्वच्छंद हो।

(3) विषय की रूपरेखा में परस्पर संबंध हो, ताकि निबंध लिखते समय व्यवधान न पड़े।

(4) भाषा सुंदर, सरल और प्रचलित हो। भाव आजेपूर्ण हो।

(5) मुहावरों, लोकोक्तियों, कवि या लेखकों की उक्तियों से निबंध का शृंगार करें।

(6) लेखन शैली में शब्दों से प्राण फूँक दें, ताकि पढ़ने वाले की रुचि निबंध पूर्ण समाप्त किए बिना समाप्त न हो।

(7) छोटे-छोटे वाक्यों में बड़े-बड़े भाव-सिंधु भरकर 'गागर में सागर' की कहावत चरितार्थ करें।

(8) निबंध का प्रारंभ एवं अंत बड़ी सतर्कता एवं उत्तमता के साथ व्यक्त करें।
(9) निबंध लंबा नहीं छोटा लिखें।
(10) निबंध एक माला के सदृश है जिसके बीच में पिरोया हुआ सूत्र विचार पुष्पों को गूँथकर एकरूपता की स्थापना करता है।

निबंध के भाग

निबंध के लेखन में समानता नहीं है अतएव उसके शिल्प को निर्धारित करना कठिन है। फिर भी उसको तीन भागों में बाँटा जा सकता है :

1. विषय प्रस्तावना अथवा भूमिका।
2. व्याख्या एवं प्रतिपादन।
3. उपसंहार अथवा निष्कर्ष।

1. प्रस्तावना–निबंध का यह प्रथम भाग है, यह संपूर्ण निबंध की आत्मा होता है। विद्यार्थी को इस भाग में कुछ ऐसे वाक्य लिखना चाहिए जिससे पाठक विभोर हो जाए। यह भाग निबंध का प्राण है।

2. विवेचना या प्रतिपादन–विवेचना का अंश निबंध का हृदय है। इसे बड़ी सतर्कता से लिखना चाहिए। निबंध से संबंधित सिलसिलेवार वर्णन छोटे-छोटे वाक्यों में, सूक्तियों, कवियों, लेखकों एवं विचारकों के ओजस्वी वाक्यों द्वारा करना चाहिए। प्रथम अनुच्छेद के बाद द्वितीय अनुच्छेद में स्पष्ट संबंध भी होना चाहिए।

3. उपसंहार–उपसंहार में उपर्युक्त निबंध में कही हुई बातों का सारांश देना चाहिए। प्रस्तावना की तरह यह अंश भी लिखने में कठिन होता है। निबंध का अंत इस प्रकार करना चाहिए कि वह अधूरा न मालूम हो। भावों के अनुरूप भाषा में उतार-चढ़ाव करके अपनी सहज और सुबोध शैली में लिखें, जिससे पाठक अंत में अनुभव करें कि इससे अधिक और कुछ नहीं लिखा जा सकता था।

निबंध के भेद

निबंधों का वर्गीकरण करना कठिन है। फिर भी उनके कुछ भेद निम्नांकित हैं : 1. विचारात्मक, 2. वर्णनात्मक, 3. विवरणात्मक, 4. भावात्मक।

1. विचारात्मक–इसमें भाषा सुघड़, सूक्ष्म होती है। बुद्धि-तत्त्व का प्राधान्य होता है। तर्कशक्ति के बल पर लेखक बौद्धिक संतोष प्रदान करता है। इस प्रकार के निबंधों में समास शैली का ही अधिकांशतः प्रयोग किया जाता है।

2. वर्णनात्मक–इस प्रकार के निबंधों में कल्पना तथा दर्शन के सहारे वस्तु अथवा स्थान का चित्रण किया जाता है। वर्णनात्मक निबंध कल्पना प्रधान होते हैं।

3. **विवरणात्मक**–इस प्रकार के निबंधों में भी कल्पना पक्ष प्रबल होता है। आत्मकथा, ऐतिहासिक घटना, जीवन-चरित्र, युद्धों, घटनाओं, यात्राओं, कहानियों आदि के वर्णन इसके अंतर्गत आते हैं।

4. **भावात्मक**–इस प्रकार के निबंधों का संबंध हृदय अथवा भावना से अधिक होता है, मस्तिष्क से कम। मर्म को स्पर्श करने की शक्ति इन निबंधों में सर्वाधिक होती है। इनमें लेखक भावों के अनुकूल भाषा का प्रयोग कर निबंध को प्राणवान बना देता है।

नोट–1. विद्यार्थियों को चाहिए कि निबंध रचना में दक्षता एवं सफलता प्राप्त करने के लिए उपर्युक्त नियमों पर ध्यान दें।

2. गहन अध्ययन, मनन एवम् चिंतन के पश्चात् निबंध लिखने का अभ्यास करें।

3. नीचे सुविधा के लिए कुछ निबंध दिए जा रहे हैं।

प्रियदर्शिनी इंदिरा गाँधी

रूपरेखा–1. प्रस्तावना, 2. जीवन परिचय, 3. देश सेवा, 4. उपसंहार।

तेजपुंज प्रतिभा निकुंज, अद्भुत साहस बुधि-बल था।
दलित, दीन की संजीवन थीं, लेशमात्र न छल था।
सदय वृत्ति, उत्तम प्रवृत्ति थी, समता-युगस्रष्टा थीं।
श्रांत-क्लांत निर्बल जन-मन की जीवन थीं, द्रष्टा थीं।

प्रस्तावना–कठिन से कठिन संकटकालीन क्षणों में भी दृढ़ प्रतिज्ञ रहने वाली, स्वर्गीया श्रीमती इंदिरा गाँधी का जीवन ही संघर्षमय था। वे जय-पराजय के क्षणों में भी साहस और दृढ़ता का दामन नहीं छोड़ती थीं। उनमें प्राचीन भारतीय संस्कृति के प्रति असीम अनुराग था। आधुनिक वैज्ञानिक प्रगति में उनकी असाधारण अभिरुचि थी। वे कला, साहित्य, संस्कृति, इतिहास, विकास के साथ-साथ राजनीतिक दूरदर्शिता की प्रतिमूर्ति थीं।

जीवन परिचय–इंदिरा गाँधी का जन्म 19 नवंबर सन् 1917 को इलाहाबाद की पावन धरती पर हुआ था। इनके बचपन का नाम इंदु था। इनके जन्म से नेहरू परिवार में आशा-प्रसन्नता के अभिनव कमल खिले थे। इनके पिता का नाम जवाहरलाल नेहरू तथा माता का नाम श्रीमती कमला नेहरू था। इन्होंने 1931-33 में पूना से हाई-स्कूल की परीक्षा उत्तीर्ण की। 1934-35 में शांति निकेतन, 1935-38 में स्विट्ज़रलैंड और 1938 से 1941 तक आक्सफोर्ड (इंग्लैंड) में शिक्षा प्राप्त की। 1942 में फिरोज गाँधी के साथ इनका विवाह हुआ था।

देश सेवा–21 वर्ष की अवस्था में काँग्रेस की सदस्या बनीं। 11 वर्ष की किशोरावस्था में ही इन्होंने बानरी सेना का गठन किया था। देश-प्रेम की आग इनकी रगों में बचपन से ही धधक रही थी। राजनीति के प्रति इनकी गहन रुचि थी। 1959 में भारतीय काँग्रेस की अध्यक्षा बनीं। 1944 में राजीव और 1946 में संजय गाँधी का जन्म हुआ। 24 नवंबर 1966 को इंदिरा जी देश की प्रधान मंत्री बनीं।

1971 के अंत का समय इंदिरा जी के लिए स्वर्णकाल था। उस समय भारत ने पूर्वी पाकिस्तान पर विजय प्राप्त करके जनता के हौसले को बुलंद किया, चतुर्दिक इंदिरा जी का डंका बजने लगा। पूर्व में एक और राष्ट्र बंगलादेश का जन्म हुआ। सारे विश्व में भारत के नाम का दबदबा कायम हो गया।

देश की आर्थिक स्थिति को सुदृढ़ करने के लिए इन्होंने 1 जुलाई 1975 को बीस सूत्रीय आर्थिक कार्यक्रम की घोषणा की। इनके कार्यकाल में भूमिहीनों को भूमि आबंटित कराई गई। देश निरंतर प्रगति की ओर बढ़ता गया। प्रत्येक क्षेत्र में उन्नति हुई। इनके ही कार्यकाल में 14 बैंकों का राष्ट्रीयकरण हुआ।

31 अक्टूबर 1984 को अप्रत्याशित ढंग से इनके सुरक्षा कर्मियों द्वारा ही प्रधानमंत्री-आवास परिसर में इनकी निर्मम हत्या कर दी गई। लगभग डेढ़ दशक से भी अधिक समय तक भारत जैसे विशाल देश का नेतृत्व सफलतापूर्वक संभालनेवाली, गुटनिरपेक्ष आंदोलन के 104 सदस्य राष्ट्रों की अध्यक्ष की हैसियत से संपूर्ण मानवता के लिए शांति का अलख जगाने वाली, राष्ट्रीय एकता और अखंडता को कायम रखने के लिए प्राणपण से जुटी, विश्व की महानतम नेताओं में से एक, विश्वशांति की अग्रदूतिका प्रधान मंत्री श्रीमती इंदिरा गाँधी के युग का कारुणिक अंत हो गया।

उपसंहार–सत्य अहिंसा के बल पर आगे जानेवाली नेहरूजी की क्रांति बालिका को देश कभी नहीं भूल सकेगा। बीस सूत्रीय कार्यक्रम, श्रम एव जयते का उद्घोष, निर्गुट सम्मेलन, एशियाई खेल, तेल उत्पादन, बैंकों का राष्ट्रीयकरण, विश्वशांति के प्रयत्न, देश की एकता और अखंडता का नारा उनके सहज और अलौकिक कार्य हैं। इंदिरा गाँधी आजीवन राष्ट्र के प्रति समर्पित रहीं। राष्ट्र उन्हें सदा याद करेगा।

मेला (किसी मेले का वर्णन)

रूपरेखा–1. प्रस्तावना, 2. मेला लगने का कारण, 3. मेले का दृश्य एवं महत्त्व, 4. उपसंहार।

प्रस्तावना–मेला भारतीय संस्कृति का एक महत्त्वपूर्ण अंग है। एक निश्चित परिवेश में निश्चित उद्देश्य से संबद्ध, निश्चित स्थान पर जो जनसमूह इकट्ठा होता

है, उसे मेला कहते हैं। मेलों में दूर-दर के दर्शक और व्यापारी आते हैं मन पसंद सामानों की खरीद-फरोख्त करते हैं।

मेला लगने का कारण–मेला स्थानीय दंत कथाओं पर आधारित होकर लगा करते हैं। पौराणिक कथाओं पर भी आधृत होकर लगते हैं। कुछ व्यापारिक और कुछ सामाजिक भी हुआ करते हैं। काशी में आयोजित सावन का झूला बहुत प्रसिद्ध है। इसका सफल आयोजन दुर्गाकुंड से कुछ ही दूर तुलसी मानस मंदिर में होता है।

दृश्य एवं महत्त्व–सावन का महीना आते ही लोगों के मन गद्‌गद हो उठते हैं। क्या शहर, क्या देहात, हर्ष में झूमते हुए लोग, लोकगीत की स्वर-लहरी में भावविभोर होकर वाराणसी की ओर चल पड़ते हैं। तुलसी मानस मंदिर एक धार्मिक स्थल है। मंदिर में नाना प्रकार के देवी-देवताओं की मूर्तियाँ स्थापित हैं। कहीं मीरा नाचती है, कहीं भक्त 'तुलसी' मानस पाठ कर रहे हैं। कहीं गोपियाँ रास रचा रही हैं। मंदिर राम-कृष्ण युग का जीता-जागता दृश्य प्रकट करता है।

सावन का महीना, सोमवार का दिन। सुंदर सुहावना मौसम, सब कुछ अपने आप में निराला था। हम तीन साथी थे। मेला देखने की खुशी में दिल बल्लियों उछलने लगा। लगभग सायं 4 बजे मंदिर पहुँच गए। मेले का दृश्य तो गोदौलिया से ही देखने को मिलने लगा। आने-जाने वालों का ताँता लगा था। रिक्शा, आटोरिक्शा, कारें, भीड़ ही भीड़, कहीं तिल भर की जगह नहीं। मंदिर परिसर में पहुँचते ही मनमयूर नाच उठा। क्या दृश्य था, गजब की सजावट थी, बिजली की चकाचौंध ने दिल जीत लिया। मंदिर के अंदरूनी भाग में पहुँचते ही हम एक-दूसरे का मुँह बिटर-बिटर ताकने लगे। कैसा स्वर्ग, कैसी इंद्रपुरी, कैसी अलकापुरी, कैसा नंदन बन ! मंदिर में जो कुछ देखने को मिला, दुर्लभ, अनिर्वचनीय, अकथ्य। मन मुग्ध हो गया।

मंदिर से थोड़ी दूर पर सर्कस वाले सर्कस दिखा रहे थे। मदारी मर्कट नचा रहा था। उड़न खटोला का भी आनंद मिला। ममतामयी माँ दुर्गा का भी दर्शन हुआ। मेले में नाना प्रकार की वस्तुएँ देखने को मिलीं। भरपूर मनोरंजन हुआ।

उपसंहार–मेले ने हम लोगों के हृदय को चमत्कृत कर दिया। राम-कृष्ण की झाँकियाँ देखकर मन धर्म की ओर उन्मुख हुआ। इष्ट-मित्रों से भेंट हुई। नई-नई जानकारियाँ मिलीं। कुछ सामान भी बहुत सस्ते दाम पर मिले। वास्तव में मेला हमारे जीवन में मेल-जोल बढ़ाने का साधन है। अनुभव में वृद्धि करता है। मन को शांति देता है।

मेरा गाँव (ग्रामोत्थान)

रूपरेखा–1. प्रस्तावना, 2. रहन-सहन, 3. व्यवस्था, 4. उपसंहार।

प्रस्तावना–किसी भी प्रतिभा संपन्न राष्ट्र के नव-निर्माण में गाँव का महत्त्वपूर्ण योगदान रहता है। देश का कोई भी नागरिक ऐसा नहीं होगा जिसे जननी और जन्मभूमि प्राणों से प्यारी न हो। राष्ट्रपुरुष महात्मा गाँधी का सपना था–गाँवों को ऊँचा उठाना। उन्हें विश्वास था भारत की आत्मा गाँवों में बसती है। मेरा भी जन्म एक गाँव में हुआ है। गाँव की सुरभित हवा ने मुझे भी दुलारा है और गाँव की मिट्टी ने स्नेह दिया है। गाँव वाले नागरिक जीवन को विदेशी और ग्राम्य जीवन को स्वदेशी मानते हैं।

गाँव हमारा नंदन बन है, गाँव की माटी चंदन
राग-द्वेष छल-दंभ रहित, नित सुर करते पद वंदन
सरल हृदय, तन पर भोलापन, आन मान ही धन है।
कर्म-भाग्य, अविरल श्रम पूँजी, धन्य ग्राम्य जीवन है।

गाँव का जीवन सरल और सहज होता है। वृक्षों की डाली पर सूरज की किरणें बरसते ही गाँवों में हलचल शुरू हो जाती है। खेतों में, खलिहानों में नवजीवन नए प्रभात की आशा में लीन हो जाता है। नारियाँ अपने पायलों की रुनझुन, चूड़ियों की खनखन के साथ मेघ-मलार गाती हैं। पुरुष चौपालों में आल्हा और लोकगीत गाते हैं। जीवन की स्वाभाविकता का दर्शन कहीं होता है तो गाँवों में ही होता है। प्रातः रवि-रश्मियाँ बिखेरकर धरती पर प्यार का हाथ फेरता है और रात को चंद्रमा उसे दूधिया चाँदनी से नहला देता है।

रहन-सहन–गाँव ही देश की अर्थ व्यवस्था के मूलाधार हैं। अनेक प्रकार की वस्तुओं का उत्पादन करके, देश तथा विदेश में वितरित कर देश की आर्थिक अवस्था को गाँव ने ही समृद्ध बनाया है। हम अब खाद्यान्नों के लिए विदेश में भीख का कटोरा नहीं फैलाते। भारतीय जीवन की मूल विशेषताएँ आज भी ग्राम्य जीवन में जीवित हैं। गाँवों में अब शिक्षा की उत्तम व्यवस्था है। सरकार ने प्रौढ़ शिक्षा योजना का भी शुभारंभ किया है। इससे लाभ भी है।

एक दशक पूर्व गाँव मोती के बाग थे, जिनकी समता स्वर्ग भी नहीं कर [illegible] आज अपनी गरिमा खो बैठे हैं। बेरोजगारी और भुखमरी का नृत्य हो रहा है। गाँव का सौंदर्य उजड़ चुका है। इलाज का, शिक्षा का, मनोरंजन का साधन टूट गया है। ग्राम पंचायत के चुनावों से उनकी निश्छलता, सहजता, सहिष्णुता मर गई है। गाँव के [illegible] त्योहार भी एकता के अभाव में फीके पड़ गए हैं।

डॉ. सुधाकर मिश्र के शब्दों में–

तीन घर के बीच में चूल्हे तिरालिस जल रहे,
राजनीति के दाँव, मुझको भी सिखाओ गाँव वालो।
गाँव था मेरा यहीं पर लापता अब हो गया,
पैर पड़ता हूँ, पता उसका लगाओ गाँव वालो।

उपसंहार–सरकार ने गाँवों के विकास के लिए कई योजनाएँ लागू की हैं। सार्वजनिक क्षेत्रों में काम करने वाले नेताओं को चाहिए कि सरकार से परस्पर सामंजस्य बैठाएँ। गाँवों के विकास कार्य द्रुतगति से हों। ग्रामवासियों की सुरक्षा का प्रबंध हो। चोरों-डकैतों से उनकी हिफाजत हो। शिक्षा के प्रचार एवं इलाज का उत्तम प्रबंध हो। विद्युत तथा आवागमन की व्यवस्था समुचित हो तभी गाँव प्रगति करेंगे और गाँवों की प्रगति पर ही देश की प्रगति निर्भर है।

डॉ. राजेन्द्र प्रसाद (हमारे प्रिय नेता)

रूपरेखा–1. प्रस्तावना, 2. जन्म और शिक्षा, 3. सेवाएँ, 4. उपसंहार।

प्रस्तावना–भारत की धरती पर एक से एक महापुरुष अवतरित हुए हैं। डॉ. राजेन्द्र प्रसाद भी उन्हीं में से एक हैं। 'भारत रत्न' की उपाधि से विभूषित वे बिहार के गौरव और भारत के प्रथम राष्ट्रपति थे। उनका चरित्र उज्ज्वल और राष्ट्रभक्ति का परिचायक था। वे राष्ट्रपति पद पर दस वर्षों तक बने रहे। इस अवधि में देश की अच्छी उन्नति हुई। राष्ट्र के बहुमुखी विकास के लिए वे सर्वदा संघर्षों से जूझते रहे।

जन्म और शिक्षा–उनका जन्म 3 दिसंबर, 1884 ई. में सारन जिले के जीरादेई नामक छोटे से गाँव में हुआ था। उनका पालन-पोषण बड़े भाई श्री महेन्द्र प्रसाद ने किया। उनकी देख-रेख में ही राजेन्द्र प्रसाद की शिक्षा-दीक्षा का प्रबंध हुआ। वे पढ़ने में काफी तेज-तर्रार थे। नम्रता और सुशीलता उन्हें विरासत में मिली थी, इन्हीं सद्‌गुणों और परोपकार की भावनाओं ने उनके जीवन में चार-चाँद लगा दिए। राजेन्द्र बाबू ने पटना के टी. के. घोष एकेडमी में शिक्षा पाकर कलकत्ता विश्वविद्यालय से 1900 में प्रथम श्रेणी में इंट्रेन्स परीक्षा उत्तीर्ण की। इस परीक्षा में उन्हें सबसे अधिक नंबर मिले। इससे उनका हौसला और बुलंद हो गया। सारे देश में उनकी प्रशंसा हुई। 1906 में उन्होंने एम. ए. की परीक्षा पास की और इसके बाद एम. एल. की परीक्षा उत्तीर्ण की। वे अपनी सभी परीक्षाओं में प्रथम श्रेणी में पास होते रहे। सभी उ[illegible]की योग्यता, प्रतिभा और विद्वत्ता पर मुग्ध थे। शिक्षा समाप्त करने के बाद उन्हों[illegible] पहले कलकत्ता, फिर पटना हाईकोर्ट में वकालत शुरू की। इसमें वे काफी चर्चित हुए और उन्हें अभूतपूर्व सफलता मिली। वकालत चमक उठी,

आमदनी बढ़ गई। शीघ्र ही वे इस पेशे में काफी चर्चित हो गए।

लेकिन जैसा कि कहा गया है–

वृक्ष कबहूँ न फल भखै, नदी न संचै नीर
परमारथ के कारने, साधुन धरा शरीर।

उद्यमी और प्रतिभासंपन्न महापुरुष मन में जो ठान लेते हैं, उसे पूरा करके ही दम लेते हैं। उन दिनों देश गुलाम था। गुलामी उन्हें काँटे की तरह खलती थी। सन् 1917 में जब गाँधीजी ने अंग्रेजों के खिलाफ चंपारण में आवाज उठाई तभी राजेन्द्र बाबू भी उनके शिष्य हो गए। इस तरह अपनी सफल वकालत को लात मारकर, देश सेवा के महायज्ञ में कूद पड़े। वे सच्चे, उत्साही, ईमानदार, मेहनती व कर्मठ नेता थे। कठिनाइयों में उन्होंने कभी पीछे मुड़ के नहीं देखा।

सेवाएँ–सन् 1912 में अखिल भारतीय काँग्रेस समिति के सदस्य हुए। तत्पश्चात् कई वर्षों तक उन्होंने मुजफ्फरपुर के लंगट सिंह कॉलेज और कलकत्ता के सिटी कॉलेज तथा लॉ कॉलेज में प्रोफेसर का कार्य किया। उसके बाद तो गाँधी जी के साथ वे लगभग सभी आंदोलनों में सक्रिय हो गए। कई बार जेल गए। पुलिस की लाठी खाई। लेकिन दिल में देश प्रेम की हिलोरें उठती रहीं जो कभी न दबीं। सन् 1947 में जब भारत आजाद हुआ तब राजेन्द्र बाबू खाद्य मंत्री और फिर भारत के प्रथम राष्ट्रपति बने। 18 फरवरी, 1963 को भारत का यह महान् पुरुष सदा के लिए संसार से उठ गया।

उपसंहार–राजेन्द्र बाबू सरल जीवन और ऊँचे विचार के जीते-जागते उदाहरण थे। वे सादगी और सच्चाई के अवतार थे। विदेशी वस्त्र उन्होंने कभी नहीं धारण किया। उनका अंदर और बाहर का जीवन आडंबर रहित और एक समान था। वे भारतीय संस्कृति की प्रतिमूर्ति थे। आज भी देश को उन पर गर्व है।

कोई प्रिय खेल अथवा क्रिकेट मैच

रूपरेखा–1. प्रस्तावना, 2. महत्त्व, 3. खेल की विधि, 4. उपसंहार।

खेल जीवन को सुखमय बनाने में महत्त्वपूर्ण भूमिका अदा करते हैं। थके हुए नीरस क्षण के लिए खेल संजीवन सदृश है। खेल से मात्र मनोरंजन ही नहीं होता बल्कि शरीर सुदृढ़ होता है। सुबह से शाम तक भिन्न-भिन्न कार्यों में अस्त-व्यस्त रहने के कारण हम थकान का अनुभव करने लगते हैं। खेल उस थकान को मिटाकर स्फूर्ति और ताजगी प्रदान करता है। आजकल खेलों का महत्त्व आर्थिक व सामाजिक दृष्टिकोण से बहुत बढ़ गया है।

महत्त्व–खेल से शरीर में सुडौलता और सुंदरता का विकास होता है। अंग-प्रत्यंग

पुष्ट और शक्तिशाली बनते हैं। मन प्रसन्न रहता है। काम करने में रुचि बढ़ती है। शरीर निरोग रहता है। स्वस्थ और सबल नागरिक पैदा करने के लिए यह एक महत्त्वपूर्ण साधन है। खेल का समय भी निर्धारित-समयानुसार होना चाहिए।

खेल की विधि–खेल कई प्रकार के हैं। फुटबाल, वॉलीबाल, बैडमिंटन, हॉकी, कबड्डी और क्रिकेट आदि। आँख मिचौली और गुल्ली-डंडा भी प्रचलित हैं। कुछ खेल काफी खर्चीले पड़ते हैं। कुछ खेलों का समय निर्धारित है, कुछ हर मौसम में खेले जाते हैं। क्रिकेट एक विदेशी खेल है। यह महँगा भी पड़ता है। हॉकी की तरह इस खेल के लिए जाड़ा सबसे उत्तम समय है।

आजकल क्रिकेट खेलों में सबसे महत्त्वपूर्ण माना जाने लगा है। यह भारतीय खेल गुल्ली-डंडा का एक संशोधित एवं विकसित स्वरूप है। इस खेल में दो टीमें होती हैं। हर टीम में ग्यारह खिलाड़ी होते हैं। खिलाड़ियों के अतिरिक्त दो अंपायर होते हैं जिन्हें निर्णायक भी कहा जाता है। दोनों दलों को अंपायरों का निर्णय मान्य होता है। खेलों में क्रिकेट का सर्वाधिक महत्त्व है। इसमें हार जीत का फैसला, बनाए हुए रनों की संख्या के अनुसार होता है। जिस दल के रन अधिक होते हैं, वही विजयी माना जाता है। इस खेल में समय निर्धारित होता है, और उसी अवधि के अंतर्गत दोनों टीमें खेलती हैं। यदि निर्धारित समय में दोनों टीमों के खिलाड़ी आउट नहीं हुए तो मैच बराबर मान लिया जाता है।

क्रिकेट का खेल एकदिवसीय भी होने लगा है। इसमें समय और ओवर निर्धारित रहते हैं। अक्सर इसमें हार-जीत का फैसला होकर ही रहता है।

विदेश हो या हमारा देश, जो देश क्रिकेट खेलते हैं, वहाँ इस समय क्रिकेट का बहुत महत्त्व है। क्रिकेट में कमेंटरी का प्रसारण होता है जिससे इस खेल की ख्याति में चार चाँद लग गए हैं।

कभी विदेशी क्रिकेट खिलाड़ी हमारे देश आते हैं और कभी भारतीय खिलाड़ी वेस्टइंडीज, आस्ट्रेलिया, इंग्लैंड, पाकिस्तान आदि देशों का दौरा करते हैं। इस समय गावस्कर विश्व के सर्वश्रेष्ठ बैट्समैन माने जाते हैं। कपिलदेव विश्व के दूसरे स्थान के आल राउंडर हैं।

उपसंहार–इस समय भारतीय क्रिकेट का स्तर बुलंदी पर है। टीम में नए-नए प्रतिभासंपन्न खिलाड़ी स्थान पा रहे हैं। भारत सरकार भी खिलाड़ियों के मनोबल को ऊँचा करने में महत्त्वपूर्ण भूमिका अदा कर रही है। शहरों की तरह गाँवों में भी क्रिकेट लोकप्रिय है। खिलाड़ियों को प्रशिक्षण से लेकर हर तरह की सुविधाएँ दी जा रही हैं। भारत में क्रिकेट का भविष्य उज्ज्वल और प्रशस्त है।

स्वदेश प्रेम

रूपरेखा–1. प्रस्तावना, 2. देश प्रेम का महत्त्व, 3. व्यापकता, 4. कर्तव्य, 5. उपसंहार।

जो भरा नहीं है भावों से बहती जिसमें रसधार नहीं,
हृदय नहीं वह पत्थर है जिसमें स्वदेश का प्यार नहीं।

प्रस्तावना–स्वदेश प्रेम की निर्मल जाह्नवी जिसकी रगों में न उफन रही हो वह मनुष्य नहीं पशु है। 'जननी जन्मभूमिश्च स्वर्गादपि गरीयसी'। जननी जन्म देती है। जन्मभूमि गोद लेती है। विशाल नील-गगन के नीचे जिस मिट्टी पर खड़े हुए, जिसका अन्न खाकर बड़े हुए जिसके सुरभित समीर ने दुलारा, जिस धरा ने असीम स्नेह दिया उसके आन-बान के लिए मर मिट जाना हमारा परम कर्तव्य है।

देश प्रेम के बिना मनुज का मन पत्थर, तन माटी है।
जन्मभूमि हित मर मिट जाना, वीरों की परिपाटी है।
जिस माटी में जन्म लिया वह माटी है तन से बढ़कर,
'मधुकर' आँच न आने देना जन्मभूमि की गरिमा पर।

महत्त्व–जन्मस्थान से प्रेम तो पशु-पक्षियों में भी मिलता है। प्रेम एक दैवी वरदान है, हमारा कर्तव्य है, आवश्यकता पड़ने पर शरीर के रक्त की एक-एक बूँद देश के लिए न्यौछावर कर दें। वक्त पर संपत्ति की पाई-पाई राष्ट्र के लिए लुटा दें। राष्ट्र के रीति-रिवाजों, परंपराओं, तीज-त्योहारों, संस्कृति, भाषा, इतिहास के प्रति अभिरुचि रखें, अपनापन रखें, उसकी सभ्यता के लिए सर्वस्व त्याग करें।

व्यापकता–इतिहास साक्षी है। राष्ट्र के लिए मरने वाले अमर हैं। कौन नहीं जानता ! इसकी आन-मान की रक्षा के लिए राजपूतों ने हँसकर प्राणों की भी आहुति दी है। कितने जौहर हुए हैं इस धरती पर, स्वतंत्रता संग्राम में लाखों सपूत शहीद हुए हैं, जिनका नाम भारतीय इतिहास के स्वर्णाक्षरों में अंकित है। देशप्रेम के दीवाने महाराणा प्रताप, शिवाजी, गुरु गोविंद सिंह, भगत सिंह, भामाशाह, बिस्मिल, चंद्रशेखर आजाद और सुखदेव आदि अनेक भारत के लाल देश की बलि वेदी पर न्यौछावर हो गए आज उनका नाम श्रद्धा के साथ लोग स्मरण करते हैं।

व्यक्ति की उन्नति से ही देश की उन्नति संभव है। बिना आत्मोन्नति के देश का उन्नयन असंभव है। धर्म, जाति, भाषा, क्षेत्र, राज्य आदि का छोटी-छोटी बातों पर लड़ना, द्वेष फैलाता है। देश को पीछे ले जाता है। राष्ट्र की गरिमा घटती है। हमें सभी प्रकार के मतभेदों को भुलाकर आपस में भाईचारे का संबंध रखना चाहिए। देश की शक्ति और व्यवस्था को बनाए रखना हम सबका कर्तव्य है। राष्ट्र की उन्नति तभी संभव है।

जिसको न निज गौरव तथा निज देश का अभिमान है।
वह नर नहीं, नर पशु निरा है और मृतक समान है।

कर्तव्य–हमें चाहिए कि स्वदेश प्रेम की भावना हृदय में रखें और हर क्षण स्वदेश की उन्नति के लिए कार्य करते रहें। स्वदेश प्रेम एक ऐसा गुण है, जिसका होना प्रत्येक देशवासी के लिए गर्व की बात है। डॉ. सुधाकर मिश्र के शब्दों में–

जो मातृ भूमि की हुई नहीं, फूँको उस चढ़ी जवानी को,
अरि झूमे जिसकी धरती पर धिक्कार है ऐसे प्राणी को,

उपसंहार–वस्तुतः सच्चा देशप्रेमी वही है जिसमें देश के लिए जीने-मरने की उत्कृष्ट अभिलाषा हो। जयहिंद।

कोई रेल यात्रा

रूपरेखा–**1. प्रस्तावना 2. तैयारी और यात्रावर्णन, 3. उपसंहार।**

प्रस्तावना–संसार एक विशाल ग्रंथ के समान है, जो अपने ही स्थान से चिपके रहते हैं, वे उसका केवल एक ही पृष्ठ पढ़ पाते हैं। प्रकृति का अलौकिक स्वरूप कितना दिव्य है, कितना मधुर है और कितना सरस है, यह केवल घर बैठे-बैठे अनुभव नहीं किया जा सकता है। संसार आश्चर्यजनक वस्तुओं से भरा पड़ा है संसार को समझने के लिए घर छोड़कर भ्रमण के लिए चल देना आवश्यक है।

तैयारी और यात्रावर्णन–बाल्यावस्था में जब भी मैं किसी रेलयात्रा का संस्मरण सुनता तो मुझे रोमांच हो आता और मन कहीं सुदूर यात्रा के लिए मचल उठता।

एक दिन वह शुभ घड़ी आ ही गई। पिताजी को वाराणसी जाना अनिवाय था। वे मुझे छोड़कर लंबी अवधि के लिए कहीं नहीं जाते थे। मुझे यात्रा की जब भनक मिली, मेरा दिल बल्लियों उछलने लगा। पिताजी के साथ-साथ मैं भी तैयारी में जुट गया। पूड़ी-मिठाई बनाई गई। सामान समेटे गए। रात्रि के दस बजे घर छोड़ दिया गया। लगभग साढ़े बारह बजे हम लोग मुरादाबाद रेलवे स्टेशन पर पहुँच गए। कई घंटे स्टेशन पर जाकर गुजारे और 3 बजकर 44 मिनट पर धड़धड़ाती हुई गाड़ी स्टेशन पर पहुँची। बहुत भीड़ थी। किसी तरह हम लोग कुली की सहायता से चढ़ पाए। 3.55 पर ट्रेन वाराणसी के लिए चल पड़ी। उस तेज रफ्तार की आधुनिक सुसज्जायुक्त गाड़ी हिमगिरि सुपर एक्सप्रेस को देखकर मन मुग्ध हो गया। मुझे लगा 1814 ई. में इंग्लैंड के स्टीफेंसन ने भाप के इंजन का आविष्कार करके कितना बड़ा मानव उपकार किया है। हमारे देश में पहली रेलगाड़ी 16 अप्रैल, 1843 को बंबई से थाना तक चलाई गई। डेकन क्वीन भारत की प्रथम बिजली से चलने वाली गाड़ी है। इस यात्रा में मुझे विज्ञान का विकास भी देखने को मिला।

हम लोग 11 बजकर 25 मिनट पर वाराणसी पहुँच गए। बहुत अच्छी लगी बाबा विश्वनाथ की यह नगरी। सूर्योदय होते ही काशी की नववधू ने अपना मलिन वेश उतारकर अनुपम शृंगार करके हमारा अभिवादन किया। सुबह हमने पिताजी के साथ पुण्य सलिला भगवती भागीरथी के पवित्र निर्मल जल में डुबकी लगाकर अपने को धन्य समझा। गंगाजी की अनुपम छटा को देखकर मन मुग्ध हो गया। प्रातःकाल का मधुर, शीतल और सुगंधित पवन निस्पंद गति से बह रहा था। मन वहाँ बस जाने के लिए विवश होने लगा। प्रसाद की पंक्तियाँ याद आ गईं—

ले चल मुझे भुलावा देकर।
मेरे नाविक धीरे-धीरे।।

उपसंहार—मेरे जीवन की यह सबसे उत्तम तथा आकर्षक यात्रा थी। इस रेलयात्रा में मुझे इतने आनंद का अनुभव हुआ कि मैं उसका वर्णन नहीं कर सकता हूँ। आज भी उस रोचक और सुंदर रेलयात्रा के संस्मरण मेरे स्मृति-पटल पर अक्षरशः अंकित हैं।

विद्यार्थी जीवन

रूपरेखा—1. प्रस्तावना, 2. कर्तव्य, 3. आलस्य का त्याग, 4. चरित्र निर्माण, 5. उपसंहार।

प्रस्तावना—विद्यार्थी देश का भविष्य है और उस पर संपूर्ण देश का भविष्य निर्भर है। उस पर सामाजिक, वैज्ञानिक, प्रशासनिक और सांस्कृतिक प्रगति अवलंबित है। अपने उचित विकास द्वारा वह अपना तथा समाज का सर्वाधिक कल्याण कर सकता है। ज्ञान-विज्ञान की विविध शाखाओं में जितने कार्य प्रारंभ हुए हैं, उन्हें सफलता तक ले जाने का उत्तरदायित्व आज विद्यार्थी पर ही है।

कर्तव्य—विद्यार्थी का पहला कर्तव्य है कि परिश्रम और लगन से अध्ययन करें। विद्या की सुदृढ़ नींव पर ही उसकी सफलता का भवन खड़ा होगा। इसलिए पूरी एकाग्रता के साथ विद्यार्जन करना चाहिए। महान् पुरुषों के जीवन से विद्यार्थी को प्रेरणा लेनी चाहिए।

आलस्य का त्याग—आलस्य विद्यार्थी का सबसे बड़ा शत्रु है। समय का ध्यान रखना बिद्यार्थी के लिए अति आवश्यक है। अधिक समय तक एकाग्रचित्त होकर अध्ययन विद्यार्थी के लिए आवश्यक है। चाणक्य ने लिखा है—

काक चेष्टा बको ध्यानम् श्वान निद्रा तथैव च।
अल्पाहारी गृहत्यागी, विद्यार्थिनः पंच लक्षणम्।।

चरित्र निर्माण—विद्यार्थी को अपने चरित्र निर्माण की ओर विशेष ध्यान देना

चाहिए। श्रेष्ठ चरित्र के अभाव में विद्या विभूषित मनुष्य को भी कोई आदर की दृष्टि से नहीं देखता है। चरित्र निर्माण के लिए विद्यार्थी को आत्मसंयमी होना, ब्रह्मचर्य का पालन करना तथा मादक द्रव्यों के सेवन से दूर रहना परम आवश्यक है। संत्सगति करना, सच्चरित्र होना विद्यार्थी के लिए महौषधि के सदृश्य है।

'स्वस्थ मस्तिष्क स्वस्थ शरीर में ही रहता है' को ध्यान में रखकर विद्यार्थी को सर्वदा अपने शरीर को स्वस्थ रखना चाहिए। शरीर के विकास के लिए उसे अपनी रुचि के अनुकूल व्यायाम तथा आसनों को करना चाहिए।

राष्ट्रीय कर्तव्य–राष्ट्र का भावी नागरिक होने के कारण विद्यार्थी को अपने देश की उन परंपराओं का अनुकरण करना चाहिए, जिनसे देश का गौरव बढ़ता है। इसके लिए यह आवश्यक है कि वह अपने अंदर निःस्वार्थ सेवा, त्याग और बलिदान की भावना रखें। राष्ट्रविरोधी विचारों, कार्यों, संगठनों और प्रवृत्तियों से दूर रहना सीखें।

उपसंहार–यह देखा जा रहा है कि आज के विद्यार्थो के सामने बहुत-सी चुनौतियाँ आ गई हैं। ऐसी परिस्थिति में उसके धैर्य और शक्ति का परीक्षण होना है। समाज-विरोधी तत्त्वों से बचकर उन्हें राष्ट्र की समस्याओं को हल करना होगा। आज नहीं तो कल उनके कंधों पर यह भार आएगा ही। अतएव उन्हें स्वार्थी और असामाजिक तत्त्वों के बहकावे में नहीं आना चाहिए। अपने कर्तव्य का निर्वाह उन्हें सूझ-बूझ के साथ करना चाहिए।

महँगाई और बेकारी के इस युग में विद्यार्थी का भविष्य अनिश्चित है। उन्हें संघर्ष और श्रम के पथ पर चलना है।

विज्ञान का चमत्कार

रूपरेखा–1. प्रस्तावना, 2. विज्ञान का प्रादुर्भाव, 3. विज्ञान का जीवन योगदान, 4. उपसंहार।

प्रस्तावना–विज्ञान शब्द 'वि' और 'ज्ञान' से बना है। संपूर्ण संसार में आजकल विज्ञान धूमकेतु की तरह छा गया है। विज्ञान का अर्थ है 'विशिष्ट ज्ञान'। हम जिसे विज्ञान कहते हैं उसका तात्पर्य पृथ्वी के गूढ़ तत्त्वों की विशेष जानकारी से है। विज्ञान की देन के आधार पर प्राणी संसार के एक कोने में बैठकर सारे संसार की जानकारी प्राप्त कर सकता है। विज्ञान के द्वारा मनुष्य ने प्रकृति पर विजय प्राप्त कर ली है। विज्ञान किसी की दृष्टि में काल तथा किसी की दृष्टि में कल्याणागार है।

प्रादुर्भाव–उन्नीसवीं शताब्दी से विज्ञान का युग आरंभ होता है। विज्ञान के

विकास ने तो संसार का नक्शा ही बदल दिया है। जो पहले असंभव था वह अब संभव हो गया है। मनुष्य एक कोने में बैठकर सारे संसार के मनुष्यों से बात कर सकता है। अब मनुष्य मात्र धर्म की थोथी बातों पर विश्वास नहीं करता, वह प्रत्येक बात को विज्ञान की कसौटी पर कसता है।

योगदान–विज्ञान के धुआँधार विकास से मनुष्य का जीवन सरल, साधन-संपन्न और सुखमय हुआ है। विज्ञान ने शैक्षणिक उपकरण, मुद्रण यंत्र, चलचित्र, रेडियो, टेलीविजन, फोनोग्राम, बेतार का तार, वायुयान आदि अनेक आश्चर्य में डालने वाली वस्तुएँ दी हैं। युद्ध क्षेत्र में विज्ञान के विध्वंसकारी आविष्कारों ने आज विश्व को हिलाकर रख दिया है। तोप, टैंक, सुदूर मारक तोपें, लड़ाकू विमान, राडार, बारूदी सुरंगें, मिसाइलें, अणुबम, टारपीडो, टाइमबम विश्व को मात्र पल में खाक में मिला सकते हैं। विज्ञान ने इस प्रकार की युद्ध सामग्री देकर हमारे देश को काफी गौरवशाली बना दिया है। चिकित्सा जगत् ने जो हमें आधुनिकतम यंत्र, मेडिसिन आदि प्रदान किया है, उससे हमारा जीवन सुखी और आनंदमय बन गया है।

विज्ञान ने मनुष्य को सुख-सुविधा की सारी चीजें दी हैं। इसने अंधों को आँख, बहरों को कान, लूलों को हाथ तथा लंगड़ों को टाँगें दी हैं।

विज्ञान ने कृषि क्षेत्र में हल-कल, डीजल पंप, ट्रैक्टर, ट्यूबवैल, मड़ाई-जुताई, सिंचाई के आधुनिक यंत्र दिए हैं, रासायनिक खादें विज्ञान की ही देन हैं, जिससे हमारी खेती लहलहा उठी है।

विज्ञान ने हमें कूलर और हीटर द्वारा गर्मी में सर्दी और सर्दी में गर्मी का आनंद लेने का साधन प्रदान किया है। वातानुकूलित भवनों और वाहनों द्वारा मनुष्य जीवन का अभूतपूर्व आनंद भोग रहा है। नए-नए परिधान विज्ञान के ऐसे फल हैं, जिनका प्रयोग कर मन झूम जाता है। लंबी दूरियाँ हम पलक झपकते तय करते हैं।

उपसंहार–सचमुच विज्ञान के अद्भुत विकास से हमारे लिए अब कोई भी वस्तु मृग-मरीचिका नहीं है। यह सत्य है कि विज्ञान ने हमें लाभ पहुँचाया है, किंतु उससे हानियों की भी कम संभावना नहीं है। विज्ञान द्वारा प्रदत्त दुर्लभ अस्त्र-शस्त्रों की भयानक मार से सागर खौलता तथा आकाश काँपता है। उससे मानवता चीख रही है। किंतु यदि मानव समाज इसका सही अर्थों में प्रयोग करे और विज्ञान देवता की उपासना सद्भावना से करे तो कोई आश्चर्य नहीं कि धरती स्वर्ग बन जाए और मानवता निहाल उठे।

विज्ञान के लिए यह कितना उपयुक्त है–

जहाँ देखता हूँ वहीं तू ही तू है,
न तेरी सी खुश्बू न तेरी सी बू है।

राष्ट्रीय पर्व (15 अगस्त)

रूपरेखा–1. प्रस्तावना, 2. वर्णन, 3. उपसंहार।

आओ लुटाएँ प्यार कि पंद्रह अगस्त है।
धरती रही पुकार कि पंद्रह अगस्त है।
इस दिन से मेरे देश का सम्मान बढ़ा है।
संसार के हर तीर्थ से यह तीर्थ बड़ा है।
हर दिल में है बहार कि पंद्रह अगस्त है।

प्रस्तावना–इतिहास इस बात का साक्षी है कि धरती हजारों बार रक्तरंजित हुई है। अनेकों राजा से रंक हुए और रंक से राजा हुए हैं। जाने कितनी बार स्वतंत्रता के दीए जले, बुझे, फिर जले हैं। दुनिया में आज तक किसी का मुकद्दर ऐसा नहीं बना जिसे बनने के बाद बिगड़ना न पड़ा हो। प्रत्येक देश का इतिहास उत्थान-पतन से परिपूर्ण है। रेगिस्तान की झिलमिलाती धूप की तरंगों की मार जिसने झेली, उसी ने हरित तरु-तमाल के सुखद ताल में आनंद के गोते लगाए। जिसने दुख के साथ लोरियाँ गाईं सुख उसी के अंक में कूद के झूला। शिशिर की शीत को जिसने मीत बनाया बसंत उसी के अधरों का गीत बना। जो मृत्यु से न डरा, उसे ही जीने का अधिकार मिला... पराधीन होकर जीना मृतक तुल्य है। स्वतंत्र होकर जीना ही असली जीना है।

'पराधीन सपनेहु सुख नाही'

वर्णन–अन्य देशों की भाँति हमारा देश भारत भी गुलाम हुआ। गुलामी की आग ने देश को झुलस दिया। आर्थिक, सामाजिक, सांस्कृतिक तथा राजनीतिक शोषण करके विदेशियों ने देश को खोखला कर दिया। अंग्रेजों द्वारा बढ़ते जुल्म और अत्याचार की भीषणता से देश दर्द से कराह उठा। जन-जन में आजाद होने की इच्छा बलवती होने लगी। अंग्रेजों से असंतुष्ट हिंदुस्तानी सैनिक तथा नरेशों ने 31 मई 1857 ई. में विद्रोह का बिगुल बजा दिया। सैनिक मंगल पांडेय प्रथम विद्रोही थे जिन्हें फाँसी का दंड दिया गया। झाँसी की रानी लक्ष्मीबाई ने बड़ी वीरता से लड़ते हुए प्राणों की आहुति दी। देश का कोना-कोना लाल हो गया। गूँज उठा इन्कलाब का नारा। गुलामी की बुनियाद हिल गई। अनेक संघर्षों के बाद तब आयी आजादी की पावन शुभ वेला। सारा भारत हर्षातिरेक में थिरक उठा। नैन सरोवर में आनंद के इंदीवर खिल उठे। जग नाच उठा। सब स्वतंत्र होकर झूम उठे।

सदियों से पिंजरे में बंद पक्षी की तरह जब हम मुक्त हुए तब उन्मुक्त गगन में उड़ चले। सब दुख भूल गए, भूल गए कि इस स्वतंत्रता की बलिवेदी पर कितने शीश चढ़ाए, कितना लहू बहाया, सीने पर हँसकर कितनी गोलियाँ खाईं। कितने

सुहाग और कितने घर उजड़े।

चन्द्रशेखर आजाद, भगतसिंह, ऊधम सिंह, बिस्मिल ने अपने खून से इस चमन को सींचा, गाँधी, गोखले और तिलक आदि ने अपने त्याग तप की आहुति से इसे सुरभित किया। सुभाष ने रंग भरा और नेहरू ने चाँदनी-सी खिलकत दी।

भारतीय आकाश में स्वतंत्रता का सूर्य जगमगा के उदित हुआ। वीर शहीदों की साध पूरी हुई। भारतमाता के हाथों की हथकड़ियाँ और पैरों की बेड़ियाँ तड़ाक से टूट गईं। जन्मभूमि बंधन से मुक्त हुई, देश स्वतंत्र हुआ। अहिंसा के अमोघ अस्त्र ने तोपों और टैंकों पर विजय हासिल की।

वह पुनीत दिन था 15 अगस्त सन् 1947। स्वतंत्रता मिलते ही म्लान चेहरे मुस्कुरा उठे। बच्चे किलक उठे। जवान दहक उठे। किसान दमक उठे। जन-जन में नया जोश आ गया। मनुष्य क्या पक्षी भी प्रसन्नता में चहक उठे। हर मन में आनंद की निर्मल निर्झरणी बह उठी, लहर उठी। इससे महान् पावन पर्व कौन-सा होगा जिसमें हिंदू, मुस्लिम, सिक्ख, पारसी, जैन सभी भाग ले रहे थे। उस दिन के आनंद की अनुभूति का वर्णन करना सूर्य को दीपक दिखाना है। दुख था तो केवल एक कि देश दो खंडों में विभक्त हो गया। देशवासियों ने उसी दिन से 15 अगस्त की मधुर स्मृति को अंक में भर लिया, आँचल में बाँध लिया तथा आँखों में छिपा लिया।

उपसंहार–इसी पावन राष्ट्रीय तिथि के उपलक्ष्य में प्रतिवर्ष 15 अगस्त को स्वतंत्रता का समायोजन संपूर्ण भारत में बड़े धूमधाम से होता है। विद्यालयों में बड़े उत्साह के साथ कार्यक्रम संपन्न होते हैं। प्रभात फेरी, ध्वजारोहण, कवि सम्मेलन तथा सांस्कृतिक कार्यक्रम संपन्न होते हैं।

दुर्गा पूजा

रूपरेखा–1. प्रस्तावना, 2. वर्णन, 3. तैयारी और सामाजिक महत्त्व, 4. उपसंहार।

प्रस्तावना–भारत एक विशाल देश है। यहाँ भिन्न-भिन्न धर्म के लोग बसे हैं। सभी धर्मों का अपना एक अलग महत्त्व है। दुर्गा पूजा हिंदू बड़ी श्रद्धा से करते हैं। दुर्गापूजा को 'नवरात्र पूजा', 'दशहरा' और 'विजया दशमी' भी कहते हैं। यह हिंदुओं का प्राचीनतम पवित्र त्योहार है। इस सनातन पर्व को बिहार, बंगाल, उत्तर प्रदेश और मध्य प्रदेश में लोग बड़े धूमधाम से मनाते हैं। वैसे संपूर्ण भारत में दुर्गा पूजा प्रचलित है।

वर्णन–दुर्गा पूजा का श्रीगणेश कब हुआ, इसकी अनेक किंवदन्तियाँ हैं।

अनेक पौराणिक कथाएँ भिन्न-भिन्न क्षेत्रों में फैली हैं। एक प्रसिद्ध कथा के अनुसार जिस दिन सिंहवाहिनी माँ दुर्गा ने चंडी बनकर देवताओं के प्रबल शत्रु महिषासुर का वध किया उसी दिन से यह महान् पर्व मनाया जाने लगा। दूसरी कथा के अनुसार रघुकुल नंदन, जानकी बल्लभ भगवान श्री रामचंद्र ने इस दशमी के दिन लंकाधिराज रावण पर चढ़ाई की थी। जिसकी स्मृति में अद्यतन विजया दशमी का उत्सव मनाया जाता है। कथाएँ जो भी हों किंतु इतना सत्य है कि इस दिन सत्य की विजय और असत्य की हार हुई थी। देवता विजयी और दानव पराजित हुए थे। इस प्रसन्नता में भारतवासी जोश-खरोश के साथ दुर्गा पूजा को मनाते हैं और सभी ईर्ष्या-द्वेष, भेद-भाव आदि भूल कर एक-दूसरे के गले मिलते हैं। सत्य और स्नेह के सुरभित सलिल से मन मैल धुल जाता है।

तैयारी और सामाजिक महत्त्व–यह पर्व आश्विन मास के शुक्ल पक्ष के आरंभ से शुरू होता है। अपनी-अपनी शक्ति के अनुसार उसी दिन लोग कलश-स्थापन करते हैं। उसी दिन से पूजा प्रांरभ हो जाती है, जो दशमी तक चलती है। नवमी तक 'दुर्गा सप्तशती' का पाठ होता है। सप्तमी, अष्टमी और नवमी को बड़ी धूम-धाम से पूजा की जाती है। दशमी को यज्ञ की समाप्ति होती है। भारतीय संस्कृति में यह दिन बड़ा ही शुभ माना जाता है। नए काम इसी दिन शुरू किए जाते हैं। कहावत है रामचंद्र ने भी इसी दिन माँ दुर्गा की पूजा की थी और उन्हें दुर्गा की सहायता से ही विजय प्राप्त हुई थी।

दुर्गा पूजा की अवधि तक लोग बड़ी सफाई और विशेष स्वच्छता से रहते हैं। नाच-गान, नाटक और संगीत में भाव-विभोर हो जाते हैं। सुधि-बुधि खो देते हैं। नए वस्त्र धारण करते हैं। एक-दूसरे के घर जाकर आनंद और उल्लास के साथ गले मिलते हैं। आम के बौर की तरह लोगों के चेहरे पर उमंग छा जाती है। हिंदुओं का यह प्रसिद्ध और पवित्र पर्व बहुत ही महत्त्वपूर्ण है।

उपसंहार–दुर्गा पूजा का अपना एक अलग महत्त्व है। लोगों में आध्यात्मिक भावना का सृजन होता है। लोग सुख, शांति और स्फूर्ति का अनुभव करते हैं। इस प्रकार दुर्गा पूजा का यह महान् पर्व हम सभी को समृद्धि और शक्तिशाली होने का संदेश देता है जिसके हर्षातिरेक में हम काम-क्रोध-मद-लोभ सब भूल जाते हैं।

मेरा विद्यालय (विद्यालय का वार्षिकोत्सव)

रूपरेखा–1. प्रस्तावना, 2. उत्सव वर्णन, 3. उपसंहार।

प्रस्तावना–विद्यालय दो शब्दों से बना है विद्या+आलय। मेरा एक आदर्श

विद्यालय है। जिसकी प्रशंसा करना सूरज को चिराग दिखाना है।

उत्सव वर्णन–जिस तरह प्रायः सभी विद्यालयों में विद्यार्थियों के मनोरंजन के लिए प्रति वर्ष एक बार उत्सव मनाया जाता है, उसी तरह मेरे विद्यालय में भी वर्ष में एक बार इस प्रकार के समारोह का आयोजन होता है। अनवरत अध्ययन से उत्पन्न शिक्षा के प्रति अरुचि में इस प्रकार का उत्सव एक मोड़ ला देता है। जिससे विद्यार्थी पुनः पढ़ाई में तल्लीन हो जाते हैं। पिछले वर्ष की भाँति इस वर्ष भी 14 नवंबर को मेरे विद्यालय में धूम-धाम से उत्सव मनाया गया।

विद्यालय में 14 नवंबर की सुबह से ही विद्यार्थियों का आना शुरू हो गया। 14 नवंबर को चाचा नेहरू का जन्म दिवस है जो सोल्लास मनाया जाता है। विद्यालय प्रांगण में पहले एक बहुत विशाल पंडाल बनाया गया। जहाँ आने वाले लोग एकत्रित होते गए। समारोह में छात्र-छात्राओं के अलावा दूर-दूर के अन्य लोग भी उपस्थित हुए। नाना प्रकार की प्रतियोगिताओं का आयोजन था। जिसके प्रबंध में सभी अध्यापक व्यस्त थे। छात्र भी बड़ी उत्सुकता से हाथ बँटा रहे थे।

समारोह के कार्यक्रमों का श्रीगणेश हुआ। नाना प्रकार की प्रतियोगिताएँ संपन्न हुईं। अलकापुरी की तरह सुसज्जित विविध चित्रकारियों और कागज की झालरों से विद्यालय परिसर जगमग-जगमग कर रहा था। पंडाल की शोभा किसी राजभवन से कम नहीं थी। कार्यक्रमों में पहले खेल-कूद हुआ फिर काव्य-पाठ हुए। हमारे साथी विद्यार्थी द्वारा प्रस्तुत राष्ट्रीय गीत बहुत प्रशंसित रहा।

लोक गीत के बाद तालियों की गड़गड़ाहट से विद्यालय गूँज उठा। मुख्य अतिथि पुष्प मालाओं से लदे मंच पर उपस्थित हुए।

उपसंहार–अंत में प्रधानाचार्य के स्वागत भाषण के बाद विद्यालय का वार्षिक विवरण पढ़ा गया और पुरस्कार वितरण हुए। विभिन्न प्रतियोगिता में विजयी छात्र-छात्राओं को प्राचार्य महोदय ने बड़े आदर और स्नेह के साथ गंजियाँ, मोजे, पुस्तकें, पदक आदि दिए, अगले दो दिनों के लिए इस उत्सव के उपलक्ष्य में प्रधानाचार्य ने अवकाश की घोषणा की। इस प्रकार बड़े धूमधाम के साथ विद्यालय के समारोह का समापन हुआ।

देशाटन (भ्रमण से लाभ)

रूपरेखा–1. प्रस्तावना, 2. देशाटन की प्राचीनता, 3. देशाटन का महत्त्व, 4. उपसंहार।

प्रस्तावना–देशाटन शब्द देश+अटन से बना है। अटन शब्द का अर्थ होता है घूमना। इस प्रकार देश-देशांतर का भ्रमण करना ही देशाटन है। यह भ्रमण चाहे

जिस उद्देश्य से हो, ज्ञानार्जन, व्यवसाय इत्यादि।

भारत में देशाटन की प्रथा प्राचीन काल से है। मगध सम्राट अशोक ने अपने पुत्र एवं पुत्री को विदेश भ्रमण के लिए भेजकर बौद्ध धर्म का प्रचार कराया था। बहुत से लोग व्यापार और ज्ञानार्जन के लिए भी देशाटन करते हैं। ह्वेनसांग, फाह्यान और अलबरुनी आदि विदेशियों का भारत भ्रमण प्रसिद्ध है। पहले देशाटन करना लोहे का चना चबाना था, किंतु अब विमान ने इसे बहुत सुगम बना दिया है। पहले लोग जंगल-झाड़ी, नदी-पर्वत बहुत कठिनाइयों से पार करते थे। किंतु अब वायुयान, मोटर, रेलगाड़ी तथा अन्य तीव्रगामी वाहनों से देशाटन सहज और सरल हो गया है। न अब वनों के हिंसक पशुओं का भय है और न समुद्र की लहरों का खतरा। अब तो पर्वत और मरुस्थलों को भी आसानी से पार करके देशाटन किया जा रहा है।

पहले दल के दल लोग यात्रा पर निकलते थे, उन्हें चोरों-डाकुओं का भय था, लंबी यात्राओं के बीच में पड़ाव डालना पड़ता था। अब बाधाएँ समाप्त हो गई हैं।

महत्त्व–देशाटन से अनेक लाभ हैं। पर्यटन द्वारा मनुष्य दूसरे जगह के धर्मों, व्यवसाय, रहन-सहन आदि की जानकारी हासिल करता है। इससे बुद्धि का विकास होता है। इससे राष्ट्र को भी लाभ है दूसरे स्थान का रुपया भी एक दूसरी जगह हस्तांतरित होता है। देश की आर्थिक स्थिति सँवारने में इसका भी योगदान है। देशाटन से मनोरंजन होता है, स्वास्थ्य सुधरता है।

देशाटन से अनेक नागरिकों में सामाजिक, सांस्कृतिक एवं औद्योगिक विकास की विद्या प्रबल होती है। किसी देश की सांस्कृतिक विशेषताओं एवं सभ्यता के तत्त्वों को फैलाने में उस देश के पर्यटकों की अत्यंत महत्त्वपूर्ण भूमिका होती है। इसलिए सरकार ने पर्यटन विभाग पर काफी ध्यान दिया है। जगह-जगह पर्यटन केंद्र बनाए गए हैं।

उपसंहार–आर्थिक, औद्योगिक और सामाजिक-सांस्कृतिक विकास में देशाटन का महत्त्वपूर्ण योगदान है। विद्यार्थियों के लिए भी पर्यटन अत्यंत आवश्यक है। इससे नई-नई बातों की जानकारी मिलती है। ज्ञान बढ़ता है। जगह-जगह विद्यालयों में सरस्वती यात्राएँ इसी उद्देश्य से आयोजित की जाती हैं। प्राकृतिक स्थानों पर इसीलिए पर्यटन केंद्र स्थापित हो रहे हैं। पर्यटन हमारे जीवन का एक महत्त्वपूर्ण हिस्सा है जो हमारी बुद्धि का विकास करता है और शरीर को स्वास्थ्य एवं स्वच्छता प्रदान करता है।

वर्षा ऋतु

रूपरेखा–1. प्रस्तावना, 2. प्राकृतिक दृश्य, 3. हानि-लाभ, 4. उपसंहार।

प्रस्तावना–जब भगवान भुवन भास्कर की प्रचंड किरणें वसुंधरा को तप्त हवा की तरह जलाने लगती हैं। जब प्राणिमात्र ग्रीष्म की अंगार बरसती मार से व्याकुल हो जाते हैं जब पेड़-पौधे नदी-नाले सूख जाते हैं, जब मध्याह्न को मेघविहीन अंतरिक्ष में बिजलियाँ चमकने लगती हैं, जब लोग ताप से व्याकुल होकर इंद्र की राह निहारने लगते हैं, तब ग्रीष्म ऋतु के बाद वर्षा ऋतु का आगमन होता है। भारत की छह ऋतुओं में वर्षा एक है।

प्राकृतिक दृश्य–वर्षा ऋतु के आगमन की पूर्व सूचना प्राकृतिक व्यवस्था के फलस्वरूप मिलने लगती है। मेढकों का टर्र-टर्र और झींगुरों की झनकार, देहात की मिट्टी में से निकली ग्वालिनें, कुलबुलाती धोबिनें पावस के प्रतीक हैं। बर्षा ऋतु के आते ही प्राणियों में प्रसन्नता की लहर विद्युत गति से दौड़ जाती है। रवि का प्रखर अनुताप गल जाता है। पृथ्वी की भयानकता लुप्त हो जाती है। खेतों, बगीचों, पर्वत की उपत्यकाओं में हरियाली फूट पड़ती है। पृथ्वी नई-नवेली दुल्हन की सतरंगी-चुनरी धारण कर लेती है। हर ओर हरियाली ही हरियाली छा जाती है। सागर के मन को चुराकर मेघ नील गगन में बहुत ऊँचे पहुँचने लगते हैं। बिजलियाँ कड़कने लगती हैं। टूट-टूटकर पयोधर नन्ही-नन्ही मोती की बूँदों से धरती का अंचल भर देते हैं। हर्ष से विह्वल उन्मत्त मयूर उपवन की अमराई में, वनों में नाचने लगते हैं। कृषकों में, पक्षियों में, पशुओं में नई जान आ जाती है। प्राणियों में मद उत्पन्न करने वाले मेघ अपने मनोहर रूप में नर-नारियों के मन में हर्ष, शोक, विरह, वियोग आदि अनेकानेक भावनाओं को उत्पन्न करते हैं। प्रकृति शोभा से खिल जाती है। भड्डरी कहते हैं–

तीतर वरनी बादरी, विधवा काजर रेख।
वह बरसै वह घर करै, कहैं भड्डरी देख।।
उतरे जेठ जो बोले दादर, कहैं भड्डरी बरसे बादर।।

हानि-लाभ–वर्षा होते ही नदियाँ अपने भयानक वेग से बहने लगती हैं। प्रलय का दृश्य उत्पन्न हो जाता है। पृथ्वी पर इतना भयानक अंधकार छा जाता है कि हाथ को हाथ नहीं सूझता। कभी-कभी बाढ़ से फसलें नष्ट हो जाती हैं। भयंकर विषैले जीव-जंतु पृथ्वी के ऊपर आ जाते हैं। इनसे मानव जीवन को खतरा बढ़ जाता है। बाढ़ से सर्वत्र कीचड़ एकत्रित हो जाता है, जिसके सड़ने से दुर्गंध और संक्रामक रोग उत्पन्न होने का खतरा बढ़ जाता है। जहाँ अल्प और सामयिक वृष्टि से लाभ है, वहीं अति वृष्टि से हानि भी है।

उपसंहार–वर्षा खेतों के लिए वरदान है। वर्षा के बिना मनुष्य का कार्य नहीं

चलता। इससे हानि कम और लाभ अधिक है। इस प्रकार वर्षा को जीवन का स्रोत कहें तो अनुचित नहीं होगा।

दीपावली

रूपरेखा–1. प्रस्तावना, 2. मनाने का कारण, 3. दीपावली दृश्य-गाथा, 4. उपसंहार।

प्रस्तावना–दीपावली हिंदुओं का बहुचर्चित सनातन त्योहार है। वर्षा ऋतु की समाप्ति और शरद के आगमन पर होने वाला यह पर्व अपने साथ नई उमंगें और नई प्रेरणाएँ लेकर आता है। बूढ़े, जवान, बच्चे इस त्योहार के आगमन पर आनंद की लहरों में खो जाते हैं। औरतें लक्ष्मी के स्वागत में घर-द्वार की सफाई में तल्लीन हो जाती हैं। वास्तव में दीपावली शारीरिक, मानसिक और सामाजिक स्वच्छता का त्योहार है। इस पर्व पर किए जाने वाले मांगलिक कार्यों में लक्ष्मी पूजन और दीपदान का विशेष महत्त्व है।

मनाने का कारण–दीपावली की व्याख्या 'दीप्यते दीपयति वास्वं परंचेति' कहकर की गई है जिसका अर्थ है–जो स्वतः प्रकाशित हो अथवा औरों को प्रकाशित करे उसे दीवा कहते हैं। दीवा वास्तव में अग्नि अथवा तेज का एक रूप है। इस प्रकार दीपावली का त्योहार प्रकाश का त्योहार कहा जाता है। भारत में हर वर्ग के लोग इसे बड़ी उमंग और उत्साह के साथ मनाते हैं। यह महान् पर्व कार्तिक अमावस्या को मनाया जाता है। इसके संबंध में एक पौराणिक कथा प्रचलित है कि इसी दिन भगवान राम लंका के राजा रावण पर विजय प्राप्त कर चौदह वर्ष की अवधि समाप्त कर सकुशल अयोध्या लौटे थे। भाव विभोर अयोध्यावासियों ने उसी दिन, उनके स्वागतार्थ घी के दीपक जलाकर अपने-अपने घरों को सजाया था। उसी की स्मृति में आज भी यह त्योहार उसी रूप में सोल्लास मनाया जाता है।

दृश्य–यह पर्व स्वच्छता एवं सफाई का पर्व है। दीपावली के पहले से लोग अपने-अपने घरों को लीप-पोतकर स्वच्छ बना देते हैं। इस दिन लोग लक्ष्मी और गणेश की पूजा करते हैं कहावत है कि लक्ष्मी प्रसन्न होकर घर को धन-धान्य से भर देती हैं और गणेश विघ्न का विनाश करते हैं। कुछ लोग इस दिन जुआ भी खेलते हैं। वैश्य अपनी बहियों पर नया खाता चढ़ाकर शकुन करते हैं। किसान अपने हल और खेत की पूजा करके शकुन करते हैं। डॉ. सुधाकर मिश्र के शब्दों में दीपावली–

बजे ज्ञान का डमरू डगमग, भागे तमम निराशा !
पारिजात के पुष्प सरीखी, बिछे धरा पर आशा।

आनन-तेज-तरंगित आभा दीप शिखा-सी दमक,
काम-क्रोध-मद-लोभ-मोह सब, जलें, भाल-रवि चमके।
जगमग-जगमग जले ज्योतिछवि-प्लावित तृण-तरु सारे,
मिट्टी के दीपक पर न्यौछावर हों गगन-सितारे।

उपसंहार–दीपावली का पर्व मानव को अंधकार से प्रकाश की ओर ले जाने का संदेश देता है। यह एक राष्ट्रव्यापी महान् त्योहार है। यह रावण रूपी राक्षसत्व पर रामरूपी देवत्व की विजय का प्रतीक है। हमें चाहिए कि इस पर्व पर फैली कुरीतियों को दूर करें और नए उमंग-उल्लास के साथ इसे मनाएँ।

महात्मा गाँधी

रूपरेखा–1. प्रस्तावना, 2. जन्म और शिक्षा, 3. देश की सेवाएँ, 4. उपसंहार।

प्रस्तावना–महात्मा गाँधी एक महान् युग के निर्माता थे। उनका परिचय देना सूर्य को दीपक दिखाना है। इतिहास इस बात का साक्षी है कि भारत में समय-समय पर एक से एक महापुरुष पैदा हुए हैं। महात्मा गाँधी उन्हीं महापुरुषों में से एक थे जिनसे राष्ट्रीय जीवन का नया ज्वलंत इतिहास तैयार हुआ है। आजादी उनके अथक परिश्रमों का सुफल है। भारत की आत्मा में उनकी साँसों की सुगंध है। हम उन्हें कभी भूल नहीं सकते। वे हमारे रोम-रोम में बसे हैं। डॉ. सुधाकर मिश्र के शब्दों में–

"विश्वदेव की पावन प्रतिमा, पंचदेव के प्रोज्चल प्राण।
धर्मदेव के धर्म मनोहर गौतम के जीवन निर्वाण।
विषम-विषाद-प्रमाद जर्जरित प्रिय पारसमणि प्रबल प्रकाश,
सिखलाया दुःख की ज्वाला में मरना, करते जगत विकास।"

जन्म और शिक्षा–महात्मा गाँधी का जन्म 2 अक्टूबर, 1869 ई. को गुजरात (काठियावाड़) के पोरबंदर नामक स्थान में हुआ था। इनका नाम मोहनदास और पिता का नाम कर्मचंद गाँधी था। गुजरात में पिता का नाम सम्मिलित करके नाम बोला जाता है। इसलिए गाँधीजी अपने हस्ताक्षरों में मोहनदास कर्मचंद गाँधी लिखते थे। गाँधीजी की माता का नाम श्रीमती पुतलीबाई था।

उनकी शिक्षा गाँव के एक विद्यालय में शुरू हुई। अठारह वर्ष की आयु में हाई-स्कूल पास करने के बाद वे वकालत पढ़ने इंग्लैंड गए। सन् 1891 ई. में बैरिस्टरी पास करके इंग्लैंड से भारत लौटे। बचपन में सत्य हरिश्चंद्र और श्रवणकुमार नाटक का अमिट प्रभाव उन पर पड़ा था। वे सदा सत्य बोलते और माता-पिता की सेवा करते थे। एक बार वे एक मुकदमे के सिलसिले में दक्षिण अफ्रीका गए।

उन्होंने देखा वहाँ भारतीयों के साथ अच्छा व्यवहार नहीं हो रहा है। इससे वे बहुत दुःखी हुए। उन्होंने वहाँ सत्याग्रह शुरू किया और उन्हें सफलता भी मिली।

देश की सेवाएँ–गाँधीजी सन् 1914 ई. में भारत लौटे। देश की गुलामी उनसे देखी नहीं गई। जनता पर अंग्रेजों द्वारा होते मनमानी अत्याचार को देखकर उनका मन दर्द से कराह उठा। सन् 1917 से वे अंग्रेजों के अत्याचारों के विरुद्ध खुलकर विरोध करने लगे। देश में जागृति पैदा हुई। मोतीलाल नेहरू, चित्तरंजन दास, जवाहरलाल नेहरू आदि के सहयोग से वे स्वतंत्रता की लड़ाई में सफल हुए। अंग्रेजों को भारत छोड़कर भागना पड़ा। 15 अगस्त सन् 1947 को देश आजाद हुआ। उनका सपना साकार हुआ।

30 जनवरी 1948 की शाम नाथूराम गोडसे ने गोली मारकर उनकी हत्या कर दी। किसी कवि के ये शब्द याद आ गए–

दिल के फंफोले जल गए सीने की दाग से
इस घर को आग लग गई घर के चिराग से।

उपसंहार–राष्ट्रपिता गाँधीजी संसार से उठ गए। वैसे तो शरीर क्षण-भंगुर है। जो आता है, जाता ही है। किंतु राष्ट्रप्राण बापूजी भारत के इतिहास में सदा के लिए अमर हो गए। भारत की आत्मा अभी भी उन्हें उसी प्रकार खोज रही है, डॉ. सुधाकर मिश्र के शब्दों में–

कब से खड़े पुकार रहे हैं तुझको निर्धन गाँव फकीर,
बापू, तेरी चरण-धूलि को खोज रही जन-मानस पीर।

पुस्तकालय

रूपरेखा–1. प्रस्तावना, 2. महत्त्व, 3. पुस्तकालय के लिए आवश्यक बातें, 4. उपसंहार।

प्रस्तावना–पुस्तकालय वह विशाल ज्ञान-सिंधु है जिसमें विद्या की अक्षय निधियाँ मौजूद हैं जिनके अध्ययन मात्र से हमारा हृदय विशाल और उन्नत बनता है। पुस्तकालय शब्द का निर्माण पुस्तक+आलय दो शब्दों से हुआ है। अर्थात् पुस्तकों के लिए घर। पुस्तकालय में उपयोगी पुस्तकों का संग्रह किया जाता है; जिससे मनुष्य के उच्च चरित्र का निर्माण होता है, और जीवन की उन्नति होती है। इससे मनुष्यों में स्वाध्याय की रुचि पैदा होती है और मस्तिष्क का विकास होता है।

महत्त्व–टॉमस ए. केम्पिस के अनुसार–"मैंने प्रत्येक स्थान पर विश्राम खोजा किंतु वह एकांत कोने में बैठकर पुस्तक पढ़ने के अतिरिक्त कहीं प्राप्त न हो सका। बुद्धिमानों की रचनाएँ ही एकमात्र ऐसी अक्षय निधियाँ हैं जिन्हें हमारी संतति विनष्ट

नहीं कर सकती।"

इस प्रकार पुस्तकालय ज्ञान का केंद्र है जहाँ नाना प्रकार की पुस्तकें संगृहीत की जाती हैं। पुस्तकों की संगति और उनके अध्ययन से हमारे मन में निर्मल ज्ञान के नए-नए फूल खिलते हैं। पुस्तकालय से अशिक्षा और निरक्षरता दूर होती है। देश-विदेश की नई और पुरानी-बातें सीखने को मिलती हैं। कम से कम खर्च में कीमती किताबें पढ़ने को मिल जाती हैं। ज्ञानार्जन के साथ ही साथ मनोरंजन का भी आनंद मिलता है। यह वह साधन है जहाँ मनुष्य कम से कम खर्च में अपने प्रिय लेखक की पुस्तकें पढ़कर संतुष्ट होता है।

आवश्यक बातें–पुस्तकालय तीन प्रकार के होते हैं–1. सार्वजनिक पुस्तकालय, 2. व्यक्तिगत पुस्तकालय, 3. राजकीय पुस्तकालय।

सार्वजनिक पुस्तकालय साधारण लोगों के सहयोग से खोले जाते हैं इसमें कम खर्च से अधिक उपयोगी पुस्तकें जनता के लाभ को ध्यान में रखकर खरीदी जाती हैं। सार्वजनिक पुस्तकालयों में कोई भी व्यक्ति अपनी इच्छा के अनुकूल पुस्तकें पढ़ सकता है। व्यक्तिगत पुस्तकालय का संगठन कोई विद्या-प्रेमी व्यक्ति ही करता है। इसमें प्रत्येक व्यक्ति को पुस्तक पढ़ने का अधिकार नहीं मिलता है। यह पुस्तकालय के मालिक की इच्छा पर निर्भर करता है कि वह जिसे चाहे पुस्तक पढ़ने को दे, जिसे चाहे न दे। इसी प्रकार जब सरकार या राज्य अपने खर्च से जनता की सुविधा के लिए पुस्तकालय खोलता है, तब वह राजकीय पुस्तकालय कहलाता है। इस प्रकार के अनेक पुस्तकालय हैं, जिनमें कलकत्ता का राष्ट्रीय पुस्तकालय देश का सबसे बड़ा राजकीय पुस्तकालय है। इसमें दस लाख पुस्तकें हैं।

आजकल पुस्तकों की संख्या इतनी अधिक है और कुछ का मूल्य इतना अधिक है कि जनसाधारण के लिए खरीद कर पढ़ना टेढ़ी खीर है। इसलिए किसी भी सफल पुस्तकालय के लिए प्रसिद्ध लेखकों और कवियों की कृतियाँ ही खरीदें। संचालन की उत्तम व्यवस्था हो। पुस्तकों का रख-रखाव एक प्रशिक्षित व्यक्ति के ऊपर हो। आजकल विद्यालयों में शिक्षण सुविधा के लिए पुस्तकालयों की व्यवस्था तो है किंतु वे इतने व्यवस्थित नहीं हैं। उनमें सुधार की आवश्यकता है। जिसमें शिक्षकों का सहयोग सर्वोपरि है।

उपसंहार–स्वाध्याय मानव जीवन का वह मूल मंत्र है जिससे व्यक्ति का बहुमुखी विकास होता है। जो पुस्तकालय से ही संभव है। चाहे गाँव हो, शहर हो या विद्यालय, सभी जगह अच्छे पुस्तकालयों की स्थापना से मनुष्य को लाभ ही लाभ है।

होली

रूपरेखा–1. प्रस्तावना, 2. मनाने का समय और कारण, 3. हानि-लाभ, 4. उपसंहार।

प्रस्तावना–किसी भी पर्व को मनाने के लौकिक एवं पौराणिक कारण होते हैं या वे दंत कथाओं पर आधारित होते हैं। मानव हमेशा से उत्सवों अथवा त्योहारों का प्रेमी रहा है। आज भी मनुष्य इस प्रकार के पर्वों का समय-समय पर आयोजन करके प्रमुदित होता है। इस प्रकार के त्योहारों से मानव मस्तिष्क की थकान दूर होती है। मित्रता का भाव उत्पन्न होता है। एकता को बल मिलता है। इस प्रकार के त्योहारों में रक्षाबंधन, दशहरा, दीपावली, होली आदि मुख्य हैं।

समय और कारण–होली ऋतुराज बसंत का त्योहार माना जाता है। यह त्योहार फागुन महीने की पूर्णिमा तिथि को होता है। किंतु इसका श्रीगणेश माघ पूर्णिमा से हो जाता है। होली हिंदुओं का सबसे बड़ा त्योहार है जिसकी अवधि एक माह की होती है। पूरे महीने भर होली के गीतों का आयोजन होता रहता है।

होली मनाने की कई कथाएँ प्रचलित हैं। कुछ लोगों के मतानुसार प्राचीन काल में यह त्योहार सामूहिक यज्ञ के रूप में मनाया जाता था, जिसमें अन्न की आहुति देकर देवताओं को खुश किया जाता था। आज भी होली में गेहूँ की बालियाँ जलाई जाती हैं। इससे इस कथा की सत्यता को बल मिलता है। दूसरी कथा अधिक प्रचलित है जिसमें होलिका अपने भाई हिरण्यकश्यप की आज्ञा मानकर प्रह्लाद को गोद में लेकर अग्नि में प्रवेश कर गई, किंतु प्रह्लाद सकुशल अग्नि की ज्वाला से बच निकले और होलिका जलकर भस्म हो गई। प्रह्लाद के सुरक्षित बचने के कारण ही लोग प्रसन्न होकर नाना प्रकार के गीतों को गाते हैं और नियमित रूप से प्रतिवर्ष यह त्योहार मनाते हैं।

जिस प्रकार आमों में बौर आते ही बाग महक उठता है, उसी प्रकार बसंत ऋतु के आगमन से ही होली की सुगबुगाहट मन में होने लगती है। होली के आगमन के पूर्व ही नाना प्रकार के लोक गीतों का आयोजन होने लगता है। लोग रंग, गुलाल फेंकना शुरू कर देते हैं। होली के रंग में मन रंग जाता है।

हमारे देश में ब्रज की होली बड़ी प्रसिद्ध है, कहते हैं वहाँ लट्ठमार होली खेली जाती है। होली के गीत बड़े ही भाव प्रधान होते हैं–

"लगूँ आज पाँय कर जोरी,
कन्हैया खेलो न मोंसो होरी।।

× × ×

खेलूँगी होरी कन्हैया से डट के,
आने दो उनको ब्रज से पलट के।।

होली एक ऐसा त्योहार है जिसमें लोग टोलियाँ बना-बनाकर लोकगीत गाते हैं। एक-दूसरे से अपने सभी बैर-भाव भुलाकर गले मिलते हैं। सबका आदर करते हैं।

हानि-लाभ–कहावत है गुलाब में भी काँटे होते हैं। इसी प्रकार होली हिंदुओं का जहाँ सबसे श्रेष्ठ त्योहार है, वहीं इसमें कुछ बुराइयाँ भी हैं, दोष भी हैं। प्रायः देखा जाता है कि इस त्योहार में लोग गाँजा, भाँग, शराब आदि मादक पदार्थों का सेवन करके अपना संतुलन खो बैठते हैं, विवेक गँवा देते हैं। अपशब्दों का प्रयोग करने लगते हैं। कहीं-कहीं लोग ट्रेनों, बसों आदि पर कीचड़ एवं पत्थर फेंकते हैं जिससे धन-जन की हानि हो जाती है। कहीं-कहीं झगड़े का वृहद् रूप खड़ा हो जाता है। हमें मिलकर इस प्रकार की कुरीतियों एवं बुराइयों को दूर करना चाहिए।

उपसंहार–होली हमारे लिए बहुत ही महत्त्वपूर्ण त्योहार है। हमें इसके वास्तविक उद्देश्य को समझकर आपस में प्रेम भावना के साथ इसे मनाना चाहिए जिससे एकता को बल मिले और भाई-चारे का विकास हो। इस त्योहार में उत्पन्न कुरीतियों का उन्मूलन करना हमारा प्रमुख कर्तव्य है।

परोपकार

रूपरेखा–1. प्रस्तावना, 2. उद्देश्य, उदाहरण, 3. उपसंहार।

परहित सरिस धर्म नहि भाई
पर पीड़ा सम नहि अधमाई।।

प्रस्तावना–संसार में जो मनुष्य अपने हित की चिंता न करके दूसरों की भलाई करते हैं, उन्हें परोपकारी कहा जाता है। उनके द्वारा किए गए कार्य को 'परोपकार' कहा जाता है। परोपकार मनुष्य के हृदय में निवास करने वाला ऐसा दैवी गुण है, जो मनुष्य को देवताओं की श्रेणी में पहुँचा देता है। इसका जन्म दया तथा प्रेम के मेल से होता है। परोपकार मनुष्य का सबसे बड़ा धर्म है।

परोपकाराय फलंति वृक्षाः परोपकाराय वहंति नद्यः।
परोपकाराय दुहंति गावः परोपकार्थ मिदं शरीरम्।।

अर्थात् दूसरों की भलाई के लिए ही वृक्ष फलते हैं, नदियाँ भी परोपकार के लिए बहती हैं, गाएँ भी दूसरों के हित के लिए दूध देती हैं। सच पूछिए तो यह शरीर ही परोपकार के लिए है।

परहित बस जिनके मन माही।
तिन कहुँ जग दुर्लभ कछु नाहीं।

उद्देश्य, उदाहरण–जो मनुष्य दूसरों की भलाई में ध्यान लगाते हैं वे संसार

को जीत लेते हैं। यह सनातन परंपरा है, कि धरती पर जब-जब अत्याचार बढ़ा है, धर्म की हानि हुई है, तब भू-भार हरने के लिए भगवान श्री कंत ने अवतार लिया है। लंका नरेश रावण ने जब अपार-दर्प से सुर, नर, मुनियों को त्रस्त कर दिया तब भगवान राम ने अवतार लिया। मथुराधिराज कंस के आतंक से जब चतुर्दिक त्राहि-त्राहि मची, तब नंदलाल कृष्ण ने अवतार लेकर पृथ्वी का भार दूर किया।

परोपकार मानव को उस चरम बिंदु पर पहुँचाता है, जहाँ से प्राणी अपनी निष्कलंक यश-पताका को अकंटक लहराते हुए देखकर गद्‌गद हो उठता है। श्रेष्ठ मनुष्य वही है जो दूसरों की भलाई करता है।

"अहा वही उदार है, परोपकार जो करे।
वही मनुष्य है कि जो मनुष्य के लिए मरे।"

प्रत्येक मनुष्य को चाहिए कि वह जन्म लेकर पृथ्वी पर बोझ स्वरूप न रहे। जिस कुल परिवार में जन्म लिया है, पोषित हुआ है, सर्वप्रथम उस परिवार का परोपकार करे। फिर देश, जाति और धर्म की रक्षा के लिए अपना सर्वस्व निछावर करे। जिस प्रकार वृक्ष दूसरों के लिए फल देते हैं, नदियाँ दूसरों के लिए बहती हैं, उसी प्रकार मनुष्य को भी दूसरों की भलाई में लगे रहना चाहिए।

महाराज रंतिदेव 48 दिन भूखे रहने के पश्चात् भी अतिथि सेवा को समर्पित रहे। जगत् प्रसिद्ध राजा शिवि ने कबूतर की प्राण रक्षा के लिए अपना शरीर काट कर बाज के सामने तराजू पर रख दिया। महर्षि दधीचि ने वृत्रासुर वध के लिए जीते जी अपनी हड्डियों को दान में दे दिया था। परोपकार के प्रति समर्पित होने से महात्मा बुद्ध, ईसामसीह, गुरु नानक, गाँधीजी, विवेकानंद आदि महापुरुष संसार में अमर हुए। परोपकार की भावना से ओतप्रोत होने से ही पं. जवाहरलाल नेहरू, सुभाष चंद्र बोस, चंद्रशेखर, भगतसिंह, बिस्मिल आदि इतिहास में स्वर्णाक्षरों में अंकित हुए। जिस प्रकार शोक करने से रोग, दूध पीने से शरीर, घी खाने से वीर्य और मांस खाने से मांस बढ़ता है उसी प्रकार परोपकार करने से यश-कीर्ति की वृद्धि होती है।

उपसंहार—परोपकार करने वाले व्यक्ति का हृदय अत्यंत पवित्र और स्वच्छ रहता है। निर्धन की मदद करना, अंधे का पथ प्रशस्त करना, प्यासे को जल पिलाना, क्षुधा-क्षीण को भोजन देना, दुखियों को धैर्य देना ऐसे अनेक कार्य इसके प्रमुख हैं। परोपकार करने वाले व्यक्ति का यश झोंपड़ियों से लेकर राजमहलों तक फैल जाता है। लोग उसके यश के गीत गाते हैं। समाज के अन्य लोग उसे आदर्श मानकर उसकी पूजा करते हैं।

व्यायाम

रूपरेखा–1. प्रस्तावना, 2. स्थान और समय, 3. हानि-लाभ, 4. उपसंहार।

प्रस्तावना–हर मनुष्य सुख से रहना पसंद करता है। सुख से रहने के लिए धनादि के अतिरिक्त सुंदर स्वास्थ्य की भी आवश्यकता पड़ती है। वास्तव में स्वास्थ्य सुख की कुंजी है। सुंदर स्वास्थ्य के अभाव में धन और विद्या भी मनुष्य को सुखी बनाने में असमर्थ हो जाते हैं। इसलिए हमारे यहाँ स्वास्थ्य को सबसे अधिक महत्त्व दिया जाता रहा है। कहावत है–"तंदुरुस्ती लाख नियामत।" स्वस्थ रहने के कई उपाय हैं। परंतु सभी उपायों में व्यायाम बेजोड़ है। व्यायाम करने के लिए न तो बहुत समय की आवश्यकता पड़ती है और न बहुत धन की। उसके लिए आवश्यकता है बस एक संकल्पशील मन की। ऐसे मन की जो एक बार लिए गए अपने निर्णय पर बराबर अडिग रहे। व्यायाम उन लोगों के वश का नहीं है जो रोज एक निर्णय लेते और बदलते हैं।

स्थान और समय–व्यायाम करने के पहले उचित स्थान का चुनाव बहुत आवश्यक है। उचित स्थान से मतलब ऐसी जगह से है जहाँ स्वच्छ हवा उपलब्ध हो। वातावरण में प्रदूषण न हो। जहाँ व्यायाम करने वाले हों। लोग बार-बार आ-जाकर परेशान न करें। व्यायाम करते समय व्यक्ति को हर प्रकार की चिंताओं से मुक्त होना चाहिए। यदि व्यायामकर्ता का मन इधर-उधर की उलझनों में फँसा होगा तो व्यायाम करने से कोई फायदा होने वाला नहीं है। प्रातःकाल व्यायाम करने का सबसे अच्छा समय है। व्यायाम हमेशा खाली पेट करना चाहिए। भोजन के बाद व्यायाम करने से लाभ की जगह नुकसान होता है। व्यायाम करने वालों को हमेशा पौष्टिक आहार लेना चाहिए। व्यायाम के कई प्रकार हैं, जैसे–दंड-बैठक, कुश्ती, मुगदर भाँजना, दौड़ना, तैरना आदि। वास्तव में वे सभी क्रियाएँ जो शरीर के विभिन्न अंगों को पुष्ट बनाती हैं, व्यायाम के अंतर्गत आ जाती हैं। व्यायाम के माध्यम का चुनाव व्यायाम करने वालों की प्रवृत्ति और आवश्यकता पर निर्भर करता है। वैसे दौड़ना और तैरना आसान और उत्तम व्यायाम माने जाते हैं। तैरना इसलिए सर्वोत्तम है क्योंकि इससे शरीर के सभी अंगों पर प्रभाव पड़ता है।

हानि-लाभ–व्यायाम के लाभ गिनाए नहीं जा सकते, व्यायाम करने वाले का मन हमेशा प्रसन्न रहता है। पढ़ाई-लिखाई, उद्योग-व्यापार, आदि में उसका मन लगता है। इससे दुष्कर्मों के प्रति आदमी की रुझान नहीं होती। व्यायाम करने वाले मानव के जन्मजात शत्रु आलस्य से बचे रहते हैं। व्यायाम शरीर को पुष्ट बनाता है। इससे इंद्रियाँ सशक्त और क्रियाशील बनती हैं। खाया हुआ अन्न आसानी से पच जाता है। शरीर पर तेज झलकता है। उम्र लंबी होती है और जीवन जीने योग्य बना रहता है। स्वस्थ मनुष्य की सहायता सभी करते हैं। नियमानुकूल व्यायाम

न करने से हानि भी संभव है।

"सबै सहायक सबल को, कोउ न निबल सहाय।
पवन जगावत आग को, दीपहिं देत बुझाय।।

उपसंहार–इससे हम विश्वासपूर्वक कह सकते हैं कि मनुष्य को व्यायाम अवश्य करना चाहिए। जो लोग व्यायाम के नाम पर मुँह बिचकाते हैं उन्हें नहीं मालूम कि वे सुखमय जीवन की एक परम आवश्यकता से अपरिचित हैं। सच तो यह है–बिना व्यायाम, न सुख, न आराम।

कंप्यूटर

रूपरेखा–1. प्रस्तावना, 2. कंप्यूटर और उसके प्रयोग, 3. उपसंहार।

प्रस्तावना–यंत्रिक मस्तिष्कों का रूपात्मक और समन्वयात्मक योग जो तीव्रतम गति से न्यूनतम समय में त्रुटिहीन गणना करता है, ऐसा वह कंप्यूटर जिसकी चर्चा विकसित देशों के बाद आज भारत जैसे विकासशील देश में सुशिक्षित-शिक्षित लोगों के बाद अब क्रमिक रूप से ग्रामीण क्षेत्रों में भी हो रही है।

हमारे अधिकारी और मंत्री देश के आधुनिकीकरण के लिए देश को कंप्यूटरमय बनाने हेतु अमेरिका और जापान से यथासंभव तकनीक का आयात कर रहे हैं। देश के कितने ही सरकारी-अर्द्धसरकारी निजी प्रतिष्ठानों में शीघ्र-श्रेष्ठ सुलभ कार्य करने के लिए कंप्यूटरों ने स्थान पा लिया है।

मानव सदा से ही अपनी गणितीय गणनाओं के लिए गणनायंत्रों का प्रयोग करता रहा है। इस कार्य के लिए प्रयोग की जाने वाली प्राचीन मशीनों में असबेक पहला साधन था। आज तो अनेक प्रकार के जटिल गणना-यंत्र बना लिए गए हैं, जो बहुत जटिल गणनाओं का परिकलन अपने आप कर लेते हैं। इन सब से सर्वाधिक तीव्र, शुद्ध एवं सबसे उपयोगी गणना करने वाला यंत्र कंप्यूटर है।

चार्ल्स बबेज पहले व्यक्ति थे जिन्होंने 19वीं शताब्दी के आरंभ में पहला कंप्यूटर बनाया। यह कंप्यूटर लंबी गणनाएँ करने के साथ-साथ परिणामों को भी मुद्रित कर देता था। किसी समस्या को हल करने के लिए मनुष्य को कई दिन, यहाँ तक कि महीनों लग सकते हैं। जबकि कंप्यूटर स्वयं ही गणना करके जटिल से जटिल समस्याओं के हल मिनटों और सेकेंडों में निकाल सकता है।

कंप्यूटर और उसके उपयोग–आज जीवन के कितने ही क्षेत्रों में कंप्यूटर का व्यापक प्रयोग हो रहा है। बड़े-बड़े व्यवसाय, तकनीकी संस्थान और महत्त्वपूर्ण प्रतिष्ठान कंप्यूटर के यंत्र-मस्तिष्क का लाभ पा रहे हैं। अब तो कंप्यूटर केवल कार्यालय के वातानुकूलित कक्षों तक सीमित नहीं रह गया है वरन् वह हजारों किलोमीटर

दूर रखे हुए दूसरे कंप्यूटर के साथ बात-चीत कर सकता है, उससे सूचनाएँ प्राप्त कर सकता है और उसे सूचनाएँ भेज सकता है।

कंप्यूटर का व्यापक प्रयोग जिन क्षेत्रों में हो रहा है, उनका विवरण इस प्रकार है–

(1) **बैंकिंग के क्षेत्र में**–भारतीय बैंकों में खातों के संचालन और हिसाब-किताब रखने के लिए कंप्यूटर का प्रयोग आरंभ किया गया है। कई राष्ट्रीयकृत बैंकों ने चुंबकीय संख्याओं वाली नई चेक बुक जारी की है। योरोप के कई देशों में तो ऐसी व्यवस्थाएँ अस्तित्व में आ गई हैं कि घर के निजी कंप्यूटर को बैंकों के कंप्यूटरों के साथ जोड़कर लेन-देन का व्यवहार किया जा सकता है।

(2) **प्रकाशन के क्षेत्र में**–समाचार-पत्र और पुस्तकों के प्रकाशन के क्षेत्र में कंप्यूटर से संचालित फोटो कंपोजिंग मशीन के माध्यम से छपने वाली सामग्री को टंकित किया जा सकता है। टंकित होने वाले मैटर को कंप्यूटर के पर्दे पर देखा जा सकता है और उसमें संशोधन भी किया जा सकता है। कंप्यूटर में संचित होने के बाद सारी सामग्री एक छोटी चुंबकीय डिस्क पर अंकित हो जाती है। फोटो कंपोजिंग मशीन इस डिस्क के अंकीय संकेतों को अक्षरीय संकेतों में बदल देती है ताकि उनका मुद्रण हो सके।

(3) **सूचना और समाचार प्रेषण के क्षेत्र में**–दूर-संचार की दृष्टि से कंप्यूटर महत्त्वपूर्ण भूमिका निभा रहे हैं अब तो 'कंप्यूटर नेटवर्क' के माध्यम से देश के प्रमुख नगरों को एक-दूसरे से जोड़ने की व्यवस्था भी की जा रही है।

(4) **डिजाइनिंग के क्षेत्र में**–प्रायः यह समझा जाता है कि कंप्यूटर अंकों और अक्षरों को ही प्रकट कर सकते हैं। यस्तुतः आधुनिक कंप्यूटर के माध्यम से भवनों, मोटर-गाड़ियों, हवाई जहाजों आदि के डिजाइन तैयार करने में 'कंप्यूटर ग्राफिक' का व्यापक प्रयोग हो रहा है। वस्तु-शिल्पी अपनी डिजाइन कंप्यूटर के स्क्रीन पर तैयार करते हैं और साथ में लगे प्रिंटर से इनके प्रिंट भी तुरंत प्राप्त कर लेते हैं।

(5) **कला के क्षेत्र में**–अब कलाकार को न तो कैनवास की आवश्यकता है न रंग और कूचियों की। कंप्यूटर के सामने बैठा हुआ कलाकार अपने उन्हीं वास्तविक रंगों के साथ चित्र बना सकता है।

(6) **वैज्ञानिक अनुसंधान के क्षेत्र में**–कंप्यूटरों के माध्यम से वैज्ञानिक अनुसंधान का स्वरूप ही बदलता जा रहा है। अंतरिक्ष विज्ञान के क्षेत्र में कंप्यूटर ने क्रांति उत्पन्न कर दी है। इनके माध्यम से अंतरिक्ष के व्यापक चित्र उतारे जा रहे हैं और इन चित्रों का विश्लेषण कंप्यूटरों के माध्यम से हो रहा है।

(7) **औद्योगिक क्षेत्र में**–बड़े-बड़े कारखानों में मशीनों के संचालन का कार्य अब कँप्यूटर कर रहे हैं, जिनका संचालन मानव के लिए अत्यधिक कठिन था। भयंकर शीत और जला देने वाली गर्मी भी उन पर कोई असर नहीं डालती।

(8) **युद्ध के क्षेत्र में**–वस्तुतः कंप्यूटर का आविष्कार युद्ध के एक साधन के रूप में, सर्वप्रथम हुआ है। अमेरिका में इलेक्ट्रॉनिक कंप्यूटर, एटमबम से संबंधित गणनाओं के लिए ही बनाया गया है। जर्मन सेना के गुप्त संदेशों को जानने के लिए अंग्रेजों ने 'कोलोसस' नामक कंप्यूटर का प्रयोग किया था। आज भी नए शक्तिशाली कंप्यूटरों का विकास किया जा रहा है। अमेरिका की 'स्टार-वार्स' योजना कंप्यूटरों के नियंत्रण पर आधारित है।

उपसंहार–संभवतः जीवन का कोई भी क्षेत्र ऐसा नहीं है जिसमें कंप्यूटर का प्रयोग न हो रहा हो अथवा इसका प्रयोग न हो सकता हो। कंप्यूटरों के माध्यम से संगीत का स्वरांकन किया जा रहा है। वायुयान अथवा रेलयात्रा के आरक्षण की व्यवस्था की जा रही है। कंप्यूटरों में संचित विवरण के आधार पर विवाह-संबंध जोड़ने वाले अनेक संगठन हमारे देश में कार्यरत हैं। यहाँ तक कि 'कंप्यूटर-ज्योतिष' का धंधा भी आरंभ हो गया है।

इसके साथ ही परीक्षाफल के निर्माण, अंतरिक्ष यात्रा, मौसम संबंधी जानकारी, चिकित्सा क्षेत्र, चुनाव कार्य आदि में कंप्यूटर की सहायता से एक भाषा का अनुवाद दूसरी भाषा में किया जा सकता है। इससे शतरंज जैसा खेल भी खेला जा सकता है। इस प्रकार कंप्यूटर विकास और विनाश दोनों से जुड़ा हुआ है।

पर्यावरण निवारण अथवा प्रदूषण समस्या

रूपरेखा–1. प्रस्तावना, 2. पर्यावरण, 3. प्रदूषण से बचाव, 4. उपसंहार।

प्रस्तावना–20वीं सदी विशेष रूप से ऊर्जा के क्षेत्र में महत्त्वपूर्ण उपलब्धि के रूप में प्रसिद्ध रहेगी। विज्ञान की उपलब्धियाँ प्रगति की चरम सीमा पर पहुँच चुकी हैं और तबाही मचाने वाले आणविक हथियारों की उत्पत्ति में बहुत अधिक वृद्धि हुई है। परिणामस्वरूप संपूर्ण विश्व किसी अनहोनी घटना से भयभीत है। विज्ञान की इस प्रगति के कारण मानव का प्रकृति से रागात्मक लगाव समाप्त-सा हो गया है। भौतिक सत्य इस गति से खुलते जा रहे हैं कि मनुष्य इनका उपयोग सुख और शांति के लिए न करके आपसी संहार करने पर तुला हुआ है। मानव ने विभिन्न ऊर्जाओं पर प्रभुत्व स्थापित कर लिया है, इसलिए उसे यह भ्रम हो चला है कि वह प्रकृति से अलग कुछ है।

पर्यावरण–पर्यावरण के अंतर्गत जल, वायु और आकाश का बहुत महत्त्व है क्योंकि मानव जगत् के ये प्रमुख उत्पादक तत्त्व हैं। इनका संतुलन सदैव से प्रकृति में बना रहा है पर आज मानव इस संतुलन को बिगाड़ने पर तुला हुआ है। आज प्रकृति में असंतुलन के कारण निम्नलिखित तत्त्व हैं–

जल प्रदूषण–प्रकृति ने हमें हमारे पालन-पोषण के लिए जल, वन, पर्वत और नदियाँ प्रदान की थीं परंतु हमने खनन, बाँध बनाकर और वनों को साफ करके उसका रूप परिवर्तन कर दिया। परिणामस्वरूप प्रकृति का मूल रूप पूरी तरह बदल गया। हमारी जनसंख्या की वृद्धि की रफ्तार बहुत तेज है। उसके पालन-पोषण के लिए जल और खाद्यान्न की और अधिक आवश्यकता पड़ेगी। भारत की नदियों में गंगा सबसे पवित्र और निर्मल मानी जाती है पर आज भारत की कोई भी नदी ऐसी नहीं है जिसका जल प्रदूषित न हो गया हो। इस जल को प्रदूषित करने का परिणाम घातक रोगों के कीटाणु जैसे हैजा, पीलिया, टाइफाइड है, जो महामारी का रूप धारण कर लेते हैं। ये संपूर्ण कीटाणु जल में ही उत्पन्न होते हैं, नदियों का जल सर्वत्र प्रयोग में आता है। चर्म रोग भी अधिकतर दूषित जल से ही उत्पन्न होता है। अतः जल प्रदूषण को रोकना बहुत ही आवश्यक है। पेय जल की स्वच्छता की ओर भी विशेष ध्यान देना आवश्यक है।

औद्योगिक प्रदूषण–औद्योगीकरण के फलस्वरूप नगरों की आबादी तेजी से बढ़ी है। गाँव के लोग रोटी रोजगार के चक्कर में शहरों में आकर गंदी बस्तियों की वृद्धि करते हैं। औद्योगीकरण के कारण कृषि योग्य भूमि में कमी हुई है और वनों के विनाश के कारण ही हरियाली नष्ट हो गई है। औद्योगिक केंद्रों की स्थापना के समय प्रदूषण नियंत्रण की ओर कोई ध्यान नहीं दिया जाता है। आग, धूल, राख और धुआँ की कालिमा का प्रभाव घर, बाग-बगीचे सहित दूर-दूर तक होता है। इससे आँखों में चिपचिपापन, रोहा, दृष्टि कमजोर होना, टी.बी., कैंसर आदि चर्म रोग फैलते हैं। औद्योगीकरण के फलस्वरूप तेजाबी वर्षा भी होती है जो फसलों, पेड़-पौधों आदि को विशेष हानि पहुँचाती है। अम्लीय और क्षारीयकरण के कारण भूमि की उत्पादन क्षमता भी घट जाती है।

भूमि प्रदूषण–कृषि उत्पादन को बढ़ाने के लिए उर्वरकों का प्रयोग तेजी से हो रहा है क्योंकि किसान तुरंत नकदी पैदावार चाहता है। कीटनाशक और कृमिनाशक दवाएँ कब और कितनी मात्रा में प्रयोग की जाएँ ? इसका ज्ञान हमारे किसानों को नहीं है। फलस्वरूप अंधाधुंध रासायनिक खादों के प्रयोग से खाद्य सामग्री स्वादहीन हो गई है और उसमें शक्तिवर्द्धक तत्त्वों की कमी भी आ गई है। यदि अगली फसल में इन उर्वरकों का प्रयोग न किया जाए तो उत्पादन बहुत कम रह जाता है। कृषि में रासायनिक खादों के प्रयोग से मानव जाति और पशु-पक्षी भी प्रभावित हुए हैं। आज कैंसर रोग की वृद्धि का कारण यही खादें ही हैं। अतः कृषि उत्पादन बढ़ाने के लिए हमें अधिक मात्रा में गोबर की खाद प्रयोग करनी चाहिए, इससे न तो भूमि और न मानव जाति को हानि उठानी पड़ेगी।

ध्वनि-प्रदूषण–आज शहर और महानगरों में चलने वाले वाहनों से धुआँ और शोर से चर्म रोग, कैंसर आदि रोग हो जाते हैं। शोर प्रदूषण का प्रभाव मन और

मस्तिष्क पर पड़ता है। यदि शोर की मात्रा इसी प्रकार महानगरों में बढ़ती रही तो 21वीं सदी में लोग बहरे होंगे। शोर वास्तव में धीमा जहर है। इससे व्यक्ति मानसिक तनाव और चिड़चिड़ेपन का शिकार हो जाता है। उसकी सही निर्णय लेने की क्षमता नष्ट हो जाती है।

प्रदूषण से बचाव–प्रदूषण की रोकथाम के लिए हमें प्रकृति का सहारा लेना होगा। भारत सरकार का ध्यान पर्यावरण संरक्षण की ओर गया है और उसने वृक्षारोपण का कार्यक्रम चालू किया है। लेकिन पेड़-पौधों की सुरक्षा की जिम्मेदारी आम जनता की है। पर्यावरण संरक्षण के दो प्रमुख पहलू–प्रदूषण नियंत्रण और प्रकृति संरक्षण हमारा मुख्य उद्देश्य होना चाहिए। वायु प्रदूषण करने वाले कारखानों पर नियंत्रण होना चाहिए और उन पर प्रतिबंध लगाना चाहिए। इसी प्रकार धुआँ उगलने वाले वाहनों की रोकथाम करनी चाहिए। जल शुद्धि के लिए संपूर्ण नदियों का जल शुद्ध करना चाहिए उसको गंदा करने वाले साधनों को रोकना चाहिए। पर्यावरण संरक्षण में जन आंदोलन की बहुत बड़ी आवश्यकता है। महानगरों में खतरनाक रसायन कारखानों तथा अन्य प्रदूषण फैलाने वाली वस्तुओं के विरुद्ध तेज आंदोलन करके प्रतिबंध लगवाना होगा। सभी औद्योगिक प्रतिष्ठानों को लाइसेंस के लिए आवेदन करते समय उद्योग विस्तार और प्रदूषण नियंत्रण के लिए किए गए उपयोग की जानकारी भी देनी चाहिए। इसका पालन न होने पर कारखाने को चालू रखने की अनुमति नहीं देनी चाहिए।

उपसंहार–विज्ञान की उत्पत्ति प्रकृति से हुई है और उसे प्रकृति के साथ संतुलन की स्थिति बनाए रखनी चाहिए। प्रकृति को सजाने और सँवारने के लिए बहुत बड़ी क्रांति की आवश्यकता है। जब विज्ञान और प्रकृति में संतुलन स्थापित हो जाएगा तब वह संसार एक निराला और अद्भुत संसार होगा और भविष्य के संपूर्ण खतरों से हम बच सकेंगे। भूमंडल में हर्ष और आनंद की गंगा बहने लगेगी।

राष्ट्रीय एकता

रूपरेखा–1. प्रस्तावना, 2. राष्ट्रीय एकता का अर्थ, 3. आवश्यकता, 4. उपसंहार।

प्रस्तावना–भारत अनेक धर्मों, जातियों और भाषाओं का देश है। भारत की विशेषता है, इसकी अनेकता में एकता की भावना। जब कभी उस एकता को खंडित करने का प्रयास किया जाता है भारत का एक-एक नागरिक सजग हो उठता है। राष्ट्रीय एकता को खंडित करने वाली शक्तियों के विरुद्ध आंदोलन आरंभ हो जाता है–

जिसको न निज गौरव तथा निज देश का अभिमान है।
वह नर नहीं नर पशु निरा है और मृतक समान है।।

राष्ट्रीय एकता का अर्थ–राष्ट्रीय एकता का अभिप्राय है–संपूर्ण भारत की आर्थिक, सामाजिक, राजनीतिक और वैचारिक एकता। हमारे कर्मकांड, पूजा-पाठ, खान-पान, रहन-सहन और वेशभूषा में अंतर हो सकता है, इनमें अनेकता हो सकती है किंतु हमारे राजनीतिक और वैचारिक दृष्टिकोण में एकता है। इस प्रकार अनेकता में एकता ही भारत की प्रमुख विशेषता है।

एक धरा है, एक गगन है, एक पवन, एक पानी।
मजहब बने अनेक एक हैं, हम सब हिंदुस्तानी।।

राष्ट्रीय एकता की आवश्यकता–राष्ट्र की आंतरिक शांति तथा सुव्यवस्था और बाहरी दुश्मनों से सुरक्षा के लिए राष्ट्रीय एकता परम आवश्यक है। यदि हम भारतवासी किसी कारणवश छिन्न-भिन्न हो गए तो हमारी पारस्परिक फूट को देखकर अन्य देश हमारी स्वतंत्रता को हड़पने का प्रयास करेंगे। इस प्रकार अपनी स्वतंत्रता की रक्षा एवं राष्ट्र की उन्नति के लिए राष्ट्रीय एकता परम आवश्यक है।

राष्ट्रीय एकता में बाधक तत्त्व–राष्ट्रीय एकता को छिन्न-भिन्न कर देने वाले कारणों को जानना जरूरी है ताकि उनको दूर करने का पूरा-पूरा प्रयास किया जा सके। इनमें प्रमुख निम्न हैं–

(1) **सांप्रदायिकता**–राष्ट्रीय एकता के मार्ग में सबसे बड़ी बाधा सांप्रदायिकता की भावना है। सांप्रदायिकता वह बुराई है, जो मानव-मानव में फूट डालती है, दो दोस्तों के बीच नफरत और भेद की दीवार खड़ी करती है, भाई को भाई से अलग करती है और अंत में समाज के टुकड़े कर देती है। दुर्भाग्य से इस रोग को समाप्त करने का जितना अधिक प्रयास किया गया है, यह उतना ही अधिक बढ़ता गया है, स्वार्थ में लिप्त राजनीतिज्ञ संप्रदाय के नाम पर भोले-भाले लोगों को लड़ाकर अपना हित-साधन करने में लगे हैं। परिणामतः देश का वातावरण विषाक्त होता जा रहा है।

यदि राष्ट्र को एक सूत्र में बाँधे रखना है तो सांप्रदायिक विद्वेष, स्पर्धा, ईर्ष्या आदि राष्ट्रविरोधी भावों को अपने मन से दूर रखना होगा। सांप्रदायिक सद्भावना पैदा करनी होगी। सांप्रदायिक सद्भाव से तात्पर्य है कि हिंदू, मुसलमान, ईसाई, सिक्ख, पारसी, जैन, बौद्ध आदि सभी मतावलंबी भारत भूमि को अपनी मातृभूमि मानकर स्नेह और सद्भाव के साथ रहें, यह राष्ट्रीयता के लिए आवश्यक ही नहीं अनिवार्य भी है।

(2) **भाषागत विवाद**–भारत बहुमुखी राष्ट्र है। विभिन्न प्रांतों की अलग-अलग बोलियाँ और भाषाएँ हैं। प्रत्येक व्यक्ति अपनी भाषा को श्रेष्ठ और उसके साहित्य को महान् मानता है। इस आधार पर भाषागत विवाद खड़े हो जाते हैं तथा राष्ट्र

की अखंडता भंग होने के खतरे बढ़ जाते हैं।

मजहब नहीं सिखाता आपस में बैर रखना।
हिंदी हैं हम, वतन है हिंदोस्तां हमारा।।

(3) **प्रांतीयता की भावना**–चूँकि भारत के सभी प्रांत राष्ट्रीयता के सूत्र में आबद्ध हैं अतः उनमें अलगाव संभव नहीं है। कभी-कभी यदि किसी अंचल विशेष के निवासी अपने पृथक् अस्तित्व की माँग करते हैं, तो राष्ट्रीयता की परिभाषा को न समझने के कारण ही करते हैं। इस प्रकार की माँग करने से राष्ट्रीय एकता और अखंडता का विचार ही समाप्त हो जाता है।

राष्ट्रीय एकता की ओर प्रयास–विचारक, साहित्यकार, दार्शनिक, समाज-सुधारक अपनी-अपनी सीमाओं में निरंतर इस बात के लिए प्रयत्नशील हैं कि देश में भाईचारे और सद्भावना का वातावरण बने, अलगाव की भावनाएँ समाप्त हों। फिर भी इस आग में कभी पंजाब सुलग उठता है, कभी बिहार, कभी महाराष्ट्र, तो कभी उत्तर प्रदेश।

अप्रिय घटनाओं की पुनरावृत्ति इस बात का संकेत देती हैं कि हम टकराव और बिखराव पैदा करने वाले तत्त्वों को रोक नहीं पा रहे हैं। इन समस्याओं का समाधान केवल राष्ट्र नेताओं, अथवा प्रशासनिक अधिकारियों के स्तर पर नहीं हो सकता। इसके लिए हम सबको मिल-जुलकर प्रयास करना होगा। जनता तो रीढ़ है यदि वह उदासीन बनी रही तो किसी भी समस्या का समाधान हो पाना संभव नहीं है।

उपसंहार–हमारा इतिहास साक्षी है कि अनेक धर्मों, अनेक जातियों और अनेक भाषाओं वाला यह देश एकता की एक कड़ी में बँधा रहा है। यहाँ अनेक जातियों का आगमन हुआ और वे सभी धीरे-धीरे इसकी मूलधारा में विलीन हो गईं। उनके रीति-रिवाज, परंपरा, विचारधारा और संस्कृति इस देश के साथ एकरूप हो गई। भारत की यह विशेषता आज भी ज्यों की त्यों बनी हुई है। भारत के नागरिक होने के नाते हमारा यह पुनीत कर्तव्य है कि हम भारतीय एकता की भावना को नष्ट न होने दें, वरन् उसे और अधिक पुष्ट बनाएँ। एक रहें, अजेय रहें।

वृक्षारोपण अथवा वन महोत्सव

रूपरेखा–1. प्रस्तावना, 2. परंपरा, 3. महत्त्व, 4. लाभ, 5. उपसंहार।

"वृक्ष अवनि के हैं आभूषण
करते रहते दूर प्रदूषण"

प्रस्तावना–वृक्ष (वन) ही जीवन है। मार्तण्ड के उत्तालआतप को सहन कर

श्रांत-क्लांत पथिकों को अपनी सुखद छाया दान करने वाले एवं अनमोल फल-फूलों से जगत् को प्रसन्न करने वाले वृक्ष तुम्हारा यश संपूर्ण संसार में फैला हुआ है।

वृक्षारोपण की प्राचीन सांस्कृतिक परंपरा–भारतीय संस्कृति का विकास वनों से ही हुआ। प्राचीन भारत में वनों का बड़ा महत्त्व था। वानप्रस्थ, ब्रह्मचर्य और संन्यास आश्रम जन कोलाहल से दूर वनों में ही स्थित थे। वन महोत्सव भारत का राष्ट्रीय पर्व होता था। पुराणों और इतिहासों में भी वृक्षारोपण का वर्णन विद्यमान है। वृक्षारोपण अभियान कोई नई परंपरा नहीं है। शारंगधर पद्धति में लिखा है, धर्म और अर्थ से, अनेक पुत्रों के जन्म से क्या लाभ है ? इससे तो अधिक अच्छा मार्ग में लगाया गया एक वृक्ष है जो लोगों को छाया और फल देता है। जिस प्रकार दस वृक्षों के निर्माण का पुण्य एक तालाब बनवाने के बराबर होता है उसी प्रकार दस पुत्रों का पुण्य एक वृक्ष लगाने के समान है।

"वृक्ष लगाओ पुण्य महान।
एक वृक्ष दस पुत्र समान।।

महत्त्व–भारतीय संस्कृति में वनों का महत्त्व बहुत अधिक है। वनों की परंपरा को अनवरत अक्षुण्ण बनाए रखने के लिए अनेक व्रत और पर्वों की प्रथा प्रारंभ की थी। जिसमें हरियाली तीज, बहुला चतुर्थी, बरमावस आदि मुख्य हैं। इन पर्वों पर वृक्ष पूजन और नवीन वृक्षारोपण होता है। भारतीयों को वन विज्ञान का अभूतपूर्व ज्ञान था। ऋषियों ने हरे वृक्ष काटने वालों के लिए दंड का विधान निर्धारित किया था। हरे वृक्षों को काटना पाप था।

लाभ–मनुस्मृति में वृक्षों से होने वाले लाभों का तथा उनके महत्त्व का विस्तृत वर्णन है। सच मानें तो वृक्ष ही जीवन है। हमें वृक्षों से अनेक लाभ हैं जैसे–वृक्ष ही वर्षा के आकर्षण केंद्र हैं। वृक्ष भूमि की उर्वरा शक्ति में वृद्धि करते हैं। पौष्टिक और विटामिनों से युक्त फल देते हैं। भूमि कटाव को रोकते हैं। उत्तरी शीतल और गर्म पवन को रोकते हैं। अकाल के समय भोजन और शरण देते हैं। वृक्षों से हरियाली, शोभा और छाया मिलती है। वृक्ष ईंधन और इमारती लकड़ी के साधन हैं। वृक्षों से गोंद, तेल, कपूर तथा नाना प्रकार की दुर्लभ औषधियाँ प्राप्त होती हैं।

वन महोत्सव का श्रीगणेश–मध्य युग में वनों का राष्ट्रीय महत्त्व समाप्त हो गया। जनसंख्या वृद्धि के कारण वनों को काटकर वनश्री को नष्ट किया गया। नवीन वृक्षारोपण बंद हो गया। धरती की हरियाली धीरे-धीरे मिटती गई। भूमि की उर्वरा शक्ति घट गई। जलवायु की मधुरता कम हो गई। मरुस्थल बढ़ने लगे। वृक्षों का अभाव चुभने लगा। बढ़ते हुए मरुस्थल को रोकने के लिए तत्कालीन राज्यपाल श्री के. एम. मुंशी ने वन संपदा को पुनर्जीवित करने के लिए सन् 1950 में 'वन महोत्सव' का श्रीगणेश किया। अब तो उत्तर प्रदेश शासन ने भी वृक्षारोपण को

पर्याप्त बढ़ावा दिया है। पुनः संपूर्ण देश में वृक्षारोपण का काम तीव्र गति से प्रारंभ है।

उपसंहार– *"हे मानव बन ही जीवन है,*
जीवन निधि से प्यार करो
नए-नए नित वृक्ष लगाकर,
धरती का श्रृंगार करो।।

रक्षाबंधन

रूपरेखा–1. प्रस्तावना, 2. समय, 3. महत्त्व, 4. वर्णन, 5. उपसंहार।

प्रस्तावना–हमारे देश की संस्कृति का गौरव संसार में अलौकिक है। विद्वान पूर्वजों, ऋषियों-मुनियों ने आज से कई सौ साल पूर्व जिन पर्वों का निर्धारण किया था, वे अब भी अपना पृथक् महत्त्व रखते हैं। उन पर्वों को सदा सनातन की भाँति निर्धारित तिथियों पर हम आज भी आमोद-प्रमोद के साथ मनाते चले आ रहे हैं। जिनमें प्रमुख हैं दशहरा, रक्षाबंधन, दीपावली, होली इत्यादि। इन पर्वों की पुण्य वेला पर प्राणिमात्र के अंग-अंग से प्रेम-पय छलक-छलक उठते हैं।

रक्षा-बंधन अनमोल, मोल न जिसका।
प्राणों से बढ़कर अधिक मूल्य है इसका।

समय और महत्त्व–विद्वान आर्यों ने वर्णों को चार प्रमुख श्रेणियों में विभाजित किया था जो इस प्रकार थे–ब्राह्मण, क्षत्रिय, वैश्य और शूद्र। इन वर्णों का त्योहारों के साथ एक घनिष्ठ संबंध था। श्रावणी ब्राह्मणों का प्रमुख त्योहार था। ब्राह्मण इस पर्व पर अपने यजमानों के हाथ की कलाइयों में रक्षा-सूत्र बाँधते थे, इसीलिए इसका नाम रक्षाबंधन भी पड़ा। जब काली घटाओं से आच्छादित आकाश मन-मयूर को नृत्य करने पर विवश करता है, जब मेघ की घोर-गर्जना से धरा, अप्सराओं का हृदय-तन काँप-काँप उठता है, जब वन-मोर का नृत्य, दादुर का टर्र-टर्र, झिंगुर की झनकार में मिलकर भयानक रव उत्पन्न करता है, जब सावन की सुहावनी घड़ी में कंदर्प बरबस बरसने लगता है, तब रण बाँकुरे वीरों की पैनी कटारें उनकी म्यानों में समा जाती हैं। वे रण-आभूषण को उतारकर वर्षा से अवरुद्ध मार्ग को देख, उस घड़ी की प्रतीक्षा करने लगते हैं, जब दुरूह पथ सुगम हो और सरलता से शत्रु-दुर्ग पर आक्रमण किया जा सके। इस काल ब्राह्मण यज्ञ करते थे। हरियाली उगाकर अपने यजमानों के हाथ में रक्षा सूत्र बाँधते थे जिससें उनके यजमान युद्ध में जाकर विजय प्राप्त कर लौटें। यजमान भी इसके प्रतिकार में ब्राह्मणों को धन देकर संतुष्ट किया करते थे।

विकराल युद्ध की विभीषिका में परिवार की बहनों को भी अपने सतीत्व को बचाने की चिंता लगी रहती थी। अतः वे भी इस दिन अपने भाइयों की कलाइयों में रक्षा सूत्र बाँधा करती थीं और भाई भी उसके प्रतिकार स्वरूप प्राणों की बाजी लगा करके उनकी रक्षा का वचन दिया करते थे। माथ देते थे, किंतु बहनों की मर्यादा नहीं जाने देते थे।

वर्णन–श्रावण मास का श्याम पक्ष जब बीत चुका होता था और पूर्णिमा काल बस सप्ताह भर दूर रह जाता था तब प्रत्येक परिवार से कोई व्यक्ति विशेष जाकर खेतों से उपजाऊ मिट्टी ले आता था और उसे पात्रों में भरकर जौ या गेहूँ बो दिया करता था।

यह एक प्रकार से बीजों का प्रायोगिक परीक्षण था और हरियाली उगाने का साधन भी था। यज्ञ स्थानों में भी इस प्रकार मिट्टी के पात्र हरियाली हेतु रखे जाते थे। श्रावण पूर्णिमा की सांध्यकालीन वेला में जिस प्रकार मेघ-कोख को गुदगुदाती दिनकर की चंचल किरणें डूबने को होती हैं और राका प्रेम-रस की राग के साथ धरती की ओर ललचाई दृष्टि से झाँकने को तैयार होता है, उसी प्रकार सभी जन-मानस कुछ दिन पूर्व बोए हुए जौ-गेहूँ से लहलहाते हरित पात्र को लेकर किसी जल-सरोवर के पास जाते हैं। मिट्टी के पात्र को जल में स्नान कराके पात्र को फोड़कर भुजरियों को लेकर घर आते हैं। भुजरियों के आदान-प्रदान का कार्यक्रम कई दिनों तक चलता है। मुख्य रूप से स्त्रियाँ ही पद में भाई लगने वाले व्यक्ति के हाथ या केश शिखा में बाँधती हैं। भुजरियों और रक्षा-बंधन का स्वरूप लगभग एक जैसा है। इतिहास इस बात का साक्षी है कि राखी का महत्त्व आज से कहीं अधिक प्राचीनकाल में था। रानी कर्मवती ने हुमायूँ को राखी भेजकर अपनी रक्षा की याचना की थी। बादशाह हुमायूँ ने मुस्लिम होते हुए भी बहन कर्मवती की जाकर रक्षा की तथा राखी का गौरव रखा।

उपसंहार–राखी वह साक्ष्य है जिसमें बहनों की मर्यादा रखने तथा रक्षा करने का संकल्प है। राखी वह बंधन है जिसकी रक्षा के लिए प्राणों का बलिदान भी कम है। बहनों को चाहिए कि राखी उसी कलाई में बाँधें जो उसके लिए उचित पात्र हो, जो देश की, कुल की, आन-मान मर्यादा की रक्षा के लिए कृत-संकल्प हो। भाइयों को भी चाहिए कि राखी के पवित्र बंधन की गरिमा को बनाए रखें तथा बहनों की रक्षा के लिए सदैव प्राण-पण से तैयार रहें। हे श्रावणी सचमुच तुम महान् हो। तुम्हारा आगमन हमारे कल्याण-पथ का रथ है। तुम प्रतिवर्ष आना तुम्हारा हृदय से स्वागत है।

भारतीय किसान

रूपरेखा–1. प्रस्तावना, 2. रहन-सहन, 3. समस्याएँ, 4. किसानों की दशा सुधारने की दिशा में प्रयत्न, 5. उपसंहार।

प्रस्तावना–हमारा देश भारत एक कृषि प्रधान देश है। यहाँ की अस्सी प्रतिशत जनता ग्रामों में ही निवास करती है। ग्रामों की पावन-पृथ्वी की कोख से ही भारतीय संपत्ति और प्रकृति का जन्म हुआ है। सादा जीवन और उच्च विचार किसान का आदर्श है। वह त्याग और तपस्या की साक्षात् मूर्ति है। मार्तंड के प्रचंड ताप और भयानक सर्दी की शीतलता को सहन करते हुए अन्न का जन्मदाता सचमुच किसान महान् है। किसान राष्ट्र का प्राण है।

रहन-सहन और दिनचर्या--किसान का रहन-सहन अत्यंत सरल है। सुगमता से सुलभ वस्तु पर सादा जीवन व्यतीत करना, सदैव प्रसन्न रहना, ईर्ष्या-छल, द्वेष-दंभ से दूर रहना किसान के बुनियादी गुण हैं। धोती-कुर्ता प्रिय वेशभूषा है। आवश्यकताएँ सीमित हैं। ब्रह्ममुहूर्त में बैलों की रस्सी हाथ में लेकर निकल पड़ना उसका धर्म है। अथक श्रम से खेतों की जुताई, बुआई, सिंचाई करके अन्न पैदा करना मुख्य धंधा है। किसान त्यागी और तपस्वी है। वह अन्न पैदा करके समस्त सांसारिक प्राणियों का पेट भरता है।

"रूखा-सूखा भोजन करना, चमक दमक से रहना दूर।
श्रम स्वभाव, न तिल आडंबर, धन्य-धन्य हे मानव सूर।"

समस्याएँ–हमारे देश का किसान बड़ा अभिशप्त जीवन जी रहा है। वह अशिक्षित और कुरीतियों का शिकार है। वह प्राचीन रूढ़ियों और अंधविश्वास के दलदल में फँसा हुआ है। जाति-पाँति, छोटे-बड़े के भेदभाव, छुआछूत तथा धार्मिक अंधविश्वास की जाल में जकड़ा हुआ है। विवाह-शादी, जनम-मरण तथा शुभ अवसरों पर वह अपव्यय करता है और इसीलिए सदा ऋण के बोझ से दबा रहता है।

किसानों का शोषण कर्ज दाताओं और महाजनों ने किया है। जमींदारों ने किया है। आज भी किसान को वे महाजन खूब लूट रहे हैं, जो मनमानी ब्याज पर कर्ज देकर उसकी फसल हथिया लेते हैं। किसानों को शोषण से बचाने का समय आ गया है। यह सभी का कर्तव्य है कि उन्हें सबसे पहले सभ्य और सुशिक्षित बनाएँ। किसान की उन्नति देश की प्रगति होगी, इसके लिए किसान के रहन-सहन की दशा सुधारनी होगी जिससे वे उन्नत किस्म की खेती करके अधिक अन्न पैदा कर सकें। उन्हें कृषि के आधुनिक यंत्रों और वैज्ञानिक विधियों की जानकारी देनी होगी। इससे किसान का विकास होगा और जीवन स्तर ऊँचा उठेगा। सरकार इस दिशा में काफी प्रयासरत है। किसानों को बहुत कम ब्याज पर ऋण उपलब्ध कराया जा रहा है। दूरदर्शन और रेडियो पर कृषि जगत् के कार्यक्रमों का प्रचार हो रहा

है। नए बीजों और खाद की जानकारी दी जा रही है। गाँवों में बिजली और खाद की व्यवस्था की जा रही है। किसानों के जीवनस्तर को उन्नत करने के लिए गाँवों में सभी सुख-सुविधाएँ उपलब्ध करायी जा रही हैं।

उपसंहार–हमारी सरकार देश के किसानों की दशा सुधारने के लिए अनेक योजनाएँ बना रही है। किसान की फसल के भंडारण की व्यवस्था की जा रही है। भूमिहीन किसानों को भूमि दी जा रही है। गाँवों में अस्पताल तथा शिक्षण संस्थाएँ खोली जा रही हैं। आवास तथा शिक्षण की व्यवस्था में भी सुधार किया जा रहा है। सरकार पंचायत राज कायम करके किसानों को स्वयं अपनी समस्याओं का समाधान करने के लिए प्रोत्साहित कर रही है। निश्चय ही किसान भविष्य में अपना जीवन आदर्शमय बनाकर सदैव की भाँति राष्ट्र कल्याण करता रहेगा।

अपठित

अपठित शब्द की रचना 'अ' उपसर्ग तथा 'पठित' शब्द के संयोग से हुई है। 'अ' का अर्थ है बिना और 'पठित' का अर्थ है 'पढ़ा हुआ' इस प्रकार 'अपठित' शब्द का अर्थ हुआ 'न पढ़ा हुआ।' अर्थात् जो न पढ़ा हुआ हो उसे अपठित कहते हैं। अपठित को अँग्रेजी में (अनसीन) कहते हैं। अपठित अवतरण में बहुत-सी बातें पूछी जाती हैं। रेखांकित शब्दों, वाक्यांशों या वाक्यों की व्याख्या तथा अर्थ पूछे जाते हैं। अपठित अंशों को लिखने के पहले विद्यार्थियों को अच्छी तरह स्थिर मन से उसे कई बार पढ़ना चाहिए। गद्य अथवा पद्य खंड के उद्धृत अवतरण को अच्छी तरह समझ लेने के बाद ही उसे हल करें। अपठित अवतरणों का उत्तर लिखते समय निम्नांकित बातों पर अवश्य ध्यान दें–

1. **शीर्षक**–किसी गद्य या पद्य में जिस विषय का वर्णन होता है, उसी को शीर्षक कहते हैं। यह ऊपर मध्य भाग में मोटे अक्षरों में लिखा जाता है। शीर्षक छोटा से छोटा होना चाहिए। इसमें पद्यांश या गद्यांश का भाव झलकना चाहिए। यह अधिकतर अवतरण के प्रथम या अंतिम वाक्य में होता है। शीर्षक अधिक से अधिक दो या तीन शब्दों का आकर्षक, गंभीर तथा भावपूर्ण होना चाहिए। शीर्षक सदैव मोटे अक्षरों में लिखना चाहिए।

2. **भावार्थ**–भावार्थ उसे कहते हैं, जिसमें अर्थ को छोड़कर केवल भाव लेकर स्वतंत्र वाक्यों में अर्थ लिखा जाता है। इसमें प्रत्येक शब्द का अर्थ न लिखकर लेखक के भावों को पूर्ण रूप से स्पष्ट करना चाहिए। इसमें भाषा सौंदर्य तथा अलंकार आदि बातों को दर्शाना आवश्यक नहीं होता।

3. **अर्थ**–गद्य या पद्य के किसी अंश को अपनी सरल भाषा में बदल देना उसका अर्थ कहलाता है। अर्थ लिखने में कठिन शब्दों को सरल और स्पष्ट शब्दों में लिखें तथा कठिन एवं संकुचित अंशों को सहज एवं सरल भाषा में परिवर्तित करें।

4. व्याख्या–किसी बात को समझाने के लिए किया गया उसका विस्तृत स्पष्ट और सरल अर्थ व्याख्या कहलाता है। किसी गद्य अथवा पद्य की व्याख्या करते समय उसके पूर्व-प्रसंग या अंतःकथा आदि का संबंध अवश्य बनाना चाहिए। उसके कठिन अंशों को अत्यंत सरल भाषा में लिखना चाहिए। जिससे किसी वाक्य में आए हुए विषय की संपूर्ण जानकारी न रखने वाले व्यक्ति को भी उसकी जानकारी हो जाए। इसमें भाषा, भाव, विचार आदि सभी बातों पर प्रकाश डालकर प्रत्येक बात अत्यंत सरल एवं सुबोध ढंग से लिखनी चाहिए।

सारांश–इसमें लेखक अथवा कवि के विचारों को अत्यंत संक्षिप्त में प्रकट किया जाता है। सारांश जितना संक्षिप्त हो उतना ही अच्छा होता है।

आशय–इसमें लेखक की मूल इच्छा को प्रकट किया जाता है। तात्पर्य, अभिप्राय, आशय के पर्याय हैं।

रेखांकित अंशों की व्याख्या–रेखांकित अंशों की व्याख्या करते समय सरल भाषा का प्रयोग करना चाहिए। भाव-विचार-वाक्य अपने हों और व्याकरण के अनुकूल हों।

प्रश्नों के उत्तर–प्रश्नों का उत्तर सरल और स्पष्ट होना चाहिए। प्रश्न में जो बात पूछी जाए केवल उसी का उत्तर देना चाहिए। अपठित गद्य अवतरणों के कुछ उदाहरण निम्नांकित हैं (सभी वार्षिक परीक्षा प्रश्नपत्रों से उद्धृत हैं)–

(1) देश की उन्नति का बहुत बड़ा दायित्व सच्चे देशभक्तों पर ही निर्भर करता है। देश का गौरव सच्चे देश-भक्त ही होते हैं। उसी देश का उत्थान हो सकता है, जहाँ के देशवासियों में देश-प्रेम कूट-कूट कर भरा है। जिनकी **शिरा-शिरा, धमनी-धमनी में देश-प्रेम से सिक्त रक्त प्रवाहित हो रहा है।** जिस देश में स्त्री-पुरुषों का आधिक्य होता है, उसकी अवनति स्वप्न में भी संभव नहीं हो सकती। जिस देश में जितने देश-भक्त सच्चे नागरिक होंगे वह **देश उतना ही समृद्धि के शिखर पर चढ़ सकता है।**

भारत की स्वतंत्रता के पीछे कौन-सी शक्ति काम कर रही थी ? क्या अँग्रेजों ने प्रसन्न होकर स्वतंत्रता दान में दे दी थी ? कदापि नहीं। वास्तव में इस स्वतंत्रता के पीछे भी सहस्रों देश-भक्तों की बलि छिपी हुई है। उनके रक्त की लहरें परतंत्रता की चट्टान से बार-बार टकरा रही थीं और लहरों की टक्कर से ही **परतंत्रता की चट्टान एक दिन चूर-चूर हो गई।**

(अ) उपर्युक्त गद्यांश का सारांश लिखिए।

(ब) मोटे टाइप के अंशों का अर्थ स्पष्ट कीजिए।

उत्तर (अ) उपर्युक्त गद्य का सारांश–

देश की उन्नति और गौरव सच्चे देश-भक्तों के ऊपर ही निर्भर होती है। जिस देश के नागरिक सच्चे देश-प्रेमी होते हैं; उसी की उन्नति होती है। जिस

देश के स्त्री-पुरुष सच्ची देश-भक्ति से ओत-प्रोत होते हैं, उसकी कभी अवनति नहीं हो सकती, बल्कि ऐसा देश सदैव उन्नति के ही रास्ते चढ़ता चला जाता है।

भारत एक ऐसा महान् देश है जिसके देश-भक्तों ने अपने प्राणों की बलि देकर स्वतंत्रता प्राप्त की है। यह स्वतंत्रता हमें दान या भीख में नहीं मिली है, बल्कि हमारे बलिदानों का फल है। यह आजादी हमें अनेक शहीदों के रक्त के बदले में मिली है।

(ब) मोटे टाइप अंशों का अर्थ सस्पष्ट–

1. शिरा-शिरा .... हो रहा है–जो देश के लिए सदैव मर मिटने को तैयार थे।
2. देश .... चढ़ सकता है–ऐसा देश ही सर्वांगीण विकास कर सकता है और वैभव तथा समृद्धि में सब देशों से आगे बढ़ सकता है।
3. परतंत्रता .... चूर-चूर हो गई–वीर शहीदों के बलिदानों ने पराधीनता की बेड़ियाँ तोड़कर स्वतंत्रता प्राप्त कर ली।

(2) भारत में **पर्वतारोहण** की कहानी भी कुछ कम पुरानी नहीं है। ऋषि-मुनि और हमारे देवता सदा से ही हिमालय की चोटियों पर जाकर जप-तप करते रहे हैं। कुरुक्षेत्र के महायुद्ध के पश्चात् महाराज युधिष्ठिर आज से कोई पाँच हजार वर्ष पूर्व अपना सारा राजपाट छोड़कर शांति की खोज में अपने चारों भाइयों और द्रौपदी के साथ हिमालय की **हिमाच्छादित** चोटियों की ओर चल पड़े थे। कहा जाता है कि उनके चारों भाइयों और द्रौपदी ने मार्ग में ही प्राण त्याग दिए और केवल युधिष्ठिर और उनका भक्त कुत्ता ही शिखर तक पहुँचे थे। यह चोटी आज भी मध्य हिमालय में पंचचूली के नाम से पुकारी जाती है।

(अ) भारत में पर्वतारोहण का आरंभ कब से हुआ ?

(ब) गद्यांश के अनुसार हिमालय पर जाने का क्या उद्देश्य रहता था ?

(स) मोटे टाइप के शब्दों का अर्थ स्पष्ट कीजिए।

(द) ऊपर लिखे गद्यांश का उपयुक्त शीर्षक लिखिए।

(3) स्वावलंबी मनुष्य की **यश-कीर्ति पूर्णिमा की चंद्रिका** के समान चारों ओर फैलती है। उसका यश गान, चारण और भाट शताब्दियों तक गाया करते हैं। कवियों और लेखकों की लेखनी उसकी धवल कृतियों का निरंतर बखान किया करती है। उनका अभिनय रंगशालाओं तथा चित्रपटों पर हुआ करता है। पाठक और श्रोता उससे **मनोरंजन के अतिरिक्त** नित्य नया पाठ सीखा करते हैं। मनुष्य की कीर्ति उसकी **शारीरिक सुंदरता नहीं** वरन् उसकी पुण्य कृतियों को फैलाती है।

(अ) उपर्युक्त गद्यांश का सारांश लिखिए।

(ब) मोटे टाइप के अंशों का अर्थ स्पष्ट कीजिए।

(4) एक विद्वान का कहना है कि विश्वासी मित्र से बड़ी रक्षा होती है। जिस आदमी को ऐसा मित्र मिल जाए **मानो उसे संसार का सबसे बड़ा कोष** मिल गया। विश्वासी मित्र **जीवन की औषधि** है। ऐसा मित्र हमें दोषों और त्रुटियों से बचाता है। **हमारे सत्य और पवित्रता को पुष्ट करता है।** जब हम बुरे मार्ग पर पैर रखते हैं वह मित्र हमें सचेत करता है और जीवन निर्वाह में हमें प्रत्येक प्रकार की सहायता देता है। ऐसे ही आदमी से प्रत्येक युवा पुरुष को मित्रता करनी चाहिए।

(अ) उपर्युक्त गद्यांश का सारांश लिखिए।

(ब) मोटे टाइप का अर्थ स्पष्ट कीजिए।

(5) इन युद्धों के **भीषण परिणामों को भुगतने के उपरांत भी तीसरे महायुद्ध की संभावनाएँ** बढ़ती जा रही हैं। युद्ध की **भयंकरता और उसका विनाशकारी रूप भी बढ़ गया है।** प्राचीन काल में युद्ध दो जातियों या दो देशों के पारस्परिक संघर्ष के रूप में होता था। परंतु अब यह बात नहीं रही है। आज युद्ध होता है तो उन्हीं दो जातियों या देशों तक सीमित नहीं रह सकता। उसका प्रभाव देश-व्यापी होगा। विश्व के एक कोने में उठी हुई युद्ध की चिनगारी उस कोने में सीमित न रहकर विश्व को अपनी **ज्वाला में लपेट लेगी हमारा पूर्ण विनाश कर देगी।**

(अ) उपर्युक्त गद्यांश का सारांश लिखिए।

(ब) मोटे टाइप के अंशों का अर्थ स्पष्ट कीजिए।

(6) राष्ट्रीय ध्वज का स्थान बहुत ऊँचा है। यह किसी देश की जनता की शक्ति का प्रतीक है, परंतु ध्वज वहीं तक ऊँचा हो सकता है, जहाँ तक उस देश की जनता आगे बढ़ सकती है। यही बात आपके विषय में भी है। आप वहीं तक आगे बढ़ सकते हैं, जहाँ तक बढ़ने का आप अपने मन को विश्वास दिला सकते हैं। अन्य लोग आपको वह नहीं समझते हैं, जो आप अपने आपको समझते हैं। **किसी भी व्यक्ति का मूल्य व महत्त्व संसार उतना ही समझता है जितना उस व्यक्ति में आत्मविश्वास हो।**

(अ) ऊपर लिखे गद्य का उपयुक्त शीर्षक लिखिए।

(ब) किसी देश का ध्वज कहाँ तक 'सम्मान पा सकता है ?'

(स) ध्वज किस प्रकार जनता की शक्ति का प्रतीक है ?

(द) मोटे टाइप के वाक्य का अर्थ स्पष्ट कीजिए।

(7) आलस्य को छोड़ने के लिए **शारीरिक श्रम** करना चाहिए। आलस्य को जीतने का एक यही उपाय है। यदि इससे काम न लिया गया, तो उसकी सजा प्रकृति की ओर से मिले बिना न रहेगी। बीमारियों के या किसी और कष्ट के रूप में वह सजा भोगनी ही पड़ेगी। शरीर श्रम में जो समय लगता है, वह व्यर्थ

नही जाता। इसका प्रतिफल अवश्य मिलता है। उत्तम **आरोग्य** प्राप्त होता है। शारीरिक रोग का जैसे मन पर असर होता है, वैसे ही शारीरिक आरोग्य का भी होता है, यह अनुभव सिद्ध है।

(अ) आलस्य से क्या सजा भोगनी पड़ती है ?

(ब) शरीर श्रम का क्या प्रतिफल मिलता है ?

(स) मोटे टाइप के अंशों का अर्थ स्पष्ट कीजिए।

(द) ऊपर लिखे गद्य भाग का उपयुक्त शीर्षक लिखिए।

(8) आज के भौगोलिक ज्ञान से प्रदेश में हमें ज्ञात हो चुका है कि ध्रुव में छह माह का दिन और छह माह की रात्रि होती है। सूर्य के प्रकाश न होने के कारण प्रकृति वहाँ विचित्र प्रकाश का प्रबंध करती है, इसे 'मेरुप्रभा' कहते हैं। मेरुप्रभा की छटा ध्रुव प्रदेश को छोड़कर संसार में और कहीं देखने को नहीं मिलती। परंतु वेदों में इसका बड़ा ही सुंदर वर्णन किया गया है। इसी आधार पर आर्यों का मूल निवास ध्रुव प्रदेश माना जाता है।

(अ) ध्रुव प्रदेश से हमें क्या नवीन बात ज्ञात हुई है ?

(ब) ध्रुव प्रदेश में रात के समय प्रकाश किससे मिलता है ?

(स) उपर्युक्त गद्यांश का भावार्थ अपने शब्दों में लिखिए।

(द) ऊपर लिखे गद्यांश का उपयुक्त शीर्षक लिखिए।

(9) फूल का एक नाम सुमन है। सुमन का तात्पर्य है सुंदर मन वाला। फूल के लिए कितना सही नाम है, यह। इस नाम में ही उसकी सारी गरिमा समाहित है। आँधी-तूफानों के बीच निर्जन वन में भी वह मुस्कराता रहता है। धूप हो या वर्षा, सबको वह प्रसन्न मन सह लेता है। खिलकर जब वह मधु और सुरभि से भर जाता है, चारों दिशाओं को सुरभित कर देता है। तितलियाँ और भ्रमर उसके ऊपर मँडराने लगते हैं। अपना सुरभिमय जीवन वह सारे संसार को लुटा देता है।

(अ) फूल को 'सुमन' क्यों कहा गया ?

(ब) फूल निर्जन वन में किन-किन कठिनाइयों का सामना करता है ?

(स) फूल अपने सुरभिमय जीवन से संसार को क्या लाभ पहुँचाता है ?

(द) गद्यांश का आशय अपने शब्दों में स्पष्ट कीजिए।

अपठित पद्य

गद्य की तरह पद्य भी अपठित के रूप में पूछे जाते हैं। अपने कठिन शब्दों एवं जटिल प्रसंगों के कारण इनका अर्थ भी कुछ विविधता लिये होता है। बिना अच्छी तरह समझे हुए ऐसे पद्यों का अर्थ नहीं लिखना चाहिए। अर्थ लिखने के पूर्व पद्य का अन्वय करके उसका अर्थ, सारांश और भाव आदि समझ लेना चाहिए। कुछ परीक्षोपयोगी पद्य निम्नांकित हैं—(सभी वार्षिक परीक्षा के प्रश्नपत्रों से उद्धृत हैं)।

(1) उठे जहाँ पर घोष शांति का भारत स्वर तेरा है,
धर्मदीप हो जिसके भी कर में वह नर तेरा है।
तेरा है वह वीर, सत्य पर जो लड़ने जाता है,
किसी न्याय के लिए प्राण अर्पित करने जाता है।
मानवता के इस ललाट-चंदन का नमन करूँ मैं ?
किसको नमन करूँ मैं भारत ? किसको नमन करूँ मैं ?

(क) ऊपर लिखी कविता में भारत के वीर की क्या विशेषताएँ बताई हैं।
(ख) इस कविता का उपयुक्त शीर्षक लिखिए।
(ग) भारत किस बात के लिए प्रयत्नशील रहा है ?

उत्तर–

(क) उपर्युक्त कविता के अनुसार भारत के वीर पुरुष शांति स्थापक, धर्म प्राण, सत्यनिष्ठ एवं न्याय के लिए प्राणों की बलि देने वाले थे।
(ख) उपर्युक्त कविता का शीर्षक 'भारतीय वीर' है।
(ग) भारत सदैव ही संसार में शांति स्थापना के लिए प्रयत्नशील रहा है। यहाँ की जनता धर्म का प्रचार करती है और धर्म पर प्राण देने के लिए तैयार रहती है। यहाँ के वीर पुरुषों ने शांति स्थापना तथा संसार को धर्म का प्रकाश देने में योगदान किया है।

(2) *उसी उदार की कथा सरस्वती बखानती,*
उसी उदार से धरा कृतार्थ भाव मानती।
उसी उदार की सदा सजीव कीर्ति कूजती।
तथा उसी उदार को समस्त सृष्टि पूजती।
अखंड आत्मभाव जो असीम विश्व में भरे।
वही मनुष्य है कि जो मनुष्य के लिए मरे।।

(क) समस्त सृष्टि किसका पूजन करती है ?

(ख) पाँचवीं तथा छठी पंक्तियों की व्याख्या कीजिए।

(3) *है कार्य ऐसा कौन-सा साधे न जिसको एकता ?*
देती नहीं अद्भुत अलौकिक शक्ति किसको एकता ?
दो एक एकादश हुए, किसने नहीं देखे-सुने ?
हाँ, शून्य के भी योग से हैं अंक होते दश गुने।

(क) उपर्युक्त पद्य का मूल भाव स्पष्ट कीजिए।

(ख) चौथी पंक्ति का मूल भाव स्पष्ट कीजिए।

(ग) उक्त पद्य का उचित शीर्षक दीजिए।

(4) *मेरे हृदय के हर्ष हा ! अभिमन्यु अब है तू कहाँ,*
दृग खोलकर बेटा ! तनिक तो देख हम सबको यहाँ।
मामा खड़े हैं, पास तेरे, तू यहीं पर है पड़ा,
निज गुरुजनों के मान का तो ध्यान था तुमको बड़ा
व्याकुल तनिक भी देखकर तू धैर्य देता था मुझे,
पर आज मेरे पुत्र प्यारे ! हो गया है क्या तुझे।
धात्री सुभद्रा को समझकर माँ मुझे था मानता,
पर आज तू ऐसा हुआ मानो न था पहचानता।

(क) कविता में किस समय का दृश्य चित्रण किया गया ?

(ख) उक्त कविता में कौन-सा रस है ?

(ग) 'मेरे हृदय के हर्ष' से क्या तात्पर्य है ?

(घ) मामा का संकेत किसके प्रति है ?

(5) *शिशु तेरी अनुपम छवि निहार।*
मिल जाता हमको स्वर्ग द्वार।
नभ से मयंक लगता रुचिकर,
सरवर में विकसित कमल सुघर
उपवन में है गुलाब सुंदर
पर माँ की गोदी में इनसे
बढ़कर तेरी छवि है अपार।

(क) उपर्युक्त कविता का शीर्षक लिखिए।

(ख) कवि ने किन-किन वस्तुओं से शिशु को अधिक सुंदर बताया है।

(ग) कविता का भावार्थ लिखिए।

(6) *कर दिया मधु और सौरभ, दान सारा एक दिन,*
किंतु रोता कौन है, तेरे लिए दानी सुमन।
मत व्यथित हो फूल! किसको सुख दिया संसार ने;
स्वार्थमय सबको बनाया है यहाँ कर्त्तार ने।
विश्व में ही फूल! तू सबके हृदय भाता रहा,
दान कर सर्वस्व फिर भी हाय हर्षाता रहा।
जब न तेरी ही दशा पर दुःख हुआ संसार को,
कौन रोएगा सुमन! हमसे मनुज निस्सार को।

(क) कवि की युक्ति किसके प्रति है ?

(ख) सुमन और कर्त्तार के पर्यायवाची शब्द लिखिए ?

(ग) कविता का सरल अर्थ लिखिए ?

(घ) इस कविता से आपको क्या शिक्षा मिलती है ?

(7) *क्षमा शोभती उस **भुजंग** को*
*जिसके पास **गरल** हो।*
उसको क्या जो दंतहीन,
विषहीन, विनीत सरल हो।
सहनशीलता, क्षमा, दया को
तभी पूजता जग है।
*बल का **दर्प** चमकता उसके*
पीछे जब जगमग हो।

(क) उपर्युक्त कविता का भावार्थ लिखिए।

(ख) मोटे शब्दों का अर्थ लिखिए।

(ग) सहनशीलता, क्षमा आदि गुणों को कवि किस अवस्था में उचित समझता है ? समझाकर लिखिए।

(8) *माँगी नाव न केवट आना, कहहि तुम्हार मरम मैं जाना।*
चरन-कमल-रज कहँ सब कहई, मानुस करनि मूरि कछू अहई।
छुवत सिला भई नारि सुहाई, पाहन ते न काठ कठिनाई।
तरनिउ मुनि घरनी होइ जाई, बाट परै मोरि नाव उड़ाई।
यहि प्रति पालहुँ सब परिवारू नहिं जानहूँ कछु और कबारू।
जो प्रभु पार अवसि गा चहहूँ, मोहि पद पदुम पखारन कहहूँ।

(क) उपर्युक्त पंक्तियों का भावार्थ स्पष्ट कीजिए।

(ख) इस पंद्याश का उपयुक्त शीर्षक दीजिए।

(9) *अधिकार खोकर बैठ रहना यह महा दुष्कर्म है*
न्यायार्थ अपने बंधु को भी दंड देना धर्म है।
इस तत्त्व पर ही कौरवों से पांडवों का रण हुआ,
जो मध्य भारतवर्ष के कल्पांत का कारण हुआ।

(क) पद्य का भाव सरल शब्दों में समझाइए ?

(ख) कौरव-पांडवों के युद्ध का क्या कारण था ?

(ग) दुष्कर्म, न्यायार्थ का संधि-विच्छेद कीजिए ?

(घ) इस पद के लिए उपयुक्त शीर्षक चुनिए ?

(10) *पावस ऋतु थी पर्वत प्रदेश, पल-पल परिवर्तित प्रकृति वेश,*
मेखलाकार पर्वत अपार अपने सहस्र दृग सुमन फार,
अवलोक रहा है बार-बार नीचे जल में निज महाकार,
जिसके चरणों में पड़ा ताल दर्पण सा फैला है विशाल।

(क) उपर्युक्त कविता का शीर्षक लिखिए ?

(ख) कवि ने पर्वत को बार-बार क्या करते हुए बताया है ?

(ग) कविता में किसको दर्पण के समान कहा गया है ?

(घ) कविता का भावार्थ अपनी सरल भाषा में लिखिए ?

(11) *सृजन है अधूरा अगर विश्व भर में*
कहीं भी किसी द्वार पर है उदासी,
मनुजता नहीं पूर्ण तब तक बनेगी,
कि जब तक लहू के लिए भूमि प्यासी,
चलेगा सदा नाश का खेल यूँ ही,
भले ही दिवाली यहाँ रोज आए।
जलाओ दीए पर रहे ध्यान इतना
अँधेरा धरा पर कहीं रह न जाए।।

(क) पद्य का भाव सरल शब्दों में समझाइए ?

(ख) उपर्युक्त कविता का शीर्षक लिखिए ?

भारत की महान् विभूतियाँ

1. श्री रामचंद्र

भारत में कोई ऐसा व्यक्ति नहीं है जो श्री राम नाम की कीर्ति से परिचित न हो। राम भारतवासियों के लिए तो ईश्वर के अवतार और भगवान हैं ही, संपूर्ण विश्व में भी उन्हें एक आदर्श महापुरुष माना जाता है। वह अयोध्या के राजा दशरथ के सबसे बड़े पुत्र थे। महाराज दशरथ के तीन रानियाँ कौशल्या, कैकेयी और सुमित्रा थीं। कौशल्या के राम, कैकेयी के भरत और सुमित्रा के लक्ष्मण और शत्रुघ्न चार पुत्र हुए। राम अपने सभी भाइयों को अत्यधिक प्रेम करते थे और छोटे भाइयों को प्रसन्न करने के लिए खेल में स्वयं हार जाते थे। राम बड़े ही विनम्र, शिष्ट और मृदुल स्वभाव के थे।

ऋषि विश्वामित्र राक्षसों से अपने यज्ञ की रक्षा हेतु जब महाराज दशरथ से राम और लक्ष्मण को माँगकर अपने आश्रम ले गए तो दोनों राजकुमारों ने अपने शौर्य से अत्याचारी राक्षसों का दमन कर दिया और आश्रम क्षेत्र में शांति स्थापित की। इसी बीच राजा जनक द्वारा अपनी पुत्री सीता के विवाह हेतु आयोजित स्वयंवर का निमंत्रण ऋषि विश्वामित्र को प्राप्त हुआ। विश्वामित्र दोनों राजकुमारों को लेकर स्वयंवर में पहुँचे। यहाँ गुरु की आज्ञा पाकर राम ने स्वयंवर की शर्त के अनुसार शिव के धनुष की प्रत्यंचा को चढ़ाकर, सीता से विवाह किया। वहाँ से लौटकर अयोध्या में आनंदपूर्वक रहने लगे।

महाराज दशरथ ने अपनी वृद्धावस्था को देखकर राम को युवराज पद पर सुशोभित करना चाहा किंतु दासी मंथरा के बहकावे में आकर रानी कैकेयी ने राजा से पूर्व प्रदत्त दो वरदान माँग लिए जिनमें एक के द्वारा भरत को युवराज पद और दूसरे वर के द्वारा राम को 14 वर्षों के लिए वनवास माँगा। अपने वचन की रक्षा के लिए राजा दशरथ ने दोनों वरदान दे दिए। राम पिता की आज्ञा से वन को चल

दिए। उनके साथ उनकी पत्नी सीता और भाई लक्ष्मण भी वन को चल दिए। उनके वियोग में दशरथ ने दुःखी होकर प्राण त्याग दिए। ननिहाल से जब भरत लौटे तो उन्हें पूर्ण वृत्तांत ज्ञात हुआ। भरत राम को वन से लौटा लाने के लिए उनके पास गए किंतु राम ने उन्हें समझा-बुझाकर लौटा दिया।

वन में राम को अनेक विपत्तियों का सामना करना पड़ा। एक दिन लंका के राजा रावण की बहन शूर्पणखा वहाँ घूमती हुई आई। वह राम के सौंदर्य को देखकर उन पर मोहित हो गई और राम से विवाह करने की इच्छा प्रकट की। राम ने उसके प्रस्ताव को ठुकरा दिया। उसने अपने भाई रावण को इस अपमान का बदला लेने के लिए उकसाया। रावण ने छल करके सीता का अपहरण कर लिया। राम ने सीता की खोज की जिसमें किष्किंधा के राजा सुग्रीव और उनके सेनापति अंगद और हनुमान ने अत्यधिक सहायता की। उनकी सहायता से राम ने वानरों की सेना तैयार की और लंका पर चढ़ाई कर दी।

घमासान युद्ध के पश्चात् राम ने रावण को मार गिराया और वहाँ के राज्य को रावण के भाई विभीषण को सौंपकर 14 वर्ष की अवधि पूर्ण होने पर राम लक्ष्मण और सीता सहित अयोध्या लौटे। जनता और भरत ने उनका स्वागत किया और राम का राज्याभिषेक किया। राम ने लंबे समय तक देश का शासन उत्तम रीति से किया। जनता को सभी प्रकार की सुख और समृद्धि प्राप्त हुई। उन्होंने आदर्श और लोक कल्याणकारी राज्य स्थापित किया। आज भी भारतवासी उन्हें आदर्श महापुरुष और भगवान मानकर उनकी पूजा करते हैं।

2. भीष्म पितामह

भारतवर्ष के महान् वीर, त्यागी और बलिदानी महापुरुषों में पितामह भीष्म का नाम बड़े आदर के साथ लिया जाता है। वे महाराजा शांतनु और माता गंगा के इकलौते पुत्र थे। उनका बचपन का नाम देवव्रत था। पुत्र को जन्म देकर गंगा अपने लोक को चली गई तो महाराजा शांतनु पत्नी वियोग में दुःखी रहने लगे। एक दिन गंगा के किनारे उन्होंने मल्लाहों के प्रमुख दाशराज की पुत्री सत्यवती को देखा। सत्यवती अति रूपवती युवती थी। शांतनु ने सत्यवती से विवाह का प्रस्ताव उसके पिता के पास भेजा किंतु दाशराज ने यह शर्त रख दी कि यदि महाराज के बाद सत्यवती के पुत्र को राज्य देने का वायदा करें तो सत्यवती से महाराज का विवाह कर दूँगा। राजा यह शर्त स्वीकार न कर सके और सत्यवती के लिए व्याकुल रहने लगे। देवव्रत ने जब पिता की उदासी का कारण जाना तो उन्होंने दाशराज के सम्मुख आजीवन ब्रह्मचारी रहने की प्रतिज्ञा की जिससे कि सत्यवती के पुत्र को राज्याधिकार प्राप्त

करने में कोई अड़चन न आए। इस भीषण प्रतिज्ञा के कारण ही देवव्रत को भीष्म कहा जाने लगा।

महाराजा शांतनु का सत्यवती से विवाह हुआ और उससे उनके दो पुत्र हुए चित्रांगद और विचित्रवीर्य। चित्रांगद निःसंतान मरे और विचित्रवीर्य को धृतराष्ट्र और पांडु नामक दो पुत्र उत्पन्न हुए। धृतराष्ट्र जन्मांध थे अतः राज्यगद्दी पांडु को प्राप्त हुई। धृतराष्ट्र के 100 पुत्र हुए जिनमें दुर्योधन सबसे बड़ा था। पांडु के क्रमशः युधिष्ठिर, भीम, अर्जुन, नकुल और सहदेव पाँच पुत्र हुए। धृतराष्ट्र के पुत्र कौरव तथा पांडु के पुत्र पांडव कहे जाते थे। अर्जुन धनुर्विद्या में, भीम मल्लयुद्ध में अद्वितीय थे। दुर्योधन पांडवों से ईर्ष्या रखता था। भीष्म ने इन राजकुमारों की शिक्षा-दीक्षा का उचित प्रबंध किया था। भीष्म उनके पितामह लगते थे इसलिए देवव्रत को भीष्म पितामह कहा जाने लगा।

पांडु की मृत्यु के पश्चात् दुर्योधन ने अपने मामा शकुनि की सहायता से पांडवों का सारा राज्य जुए के बहाने छीन लिया और उन्हें बारह वर्षों के लिए वन में जाना पड़ा। वन से लौटने पर इसने राज्य देने से स्पष्ट मना कर दिया। कौरवों और पांडवों के बीच युद्ध का यही मूल कारण बना। भीष्म पितामह यद्यपि इस युद्ध में दुर्योधन के सेनापति बने किंतु मन से वह पांडवों की विजय चाहते थे क्योंकि पांडवों का पक्ष सत्य का था। द्वारिकाधीश श्रीकृष्ण इस युद्ध में अर्जुन के सारथी बने किंतु उन्होंने स्वयं शस्त्र न उठाने की भी प्रतिज्ञा की थी।

दस दिन तक दोनों सेनाओं में भयंकर युद्ध हुआ। दोनों ओर के अनेक महारथी मारे गए। दुर्योधन ने भीष्म पितामह पर यह आरोप लगाया कि वह पांडवों के प्रति पक्षपात कर रहे हैं फलतः भीष्म ने कहा कि युद्ध में विजय तो पांडवों की ही होगी किंतु आज मैं ऐसा भीषण युद्ध करूँगा कि कृष्ण को भी अपनी प्रतिज्ञा भंग कर अस्त्र उठाना पड़ेगा। हुआ भी उस दिन यही, भीष्म के भयंकर प्रहारों से पांडव सेना विचलित हो उठी। कृष्ण भी रथ का एक पहिया उठाकर भीष्म पर प्रहार करने के लिए उद्यत हो गए। उसी समय भीष्म ने उनसे क्षमा माँगी और अपने प्रण के पूर्ण होने की बात कही साथ ही पांडवों को अपनी मृत्यु का रहस्य भी बता दिया।

तदनुसार पांडवों ने शिखंडी, जो पूर्वजन्म में स्त्री था, को आगे करके युद्ध प्रारंभ किया। भीष्म स्त्री पर प्रहार नहीं कर सकते थे अतः युद्ध से अलग हो गए इसी समय अर्जुन का बाण भीष्म को लगा। उनका शरीर बाणों से बिंध गया। वे गिर गए और ये बाण ही उनकी शैया बन गए। पितामह को प्यास लगी किंतु उन्होंने किसी के हाथ का पानी न पिया। उनके संकेत पर अर्जुन ने पृथ्वी में एक बाण मारा जिससे जलधारा फूट पड़ी और उसी का उन्होंने जलपान किया।

अट्ठावन दिन तक भीष्म इसी प्रकार बाणों की शैया पर लेटे रहे और सूर्य

के उत्तरायण होने पर उन्होंने प्राण त्यागे। ऐसे थे महावीर भीष्म पितामह जिन्होंने मृत्यु को भी अपने वश में कर लिया था।

3. महात्मा बुद्ध

भारत के महापुरुषों में बौद्ध धर्म के प्रवर्तक महात्मा बुद्ध का नाम बड़े आदर के साथ लिया जाता है। वे कपिलवस्तु के राजा शुद्धोदन के पुत्र थे। उनका बचपन का नाम सिद्धार्थ था। जब सिद्धार्थ केवल सात दिन के ही थे कि उनकी माता का स्वर्गवास हो गया। अतः उनकी मौसी गौतमी ने उनका पालन-पोषण किया। सिद्धार्थ अति सहृदय विनम्र और कुशाग्र बुद्धि के थे। थोड़े समय में ही वे सभी विद्याओं में कुशल हो गए। उनके हृदय में सभी प्राणियों के लिए अपार दया थी। विद्वानों ने उनके संबंध में यह भविष्यवाणी की कि वे एक दिन घर-बार त्यागकर संन्यासी हो जाएँगे और संपूर्ण संसार को मानवता का उपदेश देंगे। वे संन्यासी न हो जाएँ, अतः माता-पिता ने यशोधरा नाम की एक राजकुमारी से उनका विवाह कर दिया जिससे उनको एक राहुल नामक पुत्र रत्न की प्राप्ति हुई।

एक दिन नगर भ्रमण करते हुए सिद्धार्थ ने एक वृद्ध पुरुष को देखा उस वृद्ध की दयनीय दशा को देखकर वे दुःखी हुए। आगे बढ़ने पर एक मुर्दे को श्मशान ले जाते हुए देखा। उनके द्वारा सारथी से इसकी इस दशा का कारण पूछे जाने पर सारथी ने बताया कि सभी को इसी प्रकार वृद्ध होना और मरना है। इससे उनके मन को अति दुःख हुआ और उनका मन इस जन्म मरण के दुःख से मुक्त होने के लिए छटपटाने लगा। एक रात वे पुत्र और पत्नी को सोता हुआ छोड़कर सब कुछ त्याग कर संन्यासी हो गए और सत्य की खोज के लिए निकल पड़े।

विचरण करते हुए वे बौद्ध गया पहुँचे और ज्ञान प्राप्त करने का संकल्प लेकर एक वट वृक्ष के नीचे बैठ गए। 6 वर्षों तक कठोर साधना के पश्चात् उन्हें ज्ञान प्राप्त हुआ और वे बुद्ध कहलाए। गौतम बुद्ध अब घूम-घूमकर लोगों को उपदेश देने लगे। उन्होंने कहा—सभी को अपने समान समझो, किसी प्राणी को न सताओ, पशुओं की बलि देना उचित नहीं है, सभी से प्रेम और भाई-चारे का व्यवहार करो, जीवों पर दया करो, दुखियों की सेवा करो, सच्चाई और पवित्रता का जीवन अपनाओ, जाति-पांति का भेदभाव न करो।

थोड़े समय में ही उनकी शिक्षाओं का लोगों पर प्रभाव पड़ा और वे उनके अनुयायी हो गए। उनके द्वारा प्रचारित धर्म 'बौद्ध' कहलाया। उन्होंने साधुओं (भिक्षुओं) के लिए अनेक विहार बनवाए। देश-देशांतरों में बुद्ध के उपदेशों का प्रचार हुआ। सम्राट अशोक ने भी बौद्ध धर्म अपनाया और शिक्षाओं के प्रसार के लिए अनेक

स्तूप बनवाए। अजंता, एलोरा की गुफाएँ, कुशीनगर के स्तूप और अशोकचक्र इस बात के साक्षी हैं कि बौद्ध धर्म ने सभी को प्रभावित किया और विदेशों में भी बौद्ध धर्म का प्रसार हुआ।

4. अशोक महान्

भारत के प्राचीन शासकों में सम्राट अशोक का नाम बड़े आदर के साथ लिया जाता है। वह अत्यंत प्रतापी, वीर और प्रजापालक राजा थे। वह भारत में केंद्रीय शासन स्थापित करना चाहते थे। कलिंग देश को अपने राज्य में मिलाने के लिए उन्होंने उस पर आक्रमण किया। दोनों तरफ की सेनाओं में भयंकर युद्ध हुआ। युद्ध क्षेत्र में चारों ओर लाशें ही लाशें दिखाई देने लगीं। इस युद्ध में लगभग एक लाख लोग मारे गए। रोते-बिलखते स्त्री-बच्चों को देखकर सम्राट अशोक का हृदय दहल गया। उन्होंने तलवार फेंक दी और फिर कभी युद्ध न करने का प्रण कर लिया। उन्होंने प्रेम के द्वारा लोगों के हृदय जीतने की नीति अपनाई। प्रेम के द्वारा उन्होंने इतने बड़े राष्ट्र को एक शासन-सूत्र में बाँधा। इसीलिए उन्हें अशोक महान् कहा जाने लगा।

अशोक ने बौद्ध धर्म स्वीकार किया। अपनी प्रजा का संतान के समान पालन-पोषण किया। उनका हृदय दया से भर गया था। पशु-पक्षियों के प्रति वह दया का व्यवहार करते थे। बौद्ध धर्म की शिक्षाओं के प्रसार के लिए उन्होंने अनेक स्तूप बनवाए। अपने पुत्र महेन्द्र और पुत्री संघमित्रा को बौद्ध धर्म के प्रचार के लिए विदेशों में भेजा। बौद्ध धर्म के सिद्धांतों को शिलाओं, स्तंभों और लाटों पर अंकित कराया। हमारे राष्ट्रीय ध्वज में अंकित चक्र को सारनाथ में स्थित अशोक स्तंभ से ही लिया गया है। अशोक महान् के कार्य अपने युग से बढ़ कर थे। उन्हें 'युग पुरुष' कहना सर्वथा उचित ही होगा।

5. चंद्रगुप्त विक्रमादित्य

भारत के गुप्तवंशीय शासकों में चंद्रगुप्त विक्रमादित्य का नाम स्वर्णाक्षरों में अंकित है। इनके बड़े भाई रामगुप्त विलासी, कायर और डरपोक स्वभाव के राजा थे। जब शक राजा ने इन पर आक्रमण कर दिया तो अपने प्राण बचाने के लिए रामगुप्त ने अपनी पत्नी ध्रुवस्वामिनी को भी शकराज को भेंट में देना स्वीकार कर लिया था किंतु चंद्रगुप्त ध्रुवस्वामिनी का वेश धारण कर पालकी में शक राजा के शिविर

में पहुँचा और अपने सैनिकों की सहायता से शक राजा का वध कर दिया और अपने भाई का राज्य वापस ले लिया। चंद्रगुप्त प्रारंभ से ही अति धार्मिक, स्वाभिमानी और राजनीति में कुशल व्यक्ति थे। रामगुप्त की मृत्यु के पश्चात् चंद्रगुप्त राजा बना और विक्रमादित्य की उपाधि धारण की।

चंद्रगुप्त विक्रमादित्य अति न्यायप्रिय शासक थे। उन्होंने समस्त छोटे-बड़े राज्यों को अपने अधिकार में लेकर एक मजबूत शासन की स्थापना की। इन्हीं के शासन काल में चीनी यात्री फाह्यान भारत आया था जिसने चंद्रगुप्त के शासन की भूरि-भूरि प्रशंसा की। चंद्रगुप्त ने यातायात के लिए सड़कें बनवाईं उनके किनारे विश्रामालय तथा औषधालय भी बनवाए। उसके समय में भारत व प्रजा अति समृद्ध और सभी प्रकार से सुखी थी।

चंद्रगुप्त विक्रमादित्य के शासन काल में संस्कृति, कला और वाणिज्य का पर्याप्त विकास हुआ। सोने, चाँदी और ताँबे के सिक्के इसी समृद्धि के प्रतीक हैं। ऐसा माना जाता है कि विक्रम संवत् का प्रारंभ चंद्रगुप्त विक्रमादित्य ने ही किया। उसी के कारण गुप्तवंश का शासन काल भारतीय इतिहास का स्वर्ण युग कहलाता है।

6. कबीरदास

भारत के प्राचीन संतों और समाज-सुधारकों में कबीरदास का नाम अति प्रसिद्ध है। कबीर के माता-पिता तथा जन्म के विषय में अनेक कहानियाँ प्रचलित हैं। इन कहानियों में वास्तविकता इतनी ही है कि कबीर का पालन-पोषण नीरू और नीमा नामक जुलाहे दंपति ने किया। वे पढ़े-लिखे न थे किंतु साधुओं की संगति से उन्होंने अच्छा ज्ञान प्राप्त कर लिया था। वे जीवन भर अपना जुलाहे का कार्य परिश्रमपूर्वक करते रहे। उनकी पत्नी का नाम लोई था। उनके कमाल नामक पुत्र तथा कमाली नामक एक पुत्री भी थी।

कबीर सात्विक स्वभाव के व्यक्ति थे। वे जाति-पांति और छुआछूत को नहीं मानते थे। वे रामानंद के शिष्य थे। उन्होंने समाज में व्याप्त बुराइयों का खंडन किया। बुराइयों के लिए उन्होंने हिंदू और मुसलमान दोनों को ही फटकारा। वे "ना काहू से दोस्ती ना काहू से बैर" की भावना सभी के प्रति रखते थे। उन्होंने लोगों को प्रेमपूर्वक रहने का उपदेश दिया। उन्होंने सभी धर्मों और प्राणियों को समान बताया। उनके अनुसार–"एकै मटिया एक कुम्हारा। एक सबन का सिरजन हारा।" गुरु के प्रति उनके मन में असीम श्रद्धा थी। उन्होंने गुरु को ईश्वर से भी महान् बताया है। वे जनता को आडंबरों और अंधविश्वासों से मुक्त कराना

चाहते थे। वे जीवनभर हिंदू-मुस्लिम एकता के लिए प्रयत्नशील रहे।

कबीर ने अपना अंतिम समय काशी के समीप मगहर में व्यतीत किया और वहीं 119 वर्ष की आयु में देहत्याग किया। उनका अंतिम संस्कार हिंदू और मुसलमानों ने अपनी-अपनी रीति से किया। आज भी उनके उपदेश हमारे समाज को सुधार का संदेश देते हैं।

7. संत रैदास

उच्च कुल में ही नहीं वरन् निम्न जातियों में भी महान् व्यक्तियों ने जन्म लेकर देश की सच्ची सेवा की है। रैदास ऐसे ही संत थे। संत रैदास कबीर के गुरु भाई थे क्योंकि इनके भी गुरु स्वामी रामानंद जी थे। इन्होंने अपने घर में चला आया पैतृक कार्य (जूता बनाना) कभी नहीं छोड़ा। हाँ बीच-बीच में समय मिल जाने पर यह साधुओं के बीच बैठकर ज्ञान अर्जन करते रहे और संत पद पर पहुँच गए।

इनके पिता का नाम राघू और माता का नाम धुरबिनिया था। इनका जन्म स्थान काशी था। इन्हें अपने द्वारा दिए गए वचनों का बहुत ध्यान रहता था। कहते हैं एक बार कोई पर्व पड़ा तो इनके मित्रों ने इनसे गंगा चलने की बात कही। इन्होंने किसी को जूता बनाकर देने का समय दे रखा था। अतः ये नहीं गए और यह कहकर कि तीर्थ तो घर पर ही है यदि मन चंगा रहे। यह कहकर कि मन चंगा तो कठौती में गंगा आ जाती है, गंगा को कठौती में बुला लिया था।

इन्होंने अपने समय में प्रचलित ऊँच-नीच के भेदभाव और छुआछूत का घोर विरोध किया था। वे सभी धर्मों को मानते थे और कहा करते थे कि ईश्वर तो एक ही है नाम भेद तो हमने कर दिए हैं। पवित्र और उदार वचनों के कारण रैदास की गणना संतों में होने लगी थी। अभिमान शून्य रहकर काम करने वाला व्यक्ति सफलता प्राप्त करता है ऐसा इनका दृढ़ विचार था। इनके उपदेशों का समाज पर गहरा प्रभाव पड़ा। आज भी रैदास के उपदेशों का समाज कल्याण के लिए प्रयोग किया जाता है।

8. महाराणा प्रताप

आज ऐसा कौन-सा भारतीय है जो महाराणा प्रताप के नाम से परिचित न हो। मेवाड़ राजस्थान का एक छोटा-सा राज्य था। महाराणा प्रताप उसी राज्य के शासक थे। उस समय मुगल सम्राट अकबर अपने साम्राज्य का विस्तार करने में लगा हुआ

था। वह अपनी विशाल सेना के साथ छोटे-छोटे राज्यों को अपने अधीन करता हुआ आगे बढ़ रहा था। इसी प्रयास में उसने मेवाड़ पर भी आक्रमण किया। उस समय राजपूत राजा आपसी फूट के कारण एक न हो सके किंतु महाराणा प्रताप ने अकबर से हार स्वीकार नहीं की यहाँ तक कि उनका छोटा भाई शक्ति सिंह भी अकबर से जा मिला। राणा प्रताप ने हिम्मत से काम लिया और उन्होंने बिखरे हुए सरदारों और सेना का पुनर्गठन किया और प्रत्यक्ष युद्ध को छोड़कर अरावली की पहाड़ियों में छिपकर छापामार युद्ध करने लगे और मुगल सेना को छकाने लगे।

महाराणा प्रताप का अकबर से इतिहास प्रसिद्ध युद्ध हल्दी घाटी में हुआ। अपने चुने हुए छापामार सैनिकों की सहायता से राणा ने मुगल सैनिकों के छक्के छुड़ा दिए किंतु मुगल सेना को विशाल सैन्यशक्ति का लाभ मिला। राणा प्रताप घायल हो गए और उनके साथी सरदार झाला ने राणा का मुकुट स्वयं पहन लिया और राणा से मैदान से हट जाने को कहा और स्वयं प्राणों का बलिदान कर दिया। राणा प्रताप अपने प्रिय घोड़े चेतक पर चढ़कर युद्ध क्षेत्र से सुरक्षित निकल गए किंतु शक्ति सिंह उनका पीछा कर रहा था। अंततः चेतक भी गिर गया और मर गया। राणा की इस अवस्था पर शक्ति सिंह का हृदय बदल गया उसने राणा की सहायता कर अपने आचरण पर पश्चात्ताप किया। महाराणा प्रताप निरंतर 25 वर्षों तक मुगलों से संघर्ष करते रहे। उनका प्रण था कि जब तक मातृभूमि को स्वतंत्र नहीं कर लूँगा तब तक पत्तल पर भोजन करूँगा और जमीन पर सोऊँगा। आज देशवासी उन्हें स्वतंत्रता के रक्षक के रूप में पूजते हैं। नमन करते हैं।

9. तानसेन

संगीत सम्राट तानसेन का जन्म ग्वालियर के पास बेहट गाँव में पंडित मकरंद पांडेय के घर हुआ था। कहते हैं कि 10 वर्ष की अवस्था में बालक तन्ना ने अपने मुँह से शेर की दहाड़ निकाल कर प्रसिद्ध संगीताचार्य स्वामी हरिदास को प्रभावित किया। वे तन्ना को उसके पिता से माँग कर वृंदावन ले गए और उसे संगीत की शिक्षा प्रदान की और श्रेष्ठ संगीतकार बनाया। मरणासन्न पिता की इच्छा से इन्होंने हजरत मुहम्मद गौस से संगीत का ज्ञान प्राप्त किया। सम्राट अकबर ने उनके संगीत से प्रभावित होकर अपने दरबार के नवरत्नों में स्थान देकर सम्मानित किया।

एक बार अकबर ने इनसे दीपक राग गाने को कहा। तानसेन ने निवेदन किया कि दीपक राग गाने से मेरे प्राण संकट में पड़ जाएँगे परंतु अकबर ने अपना आग्रह न छोड़ा। फलतः उन्हें दीपक राग गाना पड़ा। राग के समाप्त होते ही दरबार में आग की लपटें उठने लगीं। कहते हैं तब तानसेन की पुत्री सरस्वती ने मल्हार

राग गाकर जल वर्षा कराई और दरबार में लगी आग को शांत किया। इसी प्रकार एक बार अपने अपरिचित गुरु भाई बैजनाथ से उनकी संगीत स्पर्धा हुई। बैजनाथ के द्वारा माल कोश राग गाने पर तानसेन उन्हें पहचान गए और अपनी हार स्वीकार करते हुए उन्हें गले से लगाया। सन् 1585 ई. में तानसेन का स्वर्गवास हुआ किंतु संगीत की दुनिया में उनका नाम संगीत सम्राट के रूप में सदा अमर रहेगा।

10. अहिल्याबाई

भारत की देशभक्त वीरांगनाओं में महारानी अहिल्याबाई का नाम बड़े आदर के साथ लिया जाता है। उनका जन्म महाराष्ट्र के औरंगाबाद के मनकोजी सिंधिया के घर हुआ था। बचपन से ही उन्हें धर्म के प्रति रुचि थी। बारह वर्ष की अवस्था में इनका विवाह इंदौर के राजा मल्हार राव होल्कर के पुत्र खंडेराव के साथ हुआ। इनके प्रोत्साहन से ही खंडेराव अपने विलासी स्वभाव को छोड़कर राज कार्य में रुचि लेने लगे थे। मल्हार राव ने पुत्रवधू को भी राजनीति में प्रशिक्षित किया। विवाह के दस वर्ष बाद एक पुत्र तथा एक पुत्री रत्न की इन्हें प्राप्ति हुई।

थोड़े समय बाद ही इनके ऊपर कठिनाइयों का पहाड़ टूट पड़ा। एक युद्ध में इनके पति की मृत्यु हो गई और इकलौते पुत्र के निधन-शोक में मल्हार राव भी अधिक जीवित न रह सके। इस विपत्ति काल में अहिल्याबाई ने धैर्य से काम लिया और शासन की बागडोर अपने हाथ में ली। इसी बीच इनके पुत्र का भी स्वर्गवास हो गया। दरबारियों ने इन्हें किसी पुत्र को गोद लेने की सलाह दी किंतु रानी ने उसे स्वीकार नहीं किया। सरदारों ने षड्यंत्र करना चाहा किंतु रानी ने अपनी चतुराई से सभी को दबा दिया और राज्य की सीमा की सुरक्षा का पूर्ण प्रबंध किया। इसी बीच पेशवा राघोवा ने इनके राज्य का घेरा डाला और अपनी अधीनता स्वीकार करने के लिए रानी के पास संदेश भेजा। रानी के वाक्चातुर्य से परास्त होकर पेशवा उल्टे पैर लौट गया।

अहिल्याबाई ने अपने शासन का प्रबंध निष्पक्ष होकर किया। इन्होंने तीर्थ स्थानों में मंदिर और धर्मशालाओं का भी निर्माण कराया। संपूर्ण प्रजा उन्हें 'माँ साहब' के नाम से पुकारती थी। साठ वर्ष की आयु में इनका निधन हुआ। किंतु इतिहास में इनकी कीर्ति सदा अमर रहेगी।

11. मंगल पांडे

देश की आजादी के लिए अपने प्राणों को बलिदान करने वाले वीरों में मंगल पांडे का नाम अग्रगण्य है। स्वतंत्रता संग्राम की प्रथम चिनगारी उसी ने प्रज्वलित की थी। वह भी बैरकपुर छावनी में अँग्रेजी सेना का एक छोटा-सा सिपाही था। उसे केवल सात रुपया वेतन मिलता था। इसी में से वह अधिक से अधिक बचाकर अपने पिता के लिए भेज देता था। किसी मित्र द्वारा मंगल पांडे से यह कहा गया कि बंदूक की जिन गोलियों को बंदूक में भरने से पहले मुँह से खोल काटना पड़ता है, उस खोल में गाय और सुअर की चर्बी लगी रहती है। इस प्रकार ये अँग्रेज हमको धर्म भ्रष्ट कर रहे हैं।

मित्र की बात मंगल पांडे के हृदय में बैठ गई। इस सूचना से हिंदू और मुसलमान सिपाहियों के दिल में अँग्रेजों के प्रति घृणा उदित हो गई। धीरे-धीरे कारतूसों में लगी चर्बी की बात पूरी छावनी में फैल गई। इसी घृणा ने सन् 1857 के स्वतंत्रता संग्राम का सूत्रपात कर दिया। एक दिन मंगल पांडे शस्त्रागार को अपने कब्जे में लेकर भरी हुई बंदूक तान कर अपने साथियों को ललकार उठा–वह कह रहा था–"उठो साथियो ! हाथ में हथियार लेकर साथ दो, अँग्रेजों द्वारा हमारा धर्म भ्रष्ट किया जा रहा है। नहीं तो तुम्हें कुत्ते की जिंदगी जीनी पड़ेगी।" इसी बीच लेफ्टिनेंट बाघ आ पहुँचा। मंगल पांडे ने उस पर गोली चला दी। बाघ घोड़े से गिर गया किंतु बच गया, उसने मंगल पर पिस्तौल से गोली चलाई जिसे मंगल फुर्ती से बचा गया। मंगल पांडे उसे तलवार से मार डालना चाहता था किंतु अपने ही साथी शेख पलटू ने उसे रोक लिया और बाघ प्राण बचाकर भाग गया।

बाद में जनरल हैरसे ने अपने दो पुत्रों के साथ उसे घेर लिया और पीछे से आकर उसकी कनपटी पर पिस्तौल लगा दी। मंगल पांडे ने सोचा कि अँग्रेज सरकार की कैद से तो मर जाना अच्छा है। अतः स्वयं अपनी बंदूक से अपनी छाती पर गोली चला ली। वह घायल होकर गिर पड़ा किंतु मरा नहीं। बाद में मंगल पांडे पर मुकदमा चलाया गया और उसे पूरी रेजीमेंट के सामने 8 अप्रैल 1857 को फाँसी दे दी गई।

मंगल पांडे के इस बलिदान से छावनियों में क्रांति की आग भड़क उठी। भारतीय सैनिकों ने विद्रोह कर दिया। मंगल पांडे की यह पहली कुर्बानी रंग लाई और भारतीयों के निरंतर 90 वर्ष के संघर्ष के बाद भारत को 15 अगस्त 1947 को स्वतंत्रता प्राप्त हुई।

12. झाँसी की रानी लक्ष्मीबाई

आजादी की लड़ाई में पुरुषों के कंधे से कंधा मिलाकर भारतीय नारियों ने भी अपना नाम अमर कर लिया है। ऐसी ही वीरांगनाओं में झाँसी की रानी लक्ष्मीबाई का नाम आदरपूर्वक लिया जाता है। सन् 1835 में काशी के मोरोपंत नामक व्यक्ति के घर लक्ष्मीबाई ने जन्म लिया था। बचपन में इनका नाम मनु था जो कि असली नाम मणिकर्णिका का लघुरूप था। जब ये 5 वर्ष की ही थी तभी इनकी माता भागीरथी बाई का देहांत हो गया। पिता मनु को अपने साथ राजदरबार ले जाते थे। इनकी सुंदरता और चंचलता के कारण इनका नाम छबीली रखा गया। पेशवा के बच्चों के साथ इन्होंने भी घुड़सवारी, तलवार चलाना आदि सीख लिया था।

झाँसी के राजा गंगाधर राव से इनका विवाह संपन्न हुआ और ये रानी के रूप में झाँसी आ गईं। यहाँ भी इन्होंने अपने युद्ध अभ्यास को जारी रखा था। कुछ समय बाद इनके पुत्र हुआ। झाँसी में खूब आनंद मनाए गए किंतु यह आनंद ज्यादा दिन न रहा। इनके पुत्र की मृत्यु हो गई। राजा ने 5 वर्षीय एक बालक को गोद लिया। दूसरे दिन राजा स्वयं स्वर्ग सिधार गए। अँग्रेजों ने कूटनीति से झाँसी को अपने राज्य में मिलाना चाहा लेकिन लक्ष्मीबाई ने क्रोध में भरकर घोषणा की कि मैं अपनी झाँसी नहीं दूँगी। सरदारों ने भी समर्थन किया और सुरक्षा की तैयारी होने लगी। रानी ने अपनी प्रसिद्ध तोपों 'कड़क बिजली', 'भवानी शंकर', 'घन गर्जन' को किले की दीवार पर चढ़वाया और स्वयं घूम-घूमकर किले का निरीक्षण करती और आवश्यक निर्देश देती। जब अँग्रेजों का वश नहीं चला तो उन्होंने एक सरदार दूल्हासिंह को अपनी तरफ मिला लिया और किले का दक्षिणी फाटक खुलवाकर भीतर प्रवेश कर लिया। किले में मारकाट मच गई। फलतः रानी अपने विश्वस्त साथियों के साथ किले से बाहर निकल गई। रास्ते में इनकी प्रिय सखी मुदरी की चीख सुनकर ये लौट पड़ीं और सखी को पकड़ने वाले अँग्रेज का काम तमाम कर आगे बढ़ीं।

इसी समय एक नाला सामने पड़ा जिसे उनका घोड़ा लाँघ न सका। विवश होकर रानी को युद्ध करना पड़ा। पीछे से इनके सिर पर तलवार का वार होने से इनके सिर का एक हिस्सा कट गया और एक आँख भी बाहर निकल पड़ी। मगर रानी ने हिम्मत नहीं हारी। तलवार मारने वाले का सिर भी उन्होंने एक ही वार में साफ कर दिया। अंत में रानी बेहोश होकर गिर पड़ी। घायल रानी को उठाकर पास ही गंगादास बाबा की कुटिया में ले गए जहाँ गंगाजल पीने के पश्चात् उन्होंने अपने प्राण त्याग दिए। आज भी उनकी वीरता के गीत बड़े जोश के साथ गाए जाते हैं।

"बुंदेले हरबोलों के मुँह हमने सुनी कहानी थी
खूब लड़ी मर्दानी वह तो झाँसी वाली रानी थी।"

13. बेगम हजरत महल

भारत के स्वतंत्रता संग्राम की प्रारंभिक वीरांगनाओं में बेगम हजरत महल का नाम प्रमुख है। वे अवध के नवाब वाजिदअली शाह की पत्नी थीं। वे अति रूपवती, योग्य, साहसी महिला थीं। वाजिदअली शाह के पूर्वजों ने अँग्रेजों से एक संधि की थी जिसके फलस्वरूप अँग्रेजों के इशारों पर कार्य करने के लिए वे मजबूर थे। नवाब वाजिदअली शाह को अँग्रेजों का अत्यधिक हस्तक्षेप अच्छा न लगा। इस पर अँग्रेजों ने नवाब को बदनाम करके गद्दी से हटा दिया और कलकत्ता में नजरबंद कर दिया।

नवाब की गिरफ्तारी से उनके समर्थकों ने क्रांति का बिगुल फूँका और फैजाबाद के मौलवी अहमदशाह ने वाजिदअली के ग्यारह वर्षीय पुत्र बिरजिस कद्र को अवध की गद्दी पर बैठाया। पुत्र की ओर से शासन की बागडोर बेगम हजरत महल ने संभाली। अँग्रेजों ने इसका विरोध किया। फलस्वरूप दोनों में संघर्ष छिड़ गया। बेगम हजरत महल ने पक्षपात रहित होकर सेना का संगठन किया और सैनिकों के उत्साहवर्धन के लिए वे स्वयं मैदान में पहुँचीं। जगह-जगह मोर्चे बंदी की गई। स्वतंत्रता के दीवाने सैनिकों ने रेजीडेंसी को घेर लिया। लखनऊ के आसपास के क्षेत्रों से अँग्रेजों का प्रभाव समाप्त हो गया।

इसी बीच अँग्रेजों ने विशाल सेना बुला ली। बेगम के पास सीमित साधन थे किंतु उन्होंने हिम्मत नहीं हारी। वे जहाँ वीर थीं वहीं उदार भी थीं। एक बार उनके सैनिकों ने अँग्रेज महिलाओं और बच्चों को पकड़ लिया। वे उन्हें मार डालना चाहते थे किंतु बेगम ने उन्हें अपने महल में सुरक्षित किया और रेजीडेंसी भिजवा दिया।

अंत में कर्नल कैंपवेल आउट्म के नेतृत्व में अँग्रेज सेना ने लखनऊ पर पुनः आक्रमण किया। बेगम अपने सरदारों के कहने से लखनऊ छोड़कर नेपाल पहुँचीं और अपने जीवन के शेष दिन वहाँ व्यतीत किए। उनके सम्मान में लखनऊ में एक पार्क का नाम हजरत महल पार्क रखा गया है जो हमें उनके बलिदान की स्मृति कराता है।

14. ईश्वरचंद्र विद्यासागर

सामान्य परिवार में जन्म लेकर भी महान् बनने वाले महापुरुषों में ईश्वरचंद्र विद्यासागर का नाम प्रमुख है। उनका जन्म 26 सितंबर 1820 ई. को एक बंगाली परिवार में हुआ था। बचपन से ही इन्होंने 'सादा जीवन उच्च विचार' का सिद्धांत अपनाया। इन्होंने समाज में प्रचलित अनेक बुराइयों को दूर करने का बीड़ा उठाया। उन्होंने

लड़कियों की समान शिक्षा का प्रचार किया और लड़कियों के लिए स्कूल खुलवाए। उन्होंने लोगों को समझाया कि "पुत्रों के समान पुत्रियों को भी शिक्षा का पूरा अधिकार है।"

बंगाल में उस समय बहुपत्नी प्रथा प्रचलित थी। उन्होंने एकपत्नी व्रत का आंदोलन चलाया और बहुपत्नी प्रथा को समाज का कलंक बताया। उस समय समाज में विधवाओं और बाल विधवाओं की दशा भी अति शोचनीय थी। उन्हें अनेक कष्टों में नारकीय जीवन बिताना पड़ता था। ईश्वरचंद्र का हृदय उनकी दशा देखकर रो उठा। उन्होंने उनकी दशा सुधारने का संकल्प किया। उन्होंने अपने पुत्र का एक विधवा से विवाह कर विधवा-विवाह का प्रचार किया। उनके प्रयत्नों से सरकार ने विधवा-विवाह कानून पास किया। उनके प्रयत्नों से ही समाज में बाल विवाह पर भी रोक लगी।

संस्कृत भाषा के शिक्षण और प्रचार के लिए उन्होंने अथक परिश्रम किया। उन्होंने स्वयं कई व्याकरण ग्रंथों की रचना की। वे कलकत्ता के फोर्ट विलयम कॉलेज में संस्कृत के प्रधान पंडित पद पर नियुक्त हुए और कालांतर में वहाँ के प्रिंसिपल बने। उन्होंने संस्कृत के साथ-साथ अँग्रेजी भाषा का ज्ञान प्राप्त करने के लिए लोगों को प्रेरित किया। उन्होंने बंगला में 'सत्यप्रकाश' तथा अँग्रेजी में 'हिंदू पैट्रिएट' नामक समाचार पत्रों का भी संपादन किया।

समाज के लिए उनके द्वारा किए गए कल्याणकारी कार्यों को तीन श्रेणियों में बाँटा जा सकता है—(1) शैक्षिक सुधार, (2) सामाजिक सुधार और (3) नारी दशा सुधार। बंगाल का यह महान् समाज सुधारक 72 वर्ष की आयु में दिवंगत हुआ।

15. जगदीश चंद्र बसु

वृक्षों तथा वनस्पतियों में मनुष्य के समान ही जीवन सिद्ध करने वाले महान् वैज्ञानिक जगदीश चंद्र बसु का जन्म सन् 1858 ई. में ढाका के निकट विक्रमपुर ग्राम में हुआ था। इनके पिता भगवान चंद्र बसु फरीदापुर के हाकिम परगना थे। उन्होंने अपने पुत्र की शिक्षा का अच्छा प्रबंध किया। जगदीश चंद्र बसु भी बचपन से ही मेधावी छात्र सिद्ध हुए। सन् 1885 ई. में इंग्लैंड से उच्च शिक्षा प्राप्त कर लौटने पर कलकत्ता के प्रेसीडेंसी कॉलेज में प्राध्यापक नियुक्त हुए। अँग्रेज प्रशासकों ने उन्हें अँग्रेज प्राध्यापकों की अपेक्षा कम वेतन दिया। इससे जगदीश चंद्र बसु की आत्मा को ठेस लगी और समान वेतन के लिए संघर्ष करते हुए तीन वर्ष तक बिना वेतन लिये ही कार्य करते रहे। अतंतः उनकी विजय हुई और अँग्रेजों के

समान उन्हें भी बराबर वेतन दिया गया।

जगदीश चंद्र बसु उदार, कर्तव्यनिष्ठ और परिश्रमी प्राध्यापक थे। उन्होंने अपनी सूझबूझ से अनेक नये वैज्ञानिक उपकरणों का निर्माण किया और एक समृंद्ध प्रयोगशाला स्थापित की। सन् 1885 में इन्होंने 'बेतार का तार' आविष्कार कर लिया था परंतु अँग्रेजों ने इसको महत्त्व न दिया और इसके दो वर्ष बाद इटली के वैज्ञानिक मारकोनी को 'बेतार का तार' के आविष्कार का श्रेय दिया। इसके पश्चात् बसु महोदय ने वनस्पति विज्ञान के क्षेत्र में कार्य किया और 'रेजोनेंट रिकार्डर' नामक यंत्र बनाया जिसके द्वारा वृक्षों की धड़कन और उनके क्रियाकलापों का अध्ययन किया जा सकता था। इस आविष्कार से उन्हें विश्वव्यापी प्रसिद्धि प्राप्त हुई।

वे उच्चकोटि के मानवतावादी वैज्ञानिक थे। 'रायल सोसायटी' के प्रलोभनों को ठुकराकर अपने देश में उन्होंने कार्य करना स्वीकार किया। सन् 1935 ई. में यह महान् वैज्ञानिक हमारे बीच से उठ गया किंतु आज भी अपने आविष्कारों के द्वारा हमारे लिए प्रेरणा स्रोत बना हुआ है।

16. रवीन्द्रनाथ ठाकुर

हमारे राष्ट्रगान 'जनगणमन' के रचयिता कवीन्द्र रवीन्द्र का जन्म सन् 1861 ई. में कलकत्ता के एक समृद्ध परिवार में हुआ था। रवीन्द्रनाथ बचपन से ही प्रकृति प्रेमी, स्वतंत्र प्रकृति और साहित्यिक अभिरुचि के व्यक्ति थे। उनकी शिक्षा का शुभारंभ घर से ही हुआ। सन् 1878 में उच्च अध्ययन के लिए उन्हें इंग्लैंड भेजा गया। उनकी उदारता, मानवता और सादा जीवन से योरोपवासी भी अति प्रभावित हुए।

रवीन्द्रनाथ असाधारण साहित्यकार थे। बंगला और अँग्रेजी साहित्य पर उनका समान अधिकार था। मूलतः वे कवि थे। 1913 ई. में उनकी 'गीतांजलि' नामक काव्य रचना पर विश्व का सर्वश्रेष्ठ 'नोबेल पुरस्कार' प्राप्त हुआ। इस पुरस्कार को पाने वाले वे प्रथम भारतीय थे।

रवीन्द्रनाथ का हृदय भारतीय था किंतु विचार वैज्ञानिक थे। अँग्रेजों द्वारा चलाई जा रही शिक्षा प्रणाली उन्हें पसंद न थी अतः शिक्षा संबंधी अपने विचारों के अनुरूप कलकत्ता के पास उन्होंने 'शांति निकेतन' की स्थापना की और 1921 में इसे 'विश्वभारती' का स्वरूप प्रदान किया। स्वर्गीय प्रधानमंत्री श्रीमती इंदिरा गाँधी ने 'विश्वभारती' में ही शिक्षा प्राप्त की थी।

साहित्य, समाज और देश की सेवा करते हुए 7 अगस्त 1941 को भारत

का यह प्रखर सूर्य सदा के लिए अस्त हो गया। परंतु 'गीतांजलि' के गीत विश्व मानव जगत् में उन्हें सदा अमर रखेंगे।

17. श्रीनिवास रामानुजम

भारतवर्ष के महान् गणितज्ञ श्रीनिवास रामानुजम का जन्म मद्रास प्रदेश के इरोद नामक गाँव में सन् 1887 को एक निर्धन परिवार में हुआ था। गाँव की पाठशाला से उनकी शिक्षा प्रारंभ हुई। बालक रामानुजम तीव्र मेधाशक्ति के विद्यार्थी निकले। कक्षा में उनको सदैव ही सर्वोच्च अंक प्राप्त होते थे। मैट्रिक परीक्षा विशेष योग्यता सहित उत्तीर्ण की। अतः उन्हें छात्रवृत्ति भी मिली। गणित में उन्हें विशेष रुचि थी अतः हर समय गणित ही पढ़ते रहना चाहते थे। परिणाम यह हुआ कि गणित में सर्वोच्च अंक प्राप्त होने पर अन्य विषय में एफ. ए. की परीक्षा में अनुत्तीर्ण हो गए। निर्धनता के कारण उन्हें विद्यालय छोड़ना पड़ा।

विद्यालय की पढ़ाई छूट जाने पर भी घर पर ही दिन-रात गणित के प्रश्न हल करने में लगे रहते थे। संयोग से किसी मित्र ने उन्हें महान् गणितज्ञ शुब्रिजकार की एक पुस्तक पढ़ने के लिए दी। इस पुस्तक के प्रश्नों को रामानुजम ने कुछ समय में ही हल कर लिया। उनकी इसी प्रतिभा से ही उन्हें 'पोर्ट ट्रस्ट कार्यालय' में क्लर्की प्राप्त हुई। वहाँ भी वे भोजनावकाश में गणित के सूत्र हल करने में लगे रहते थे। उनकी इस लगन को देखकर कार्यालय के चेयरमैन 'सर प्रासिंस स्पिना' ने इन्हें उच्च अध्ययन के लिए सन् 1914 ई. में प्रो. हार्डी के पास इंग्लैंड भेजा। प्रो. हार्डी उनके ज्ञान से आश्चर्यचकित हुए और कैम्ब्रिज विश्वविद्यालय में उनके अध्ययन और शोध का प्रबंध कर दिया।

इंग्लैंड प्रवास काल में उन्होंने अत्यधिक परिश्रम किया और गणित के क्षेत्र में उन्हें असाधारण सफलता मिली। 'रायल सोसायटी' ने उन्हें अपना सम्मानित सदस्य बनाया। किंतु इंग्लैंड की जलवायु इनके अनुकूल नहीं पड़ी तथा अत्यधिक परिश्रम से वे बीमार पड़ गए, फलतः वे भारत लौट आए। केवल 32 वर्ष की अवस्था में देश के इस महान् गणितज्ञ का स्वर्गवास हो गया। हम सबको उन पर गर्व करना चाहिए।

18. शेरपा तेनजिंग

भारत साहसी वीरों की खान रहा है। वीरता के सभी क्षेत्रों में भारत के व्यक्तियों

ने नाम कमाया है। पर्वतारोहण के क्षेत्र में विश्व की सर्वोच्च एवरेस्ट चोटी पर पहुँचने का श्रेय भी भारत के प्रथम नागरिक शेरपा तेनजिंग को ही है। उनका जन्म हिमालय की तराई में नेपाल के एक गाँव में हुआ था। उनका बचपन याकों को चराते हुए हिमालय की पर्वतश्रेणियों में ही बीता। तभी से वह हिमालय की बर्फीली ऊँची चोटियों को देखने का स्वप्न देखने लगे थे।

जब तेनजिंग 21 वर्ष के थे, उन्हें अँग्रेज पर्वतारोही दल के साथ पर्वतारोहण का अवसर मिला। उस दल के साथ ये बोझा ढोते हुए काफी ऊँचाई तक हिमालय पर गए। इस यात्रा में पर्वतारोहण की अनेक नई-नई विधियाँ जानने का अवसर मिला। कई वर्ष बाद स्विटजरलैंड के दल के साथ 28250 फीट की ऊँचाई तक पहुँचे। उस समय तक इतनी ऊँचाई तक कोई नहीं पहुँच पाया था किंतु एवरेस्ट तक फिर भी नहीं पहुँच सके थे। हाँ एवरेस्ट विजय के इच्छुक साहसियों में उनका नाम गिना जाने लगा।

सन् 1953 ई. में कर्नल हंट और एडमंड हिलेरी के नेतृत्व में एक पर्वतारोही दल भारत आया और शेरपा तेनजिंग को अपने साथ चढ़ने के लिए आमंत्रित किया। उस समय तेनजिंग कुछ अस्वस्थ थे किंतु उन्होंने सिगरेट और शराब को छोड़कर नियमित व्यायाम के द्वारा स्वास्थ्य लाभ किया और अभियान की तैयारी में जुट गए। निश्चित तिथि को अभियान प्रारंभ हुआ और अनेक कठिनाइयों को पार करते हुए अंततः एडमंड हिलेरी और शेरपा तेनजिंग संसार की छत कही जाने वाली एवरेस्ट की चोटी पर पहुँच गए। वहाँ उन्होंने अपने-अपने देश का ध्वज लहराया और कुछ मिनट रुककर ईश्वर की प्रार्थना की।

तेनजिंग जीवन भर पर्वतारोहण से जुड़े रहे और दार्जिलिंग में रहकर पर्वतारोहियों को प्रशिक्षित करते रहे। अदम्य साहस और संकल्प दृढ़ता के कारण उन्हें 'बर्फ का शेर' कहा जाता था। 10 मई 1986 ई. को इनका देहावसान हुआ।

19. महर्षि दधीचि

महर्षि दधीचि एक महान् तपस्वी और ज्ञानी थे। वे नैमिषारण्य के घने वन में रहते थे। उनके चारों तरफ शिष्यों की भीड़ लगी रहती थी। अध्ययन-अध्यापन में ही उनका संपूर्ण समय व्यतीत होता था। ज्ञान के अक्षय भंडार के साथ ही महर्षि के पास दान, दया तथा त्याग का असीम भंडार था। उन्हीं दिनों देवासुर संग्राम भी छिड़ा हुआ था। महर्षि उस संग्राम को लेकर बहुत चिंतित रहते थे। वह चाहते थे कि जल्द से जल्द यह संग्राम समाप्त हो और दोनों पक्ष परस्पर प्रेम से शांतिपूर्वक रहें। असुर देवताओं पर भारी पड़ रहे थे। देवता उनसे त्रस्त और पीड़ित थे। उन्हें

यह चिंता थी कि यदि दानव परास्त नहीं हुए तो सारे संसार में उन्हीं का साम्राज्य हो जाएगा और सर्वत्र अत्याचार का बोलबाला हो जाएगा।

हताश देवतागण इंद्र के पास गए। इंद्र इस समस्या के हल का उपाय पूछने ब्रह्मा के पास गए। उन्होंने ब्रह्माजी के समक्ष अपनी सारी चिंता व्यक्त कर दी। ब्रह्माजी ने कहा कि त्याग तपस्या के बल पर किसी भी कार्य में सफलता पाई जा सकती है। पर तुममें से किसी के पास वह गुण नहीं है। इंद्र को बड़ी निराशा हुई। ब्रह्मा जी ने कहा एक उपाय है—पृथ्वी पर घने जंगलों में एक ऋषि तपस्या कर रहे हैं। उनका नाम है दधीचि। योग बल से उन्होंने अस्थियों को बहुत मजबूत कर रखा है। उनकी अस्थियों से बना अस्त्र वज्र होगा। उसके प्रयोग से दानवों की पराजय निश्चित है। इंद्र ने कहा—महाराज वे तो जीवित हैं ? उनकी अस्थि हमें कैसे प्राप्त होगी। ब्रह्माजी ने कहा—इसका उत्तर तुम्हें महर्षि देंगे। इंद्र ब्राह्मण का वेश बनाकर महर्षि दधीचि के पास गए। महर्षि ध्यान मग्न थे। ध्यान टूटते ही उन्होंने पूछा—देवराज कैसे आना हुआ ? इंद्र को बड़ी लज्जा आई। इंद्र ने अपने आने का कारण महर्षि को बताया और कहा कि ब्रह्माजी ने कहा है यदि आपकी अस्थियों से अस्त्र बनेगा तो वह वज्र ही होगा। उससे असुरों की पराजय निश्चित है। महर्षि के चेहरे पर तेज बढ़ गया। उनका रोम-रोम खिल उठा। उन्होंने कहा—मेरा शरीर इस महान् कार्य में कोई सहायता कर सकता है, यह मेरे लिए गौरव की बात है। इतना कहकर उन्होंने अपना नेत्र बंद किया और योग बल से अपने प्राण छोड़ दिए।

देवराज ने उन अस्थियों को मस्तक से लगाया और उनसे वज्र बनवाया। वज्र के प्रहार से वृत्रासुर मारा गया। देवताओं की विजय हुई और असुर पराजित हुए। धन्य थे महर्षि दधीचि और धन्य था उनका त्याग।

20. श्रीकृष्ण

आज से लगभग पाँच हजार वर्ष पूर्व देश में कंस का शासन था। कंस के अत्याचार से जनता बड़ी त्रस्त थी। उसी समय कंस के कारागार में उसकी बहन के गर्भ से भगवान श्रीकृष्ण का जन्म हुआ। कंस के भय से कृष्ण का लालन-पालन गोकुल में नंद के घर पर हुआ।

कृष्ण बचपन से ही बड़े पराक्रमी थे। कंस अपनी सुरक्षा के लिए कृष्ण का वध करना चाहता था। कृष्ण का वध कराने के लिए उसने अनेक बलशाली राक्षसों को भेजा। पर कृष्ण ने खेल-खेल में ही उनका वध कर दिया। कृष्ण अपनी बाँसुरी की तान से सबके मन को मोह लेते थे। गोकुल की रक्षा के लिए वह सदैव तत्पर रहते थे। कंस के अत्याचार से प्रजा बड़ी दुखी थी। कंस ने कृष्ण को मारने के

लिए मथुरा बुलवाया। कृष्ण ने अत्याचारियों का अंत करने का संकल्प लिया था। अतः गोकुलवासियों के मना करने पर भी वह अपने भाई बलराम के साथ मथुरा गए। वहाँ जाकर उन्होंने कंस का वध किया। उसी समय से कृष्ण का राजनीतिक जीवन प्रारंभ हो जाता है। उन्हीं दिनों हस्तिनापुर में धृतराष्ट्र का शासन था। वहाँ राजपरिवारों में कौरव-पाण्डवों में कलह चल रही थी। कौरव पाण्डवों को उनका राज्य देने के लिए तैयार नहीं थे। कृष्ण ने कौरवों को समझाया पर धृतराष्ट्र का निरंकुश पुत्र दुर्योधन बिना युद्ध के सुई की नोक के बराबर भी भूमि देने को तैयार नहीं था। परिणामस्वरूप दोनों में भयंकर युद्ध हुआ। जिसे महाभारत के नाम से जाना जाता है। महाभारत के युद्ध में श्रीकृष्ण अर्जुन के रथ के सारथी बने। अर्जुन को अपने भाई-बंधुओं को देखकर मोह उत्पन्न हो गया और वह युद्ध के लिए तैयार नहीं हुए। उस समय कृष्ण ने उन्हें कर्तव्य के लिए प्रेरित किया। उन्होंने कहा आत्मा अजर तथा अमर है इस आत्मा को न शस्त्र काट सकते हैं न आग जला सकती है न ही पानी गला सकता है और न ही वायु सुखा सकता है। अतः प्रत्येक व्यक्ति को फल की चिंता किए बिना कर्तव्य करना चाहिए। यही कर्मयोग है। कृष्ण के यही उपदेश गीता के अमृत वचन हैं। गीता में कृष्ण ने उपदेश दिया। वह मानव समाज के लिए स्थायी वरदान है। अर्जुन को ज्ञान प्राप्त हुआ और उन्होंने युद्ध किया। कृष्ण के कुशल संचालन के कारण युद्ध में पांडवों की विजय हुई।

श्रीकृष्ण का संपूर्ण जीवन अत्याचारियों और अहंकारियों से संघर्ष करते बीता। कहा जाता है कि एक बहेलिया द्वारा चलाया गया बाण श्रीकृष्ण के तलुए में आकर लगा। इसी से श्रीकृष्ण के जीवन का अंत हो गया।

अंत में यह कहा जा सकता है कि वह व्यक्ति नहीं परमात्मा थे। वे दार्शनिक भी थे और कर्मयोगी भी। वे राजनीतिक भी थे और समाज सुधारक भी। वे योद्धा भी थे और शांति दूत भी। वे गुरु भी थे और सखा भी। इसीलिए लोग उन्हें ईश्वर का अवतार मानते हैं।

21. महावीर स्वामी

छठी शताब्दी के पूर्व भारत में अनेक सामाजिक व धार्मिक परिवर्तन हुए। समाज में नाना प्रकार के धार्मिक अंधविश्वास और कुरीतियाँ प्रचलित थीं। इन सामाजिक बुराइयों को दूर करने के लिए अनेक महापुरुष सामने आए। उन्हीं महापुरुषों में एक नाम महावीर स्वामी का था। महावीर स्वामी का जन्म ईसा से 599 वर्ष पूर्व वैशाली के अंतर्गत कंद्र ग्राम में एक क्षत्रिय परिवार में हुआ था। इनके पिता का नाम सिद्धार्थ तथा माता का नाम त्रिशलादेवी था। महावीर स्वामी के बचपन का

नाम था वर्द्धमान। इनका विवाह यशोदा नामक राजकुमारी से हुआ तथा एक पुत्री भी उत्पन्न हुई प्रियदर्शनी। वर्द्धमान का मन सांसारिक मोह-माया में नहीं लगा और 30 वर्ष की अवस्था में घर छोड़कर संन्यास ग्रहण कर लिया। उनका विचार था कि कठोर तपस्या से ही मन में छिपे काम, क्रोध, लोभ, मद तथा मोह को समाप्त किया जा सकता है। 12 वर्ष की कठोर तपस्या के पश्चात् उन्होंने अपनी समस्त इंद्रियों पर विजय प्राप्त कर ली। इसी कारण ये 'महावीर' या 'जिन' कहलाने लगे। इन्होंने जैन धर्म का प्रचार किया। जैन मत के अनुसार इनसे पूर्व जैन धर्म में 23 अन्य तीर्थंकर हुए। महावीर स्वामी इस धर्म के अंतिम तीर्थंकर थे। 30 वर्षों तक महावीर स्वामी ने जैन धर्म का प्रचार किया। धीरे-धीरे संपूर्ण भारत में जैन धर्म का प्रचार हो गया। महावीर स्वामी के उपदेश का लोगों पर गहरा प्रभाव पड़ा। उनका कहना था कि मनुष्य जीवन का अंतिम लक्ष्य मोक्ष प्राप्त करना है। जीव अपने कर्मों के फलस्वरूप बंधन में पड़कर दुःख भोगता है। कर्मों के कारण ही उसे बार-बार जन्म लेना पड़ता है। जब आत्मा इन बंधनों को तोड़ देगी तभी उसे मोक्ष प्राप्त हो सकता है। उन्होंने मोक्ष प्राप्ति के लिए तीन बातें बताईं। इसे ही जैन धर्म में त्रिरत्न कहा गया है। यह है—सम्यक् ज्ञान, सम्यक् दर्शन तथा सम्यक् चरित्र। कर्म बंधन से मुक्ति पाने का मार्ग तपस्या है। इसीलिए जैन धर्म में व्रत, उपवास तथा तपस्या को विशेष महत्त्व दिया गया है। उन्होंने पाँच महाव्रतों—सत्य, अहिंसा, अस्तेय, ब्रह्मचर्य और अपरिग्रह का विधान किया। उन्होंने मानव समाज को एक ऐसा मार्ग बताया जो सत्य और अहिंसा पर आधारित था। 72 वर्ष की आयु में महावीर स्वामी को पटना के निकट पावापुरी नामक स्थान पर निर्वाण प्राप्त हुआ।

22. चंद्रगुप्त मौर्य

यूनानी सम्राट सिकंदर भारत पर विजय प्राप्त कर जाते समय अपने यूनानी अधिकारियों को यहाँ का शासक बना गया। ये शासक अत्यंत क्रूर थे। भारत की जनता उनसे स्वतंत्र होना चाहती थी। पर कुशल नेता के नेतृत्व के अभाव में वह कुछ कर सकने में असमर्थ थी। उसी समय वीर चंद्रगुप्त मौर्य का आगमन हुआ। उन्होंने सेना का संगठन किया और नेतृत्व की बागडोर सँभाली। समस्त यूनानियों को उन्होंने मार भगाया। फिर मगध के राजा घनानंद को युद्ध में हराकर स्वयं मगध के राजसिंहासन पर आसीन हुए। चंद्रगुप्त ने संपूर्ण देश को एकता के एक सूत्र में बाँधने के लिए दक्षिण भारत पर भी विजय प्राप्त करना आवश्यक समझा। धीरे-धीरे उन्होंने बंगाल तथा मालवा पर भी अपना अधिकार कर लिया। उनका अंतिम संघर्ष सिकंदर के

सेनापति सिल्यूकस के साथ हुआ। इस युद्ध में सिल्यूकस हार गया और उसने अपनी पुत्री का विवाह चंद्रगुप्त से कर दिया।

जैन जनश्रुतियों के अनुसार चंद्रगुप्त एक मोरपोषक परिवार के पुत्र थे। इस कारण इनका वंश मौर्य वंश कहलाया। बौद्ध ग्रंथ के अनुसार नेपाल में क्षत्रिय को मोरिय कहा जाता था। चंद्रगुप्त वहीं के प्रधान का पुत्र था। कौटिल्य ब्राह्मण की सहायता से इन्होंने अपनी शिक्षा-दीक्षा पूर्ण की।

चंद्रगुप्त का शासन प्रबंध बड़ा ही सुदृढ़ था। शासन व्यवस्था तीन भागों में विभक्त थी। केंद्रीय शासन, प्रांतीय शासन तथा स्थानीय शासन। शासन विभिन्न विभागों द्वारा चलाया जाता था।

शासन व्यवस्था को चुस्त बनाने के लिए गुप्तचर विभाग की स्थापना की थी। इनकी न्याय व्यवस्था एक आदर्श व्यवस्था थी। न्यायाधीश स्वयं सम्राट होता था। सम्राट स्वयं सेनापति था। उसने जलसेना का भी संगठन किया था। गाँवों तथा नगरों का कार्य ग्राम पंचायत एवं महापालिका सँभालती थी।

अपनी प्रजा की भलाई के लिए उन्होंने यातायात की व्यवस्था की, सड़कें बनवाईं, सड़कों के दोनों ओर छायादार वृक्ष लगवाए, जलाशय बनवाए, शिक्षालयों की व्यवस्था की। यूनानी राजदूत मेगस्थनीज ने अपनी पुस्तक 'इंडिया' में चंद्रगुप्त की राजधानी पाटलिपुत्र का विशद वर्णन किया है। इनके काल में कृषि, व्यापार तथा ललित कलाओं की उन्नति हुई। 24 वर्ष तक शासन कर लेने के पश्चात् अपने पुत्र बिन्दुसार को राज्य देकर स्वयं जैन मुनि भद्रबाहु के साथ चंद्रगिरि पर्वत पर रहने लगे। 298 ई. पूर्व उनका निधन हो गया।

23. हर्षवर्धन

हर्षवर्धन भारत का एक महान् सम्राट था, जो अपनी दानवीरता के लिए विशेष प्रसिद्ध है। उन्होंने प्रयाग में अपने राजकोष का सभी धन दान कर दिया और अंत में अपने शरीर का उत्तरीय भी उतार कर दान कर दिया। ऐसी महान् हस्ती का जन्म 590 ई. में यशोमती के गर्भ से हुआ। इनके पिता प्रभाकर वर्धन थानेश्वर के योग्य शासक थे और उन्होंने हूणों का बड़ी कुशलता से दमन किया। पिता की मृत्यु के बाद हर्षवर्धन के बड़े भाई राज्यवर्धन गद्दी पर बैठे। उसी बीच राजा देवगुप्त ने हर्ष की छोटी बहन राज्यश्री के पति ग्रहवर्मा की हत्या कर दी। राज्यश्री को कैद करके कारागार में डाल दिया। इस अपमान का बदला लेने के लिए राज्यवर्धन ने मालवा पर आक्रमण कर दिया। विजय करके लौटते समय बंगाल के राजा शशांक ने उसकी हत्या कर दी। हर्षवर्धन को इस घटना से बड़ा दुःख हुआ। वह राज्यपाट

छोड़ना चाहते थे पर उनके मंत्रियों ने उन्हें समझाया और कन्नौज की गद्दी पर बैठाया। इस समय इनकी अवस्था 16 वर्ष की थी। इनके सामने मुख्य दो काम थे। एक तो अपनी बहन का पता लगाना तथा दूसरा अपने भाई की हत्या का बदला लेना। उन्होंने समस्त पृथ्वी को गौणों से रहित करने की प्रतिज्ञा की क्योंकि शशांक गौण जाति का था। हर्ष ने पहले शशांक को पराजित किया। फिर अपनी बहन का पता लगाया जो पति वियोग में चिता में जलने जा रही थी। उसके बाद हर्ष ने उत्तर भारत के समस्त राजाओं को जीता। अपने राज्य में पूर्ण शांति स्थापित की। दक्षिण भारत में वह विजय प्राप्त करने में असफल रहा। चालुक्य नरेश पुलकेशिन द्वितीय ने उसे नर्वदा से आगे बढ़ने ही नहीं दिया। वह एक योग्य योद्धा था। युद्ध से अधिक ध्यान हर्ष का शांति एवं सत्कर्म की ओर था। प्रजा के हित के लिए उन्होंने अनेक महान् कार्य किए। चीनी यात्री ह्वेनसांग ने अपनी पुस्तक में हर्ष के राज्य का वर्णन किया है। हर्ष सभी धर्मों का सम्मान करता था। वह इतना बड़ा दानी था कि युद्ध के सामान को छोड़कर सब कुछ दान कर देता था। वह एक महान् विद्वान था तथा विद्वानों का सम्मान करता था। बाणभट्ट हर्ष के दरबारी कवि थे। हर्ष ने संस्कृत भाषा में रत्नावली, नागानंद तथा प्रियदर्शिका नामक नाटक लिखे। वह योग्य तथा गुणी जनों को उपहार भी देता था। योग्य व्यक्ति को वह अपने सिंहासन पर बैठाकर सम्मान करता था। हर्ष की नीति अहिंसावादी थी। उसने अपने राज्य में मांसाहार पर रोक लगाई तथा हिंसा पर भी रोक लगाई। इनके काल में वास्तुकला, शिल्पकला आदि विविध कलाओं की उन्नति हुई। कन्नौज, वाराणसी, अयोध्या, हरिद्वार, प्रयाग आदि समस्त नगर थे। हर्ष बहुत ही उदार तथा दयालु प्रकृति का शासक था। वह महान् वीर तथा प्रजावत्सल भी था। चीनी यात्री ह्वेनसांग ने लिखा है—"अनेक राजाओं के संपर्क में आया किंतु हर्ष जैसा कोई नहीं। मैंने देशों में भ्रमण किया है किंतु भारत जैसा कोई देश नहीं। भारत वास्तव में महान् देश है और उसकी महत्ता का मूल है उसकी जनता तथा हर्ष जैसे उसके शासक।"

24. गुरुनानक देव

नानक देव का जन्म लाहौर के निकट तलवण्डी नामक गाँव में 1469 ई. में हुआ था। इनके पिता मेहता काल बुलार के तहसीलदार थे। बहन नानकी के नाम पर इनका नाम नानक रखा गया। नानक बचपन से ही ईश्वर संबंधी बातों में रुचि रखते थे। ये प्रायः साथियों को अपने चारों ओर बैठा लेते और भजन कीर्तन करते। पिता को ये बातें पसंद नहीं थीं। वह चाहते थे कि उनका लड़का धनी-मानी व्यक्ति

बने। इनका यज्ञोपवीत संस्कार किया गया। यज्ञोपवीत पहनाते समय इन्होंने पंडित से कहा—'कपास का बना यह यज्ञोपवीत परलोक में किस प्रकार प्रतिष्ठा दे सकता है। यह तो भौतिक संसार में ही रह जाएगा। मुझे ऐसा यज्ञोपवीत दीजिए जो मेरे साथ परलोक में जा सके।' यह बचपन से ही बड़े दयावान और दानी प्रवृत्ति के थे। भिक्षा माँगते हुए एक बालक को इन्होंने अपनी कमीज उतार कर दे दी। पिता ने इस प्रवृत्ति के लिए इन्हें बहुत डाँटा पर इनके व्यवहार में थोड़ा भी परिवर्तन नहीं हुआ। इन्हें पढ़ने के लिए पाठशाला भेजा गया। पर वे वहाँ भी गुमसुम रहते। अकेले में बैठे चिंतन करते रहते थे। गुरु के डाँटने पर इन्होंने कहा—'इस संसार में अक्षर को लिखता-पढ़ता कौन है? यदि एक अक्षर का ज्ञान सभी को हो जाय तो फिर जन्म-मृत्यु में अंतर ही क्या रह जाएगा?' नानक देव दिन-रात ईश्वर चिंतन में रहते थे। इन्हें खाने तक की सुध नहीं रहती थी। इन्हें अस्वस्थ समझ कर पिता ने वैद्य बुलाया—इन्होंने कहा—

वैद्य बुलाया, बैदगी, पकड़ि ढेलोले बाँहा।
भोला वैद न जाने ही, करक कलेजे माहि।।

पिता की चिंता बढ़ती गई। उन्होंने एक बार नानक को 20 रुपया दिया कि लाहौर जाओ और सच्चा सौदा करो। नानक देव को रास्ते में एक साधु दिखे। उन्होंने उन पैसों से भोजन खरीद कर साधु को खिला दिया और कहा यही सच्चा सौदा है। धीरे-धीरे नानक देव का यश चारों ओर फैल गया। इनके ध्यान, ज्ञान, सत्संग, भजन की चर्चा दूर-दूर तक होने लगी। इनकी बहन ने इनका विवाह करा दिया। इनके दो पुत्र भी हुए। पर नानक देव को यह जीवन नहीं बाँध सका और ये घर छोड़ कर चले गए। नानक के पिता ने इनका हाल-चाल लेने के लिए मरदाना रबाबी को भेजा। मरदाना भी उनका भक्त हो गया। वह नानक देव के साथ रबाब बजाकर गाता रहा। नानक देव मूर्ति पूजा के विरोधी थे। एक बार जगन्नाथ मंदिर में आरती के समय दूर खड़े देखकर पुजारी ने आरती में भाग न लेने का कारण पूछा तो नानक देव ने कहा—'उस परमात्मा की आरती तो चाँद तथा सूरज दिन-रात किया करते हैं। हम उस परमात्मा को धन्य कहते हैं। हम उन मूर्तियों की क्या आरती उतारें जो मनुष्य ने बनाई हैं।' गुरु नानक समाज के सच्चे प्रदर्शक थे। वह हिंदू, मुसलमान सभी को एक समान मानते थे। उन्होंने जीवन के तीन अंगों का महत्त्व प्रतिपादित किया, वे अंग थे—अच्छा काम करना, सबके साथ मिलकर खाना और ईश्वर का स्मरण करना। मनुष्य की सेवा ही उनका परम धर्म था। इनकी मृत्यु के बाद हिंदू तथा मुसलमानों ने अपने ढंग से इनका अंतिम संस्कार किया। यह विचित्र बात है कि समाधि एवं मकबरे की दीवार संयुक्त है। इस प्रकार की धार्मिक एकता का उदाहरण संसार में अन्यंत्र नहीं मिलता।

25. अकबर महान्

अकबर हुमायूँ का पुत्र था। इसका जन्म 15 अक्टूबर 1542 में हुआ था। अकबर का बचपन बड़े ही संघर्ष में व्यतीत हुआ। बाल्यावस्था की मुसीबतों ने उसे अत्यंत निर्भीक और साहसी बना दिया। अकबर का पढ़ने-लिखने में मन कम लगता था। उसका मन खेल-कूद, घुड़सवारी, तलवार चलाने आदि कार्यों को देखने में अधिक लगता था। अकबर अभी 14 वर्ष का ही था कि उसके पिता हुमायूँ की मृत्यु हो गई। हुमायूँ का स्वामीभक्त तुर्कमान सेनापति बैरम खाँ अकबर का संरक्षक था। उसने उसे मुगल साम्राज्य का सम्राट घोषित कर दिया। उस समय देश की सामाजिक और आर्थिक स्थिति बहुत खराब थी। अल्पवयस्क होने पर भी अकबर में असाधारण प्रतिभा थी। उसने अपने संरक्षक बैरम खाँ की सहायता से स्थिति का बड़ी कुशलता एवं धैर्य से सामना किया। 20 वर्ष की आयु प्राप्त होने तक अकबर ने एक उदार मुगल शासक के रूप में यश प्राप्त कर लिया। उस समय यह प्रथा थी कि युद्ध में पकड़े जाने वाले सैनिक को गुलाम बना दिया जाता था। अकबर ने इस प्रथा का अंत कर दिया। तीर्थ यात्रियों की यात्रा से कर हटा दिया। प्रजा में एकता लाने के लिए 'जजियाकर' को समाप्त कर दिया। अकबर धर्म के मामले में बहुत उदार था। उसके राज्य में सभी व्यक्ति को अपना-अपना धर्म पालन करने की पूर्ण स्वतंत्रता थी। वह वंश में धार्मिक तथा सांस्कृतिक एकता लाना चाहता था। इसीलिए उसने दीन-इलाही नामक एक नया धर्म चलाया। तबहीदे-इलाही नामक एक नया संप्रदाय भी चलाया जो ईश्वर की एकता में विश्वास रखता था।

वह विद्वानों का बहुत सम्मान करता था। उसका दरबार विद्वान तथा कलाकारों का केन्द्र था। उसके काल में अनेक फारसी तथा हिंदी भाषा के ग्रंथों की रचना हुई जिनमें अबुल फजल का 'आइने अकबरी', गुलबदन बेगम का 'हुमायूँनामा', तुलसीदास का 'रामचरितमानस', सूरदास का 'सूरसागर' अत्यंत प्रसिद्ध हैं। उसके राजदरबार में नवरत्न रहा करते थे। अकबर संगीत प्रेमी था। तानसेन तथा बैजू बावरा उसी के दरबार के संगीतकार थे। अकबर के काल में वास्तुकला का भी विकास हुआ। उसने आगरा, इलाहाबाद तथा लाहौर के तीन विशाल किले बनवाए। वास्तुकला का सबसे अच्छा नमूना फतेहपुर सीकरी में निर्मित इमारत है। अकबर चित्रकला का भी प्रेमी था। अच्छे चित्रकार को पुरस्कृत करता था। अकबर की शिकार खेलने में विशेष रुचि थी। वह बहुत बलशाली था। शेर की गर्दन एक झटके में ही काट देता था। अकबर ऐसे उल्लेखनीय शासकों में से एक है जिन्होंने राष्ट्रीय भावना, धर्म सहिष्णुता और अपने निपुण शासन से भारत के इतिहास में विशेष स्थान प्राप्त कर लिया है। वह विदेशी आततायी तैमूर तथा चंगेज खाँ का

वंशज था पर उसने अपने आपको पूर्ण भारतीय बना लिया था। भारत का इतिहास उसे अकबर महान् के रूप में सदैव याद रखेगा।

26. रहीम

भारत के इतिहास में ऐसे-ऐसे महापुरुषों ने जन्म लिया जिन्होंने साहित्य, कला, राजनीति, विज्ञान आदि विभिन्न क्षेत्रों में अपना अमूल्य योगदान दिया। उन्हीं में एक नाम अब्दुल रहीम खानखाना का भी है। रहीम का जन्म 14 दिसंबर 1556 में हुआ था। इनके पिता का नाम बैरम खाँ था। पिता की मृत्यु के पश्चात् इनका लालन-पालन अकबर ने किया। राजदरबार के अनेक विद्रोह के बावजूद अकबर ने इनका लालन-पालन एक पिता के समान किया। अकबर ने बालक रहीम को मिर्जा खाँ की उपाधि प्रदान की। अकबर ने मुल्ला मुहम्मन अमीन को मिर्जा खाँ के शिक्षक के रूप में नियुक्त किया। शीघ्र ही ये तुर्की तथा फारसी भाषा के विद्वान हो गए। हिंदी भाषा ज्ञान के स्रोत इनके गंग कवि थे। इस प्रकार फारसी, तुर्की तथा संस्कृत के विद्वान होने के साथ-साथ ब्रजभाषा, अवधी तथा खड़ी बोली में भी मिर्जा सिद्धहस्त थे। उन्होंने अपनी समस्त रचनाएँ रहीम के नाम से कीं। अकबर मिर्जा खाँ की विद्वत्ता और बहुमुखी प्रतिभा से प्रभावित थे। अपने दरबारियों की द्वेषपूर्ण नीति के कारण अकबर बहुत चौकस रहता था। अतः उसने इनका विवाह कराकर इन्हें पारिवारिक सुदृढ़ता प्रदान की।

1573 में इनका राजनीतिक जीवन प्रारंभ हुआ। गुजरात के विद्रोह शांत करने में रहीम भी अकबर के साथ थे। उन्होंने 17 वर्षीय मिर्जा को गुजरात का सूबेदार बना दिया। जल्दी ही मिर्जा खाँ ने भगवानदास तथा मानसिंह जैसे योग्य सेनापतियों की संगति में रहकर अपने अंदर एक योग्य सेनापति का गुण विकसित कर लिया। 28 वर्ष की अवस्था में अकबर ने इन्हें खानखाना की उपाधि दी। 1579 में इन्हें वकील की पदवी से सम्मानित किया। यह मुगल दरबारियों के लिए सबसे अधिक सम्मानजनक पद था। उच्चकोटि के सेनापति होने के साथ-साथ रहीम एक श्रेष्ठ कवि थे। इनकी समस्त रचनाएँ ब्रजभाषा, अवधी तथा खड़ी बोली में थीं। रहीम सतसई, नायिका भेद, शृंगार सोरठा, मदनामष्टक इनकी प्रमुख रचनाएँ हैं। रहीम सतसई में 1200 दोहों में से कुल 412 उपलब्ध हैं।

रहीम के दोहे नीतिपूर्ण हैं। तुलसीदास से इनकी अच्छी मित्रता थी। रहीमदास जी बड़े ही उदार तथा मानवताप्रिय व्यक्ति थे। अपनी दान प्रवृत्ति के लिए ये बड़े प्रसिद्ध थे। अकबर की मृत्यु के पश्चात् जहाँगीर से इनकी नहीं बनी। उसने इन्हें कैद में डाल दिया। कैद से छूटने के बाद इनके बड़े बुरे दिन आ गए। यह चित्रकूट

चले आए। याचक यहाँ भी उनका पीछा नहीं छोड़ते थे। न दे पाने के कारण वे बहुत दुखी रहते थे। एक बार उन्होंने याचकों से कह दिया—

ये रहीम दर-दर फिरे, मांगि मधुकरी खाहि।
यारो यारी छोड़ दो, वह रहीम अब नाहि।।

इनकी प्रशंसा सुनकर दीवान देश ने इन्हें एक लाख रुपये भेंट किया जिसे रहीमदास जी ने दान कर दिया। उनके व्यक्तित्व में शौर्य तथा कला का संगम था। उदार कवि के रूप में उन्होंने कवियों को नई दिशा व प्रेरणा दी। और समाज के सामने सर्वधर्म समभाव का अनोखा उदाहरण प्रस्तुत किया।

27. छत्रपति शिवाजी

भारतीय इतिहास के महापुरुषों में शिवाजी का नाम प्रमुख है। इनका जन्म 8 मार्च सन् 1627 में हुआ था। इनके पिता का नाम शाहजी तथा माता का नाम जीजाबाई था। पिता के दूसरा विवाह कर लेने पर यह अपनी माता के साथ अपने दादा कोणदेव के यहाँ रहने लगे। दादा की देखरेख में ही इनका पालन-पोषण हुआ, वहीं पर इन्होंने घुड़सवारी, अस्त्रों-शस्त्रों की शिक्षा ग्रहण की। इनकी माताजी एक धर्मनिष्ठ महिला थीं। इन्होंने शिवाजी को महाभारत तथा पुराणों की कहानियाँ सुनाकर उनके अंदर हिंदू धर्म तथा देशप्रेम की भावना जाग्रत की। वह शिवाजी को वीरों की साहसिक कहानियाँ सुनाती थी। बचपन से ही शिवाजी को निडर तथा साहसी बनाया। संत रामदास जी इनके गुरु थे। 20 वर्ष की अवस्था में इनके दादा जी की मृत्यु हो गई। शिवाजी ने अपना मार्ग स्वयं बनाया। मालवदेश के नवयुवकों की सहायता से इन्होंने आस-पास के किले पर अधिकार कर लिया। रायगढ़ को इन्होंने अपनी राजधानी बनाया। बीजापुर के सुलतान शिवाजी को नीचा दिखाने के लिए अफजल खाँ को भेजा वह कूटनीति से शिवाजी को मारना चाहता था। शिवाजी दूरदर्शी थे उन्होंने साहसपूर्ण स्थिति का सामना किया और पहने हुए बघनख से अफजल खाँ का वध कर दिया। तत्कालीन बादशाह औरंगजेब शिवाजी की शक्ति से चिंतित था। उसने शाइस्ता खाँ को शिवाजी की शक्ति को समाप्त करने के लिए भेजा। शिवाजी ने रात में ही उसके खेमे पर आक्रमण कर दिया शाइस्ता खाँ अँधेरे में भाग निकला। मुगलों का बड़ा अपमान हुआ अब औरंगजेब ने अजमेर के राजा जयसिंह को भेजा जो एक नीति कुशल दूरदर्शी तथा साहसी सेनानायक था। दोनों में घोर युद्ध हुआ अंत में शिवाजी ने संधि कर ली। जब जयसिंह के साथ शिवाजी आगरा पहुँचे तो वहाँ उनका सम्मान नहीं किया गया। स्वाभिमानी शिवाजी अपना अपमान न सह सके और दरबार से उठकर चले गए। औरंगजेब ने उन्हें कैद कर

लिया। बीमारी का बहाना करके वे ब्राह्मणों को दान के लिए मिठाई की टोकरी भेजने लगे। इसी एक टोकरी में बैठकर जेल से बाहर निकलने में सफल हो गए। शिवाजी बहुत प्रतिभावान तथा सजग राजनीतिज्ञ थे। उन्होंने दुर्ग के निर्माण तथा छापामार युद्ध नीति को अपने शक्तिसंगठन का आधार बनाया। एक ओर शिवाजी मुगलों के राज्य पर छापा मारते थे दूसरी ओर मुगलों की सहायता करके उन्हें अपना मित्र भी बनाए रखते थे। औरंगजेब का मन शिवाजी के प्रति साफ नहीं रहता था इसलिए दोनों के मध्य संघर्ष चलता रहता था। शिवाजी उदार प्रकृति के राजा थे। युद्ध में प्राप्त की गई संपत्ति को वह अपने सैनिकों के मध्य बाँट दिया करते थे। हिंदू तथा मुसलमानों दोनों को बराबर स्थान दिया करते थे। इसलिए उनकी सदैव विजय होती थी। शिवाजी महाराष्ट्र के विस्तृत क्षेत्र के स्वतंत्र शासक बने। 1674 में उनका राज्याभिषेक हुआ वह सभी धर्मों का सम्मान करते थे। वह हिंदू संत तथा मुसलमान फकीर दोनों की बराबर सहायता करते थे। उनका राज्य धर्म निरपेक्ष राज्य था। शिवाजी ने एक स्वतंत्र राज्य की स्थापना का संकल्प किया था और उस लक्ष्य की प्राप्ति के लिए जीवन भर संघर्ष करते रहे। उन्हीं के पदचिह्नों पर चलकर मराठा शक्ति और प्रभाव का विस्तार कर शिवाजी के स्वप्न को साकार किया।

28. हैदरअली

भारत के इतिहास में हैदरअली का उदय उस दीप्तिमान नक्षत्र की भाँति हुआ जो कुछ समय के लिए आकाश में जगमगाकर शून्य में विलीन हो गया। हैदरअली का जन्म 1721 ई. में मैसूर के एक सामान्य परिवार में हुआ था। उनके पिता मैसूर की सेना में सिपाही थे। हैदरअली ने भी मैसूर की सेना में नौकरी कर ली थी। बचपन में ही इनके पिता की मृत्यु हो गई इस कारण इनकी शिक्षा-दीक्षा ठीक से न हो सकी। हैदरअली परिश्रमी तथा कुशाग्र बुद्धि के सैनिक थे। उनकी योग्यता से प्रभावित होकर मैसूर राज्य के मंत्री ने उन्हें देवनहाली के किले का रक्षक नियुक्त कर दिया उस समय मरहठे तथा निजाम मैसूर पर आक्रमण कर रहे थे। हैदरअली अपनी सैनिक शक्ति बढ़ाने लगे। 1755 में वे डिंडीगल के फौजदार बने और अपनी एक सेना तैयार कर ली। अब जब मरहठों ने मैसूर राज्य पर आक्रमण किया तो हैदरअली ने डटकर उनका सामना किया। धीरे-धीरे राज्य के मंत्रियों को भी उन्होंने अपने प्रभाव में ले लिया। राजा के स्वर्गवास के बाद वह मैसूर के शासक बन गए। हैदरअली एक कुशल शासक थे अपनी प्रजा को समान दृष्टि से देखते थे। किसानों के हित का बहुत ध्यान रखते थे। सैनिकों को समय पर वेतन देते थे। यही कारण था कि सैनिक इनके लिए प्राणों की बाजी लगाने के लिए सदैव तैयार

रहते थे। उनके बढ़ते हुए यश से मराठों तथा निजाम बहुत ईर्ष्या करते थे। इसलिए पेशवा माधवराव ने मैसूर पर आक्रमण कर दिया। हैदरअली बड़ी वीरता से लड़ा पर पराजित हुआ। हैदरअली हतोत्साहित नहीं हुआ वह नए ढंग से सैन्य संगठन में लगे रहे। उसी समय भारत में अँग्रेज़ों का भी आगमन हो गया था। अँग्रेज कभी मरहठों की सहायता करते तो कभी निजाम की। वह दोनों में फूट डालकर राज्य का विस्तार करना चाहते थे। हैदरअली अँग्रेजों की नीति समझते थे वह जानते थे कि अँग्रेज भारत के शत्रु हैं इसलिए हैदरअली ने अँग्रेज से कभी मित्रता नहीं की वह जीवन भर अँग्रेजों से युद्ध करते रहे। शत्रु भी हैदरअली के रणकौशल का लोहा मानते थे। मरहठे तथा निजाम ने हैदरअली का साथ नहीं दिया वह अकेले ही उनसे जूझते रहे अंतिम युद्ध शैलीगढ़ में हुआ। हैदरअली को अँग्रेजों से संधि करनी पड़ गई उसी के कुछ समय पश्चात् हैदरअली की मृत्यु हो गई।

एक सिपाही के पद से उन्नति करके हैदरअली एक राज्य के शासक बने थे। हैदरअली एक धर्मनिरपेक्ष शासक थे। हिंदू-मुसलमान में किसी प्रकार का भेद नहीं करते थे। वह मंदिर तथा मस्जिद दोनों की देखभाल करते थे। महानवमी का पर्व बड़े उत्साह से मनाते थे। दशहरे के दिन पूरा नगर सजाया जाता था। हाथी, घोड़ों का जुलूस निकाला जाता था। हैदरअली हाथी पर बैठकर भगवान की सवारी के पास जाते और आशीर्वाद लेते। उन्होंने धार्मिक सहिष्णुता का जो आदर्श प्रस्तुत किया वह प्रशंसनीय तथा आज भी अनुकरणीय है। हैदरअली के व्यवहार में किसी प्रकार का छल-कपट नहीं था, वह जो कहते वही करते थे। उन्होंने अपने शत्रुओं को भी कभी धोखा नहीं दिया। यदि निजाम तथा मरहठे इनका साथ देते तो आज भारत का इतिहास कुछ और ही होता।

29. राजा राममोहन राय

राजा राममोहन राय अपने समय के प्रसिद्ध समाज सुधारक थे। उन्होंने भारतीय समाज की कुरीतियों और अंधविश्वास का खंडन कर देश को नए युग का संदेश दिया। उनका जन्म 22 मई सन् 1772 ई. में हुआ। इनके पिता का नाम रमाकांत राय था वह बंगाल प्रांत के रहने वाले थे। बचपन से ही यह बहुत प्रतिभाशाली थे। प्रारंभिक शिक्षा प्राप्त करने के पश्चात् पटना जाकर फारसी की शिक्षा प्राप्त की। संस्कृत पढ़ने के लिए वाराणसी आए। काशी से कलकत्ता जाकर अँग्रेजी भाषा का अध्ययन किया। राजा राममोहन राय बचपन से ही सुधारवादी प्रवृत्ति के थे। 16 वर्ष की अवस्था में ही उन्होंने हिंदू समाज में फैली कुरीतियों तथा अंधविश्वासों पर एक हस्तलिखित पुस्तक तैयार की। उन्होंने कलेक्टरी कचहरी में नौकरी कर

ली। कलेक्टर जॉन डी. वी. इन्हें बहुत चाहता था अपने व्यक्तिगत पत्र इन्हीं से पढ़ाता था। जॉन डी. वी. के सेवानिवृत्त होने पर राजा राममोहन राय ने भी अपने पद से त्यागपत्र दे दिया।

उन्होंने जीवन के शेष भाग को समाज सेवा में लगाने का निश्चय किया। 1815 में आत्मीय सभा की स्थापना की जिसमें कलकत्ता के अनेक नवयुवकों को सम्मिलित किया। सभा में जाति-पांति का कोई भेद-भाव नहीं था। बैठक में भारतीय समाज के पिछड़ेपन को दूर करने, शिक्षा का प्रसार करने के लिए विचार-विमर्श किए जाते थे। उन दिनों भारतीय समाज में सतीप्रथा, बालविवाह का बोलबाला था। राजा राममोहन राय इस प्रथा का अंत करना चाहते थे। इसके लिए उन्होंने सभाएँ कीं, समाचार पत्रों में लेख लिखे और जनता में इस प्रथा को नष्ट करने की चेतना जगाई। राजा राममोहन राय ने सरकार को इस कुप्रथा से अवगत कराया। बहुत आनाकानी के बाद सरकार को इस प्रथा को समाप्त करने का कानून बनाना पड़ा। सती प्रथा को समाप्त करके राजा राममोहन राय देश के समाज सुधारकों के अग्रज हो गए। अपने धार्मिक तथा सामाजिक सुधार संघ आंदोलन को आगे बढ़ाने के लिए राजा राममोहन राय ने ब्रह्म समाज की स्थापना की। उनका मुख्य उद्देश्य एक ईश्वर में विश्वास करना तथा मनुष्यों के बीच भाईचारे की भावना फैलाना था। राजा राममोहन राय भारत में पत्रकारिता के संस्थापक माने जाते हैं। उन्होंने बंगाली पत्रिका 'संवाद कौमुदी' तथा फारसी अखबार 'आज अकबर' का प्रकाशन किया। रायसाहब किसानों के बड़े हिमायती थे। 1832 में इंग्लैंड की संसदीय समिति में इन्होंने कहा कि भारत में किसानों की दशा शोचनीय है। गरीब किसान दुर्दशा के शिकार होते जा रहे हैं। उन्होंने किसानों की मालगुजारी कम करने के लिए कहा और यह भी कहा कि सरकार का यह घाटा पूरा करने के लिए वेतनभोगी अँग्रेज अफसरों के स्थान पर कम वेतन पर हिंदुस्तानी कलक्टरों को नियुक्त किया जाए।

धीरे-धीरे इनकी ख्याति अमेरिका, फ्रांस तथा इंग्लैंड तक पहुँच गई। इनकी निर्भीकता, विद्वत्ता तथा सुधारवादी दृष्टि से प्रभावित होकर मुगल बादशाह अकबर द्वितीय ने उन्हें 'राजा' की उपाधि से विभूषित किया। बादशाह की इच्छा थी कि राजा साहब दिल्ली का सिंहासन सुरक्षित रखने में तथा उन्हें मिलने वाली वृत्ति को बढ़ाने में उनकी सहायता करें। 1831 ई. में राजा साहब इंग्लैंड गए वहाँ इनका बड़ा सम्मान हुआ। राजा साहब ने मुगल बादशाह का प्रस्ताव रखा। बादशाह की कई मांगें स्वीकार कर ली गईं। राजा साहब के तर्कपूर्ण सुझाव से बादशाह की वार्षिक वृत्ति में एक लाख वार्षिक की वृद्धि कर दी गई। इसी बीच मोहन राय बीमार पड़ गए और 27 सितंबर 1833 में इनकी मृत्यु हो गई।

राजा राममोहन राय ने समाज सुधार की जो लहर जगाई, वह धीरे-धीरे सारे

देश में व्याप्त हो गई। उनकी गणना आधुनिक भारत के अग्रदूत के रूप में की जा सकती है।

30. सर सैयद अहमद खाँ

सर सैयद अहमद खाँ एक सुधारवादी नेता थे। वे जीवन भर समाज-सेवा में लगे रहे। इनका जन्म 17 अक्टूबर सन् 1817 ई. में दिल्ली के एक प्रतिष्ठित परिवार में हुआ था। ये अपने पिता सैयद मुवक्की के साथ दरबार में जाया करते थे। इनका लालन-पालन इनके नाना के घर हुआ था। इनकी माताजी एक धर्मनिष्ठ तथा अनुशासन प्रिय महिला थीं। वह सैयद को भी अनुशासित रखती थीं। अपनी माता से यह बहुत प्रभावित थे। अपने समय के प्रसिद्ध विद्वानों से इन्होंने फारसी, अरबी तथा गणित की शिक्षा प्राप्त की। यह उर्दू के मशहूर शायर ग़ालिब के पास भी जाया करते थे। बड़े भाई की मृत्यु के बाद यह बड़े दुखी रहने लगे। दरबार से इन्होंने अपना संबंध तोड़ लिया और अँग्रेज सरकार की नौकरी को तैयार हो गए। उन्होंने कमिश्नर के दफ्तर में मुंशी की नौकरी की। फिर मुंसिफी की परीक्षा पास कर मैनपुरी में मुंसिफ के पद पर नियुक्त हुए। कुछ समय बाद यह वहाँ से चले आए। भाई की मृत्यु के कारण माता बहुत दुखी रहती थीं अतः यह उनके पास रहने लगे। इनकी नियुक्ति दिल्ली में अमीन पद पर हो गई। सन् 1857 के विद्रोह को इन्होंने बहुत करीब से देखा और 'भारतीय विद्रोह के कारण' नामक पुस्तक की रचना की। इस पुस्तक में इन्होंने लिखा कि भारतीयों को कानून बनाने के कार्य से दूर रखना ही विद्रोह का मूल कारण है। इन्होंने सेना के प्रबंध में भी सुधार की माँग की। अँग्रेज सैयद अहमद खाँ के विचारों से बहुत प्रभावित हुए। 1869 में सैयद जी इंग्लैंड गए। वहाँ की शिक्षा, जीवन प्रणाली का निकट से अध्ययन किया। उनकी यह धारणा बनी कि अँग्रेजों की शिक्षा प्रणाली को अपनाकर ही भारत उन्नति कर सकता है। भारत के वायसराय लार्ड क्लिंटन ने एक सम्मेलन बुलाया जिसमें वह भारतीयों की विचारधारा से परिचित होना चाहते थे। उस सम्मेलन में केशवचंद्र जैन तथा स्वामी दयानंद सरस्वती के साथ सर सैयद अहमद खाँ भी थे। इन्हें वायसराय की विधान सभा का सदस्य बनाया गया। 1860 में पश्चिमी उत्तर प्रदेश में भयानक अकाल पड़ा। कलेक्टर ने राहत कार्य इन्हें ही सौंपा इस कार्य को बड़ी जिम्मेदारी से निभाया।

सैयद अहमद खाँ एक सजग विचारक थे। वह देख रहे थे कि मुसलमान समाज अपनी रूढ़िवादिता के कारण बहुत पिछड़ रहा है। वे इस्लाम धर्म के अनुयायी को नई दिशा दिखाना चाहते थे। उन्होंने इस्लाम के परंपरावादी दृष्टिकोण के विरुद्ध

आंदोलन चलाया। कुछ मुसलमान इन्हें धर्म विरोधी कहने लगे। वे हिंदू तथा मुसलमान दोनों की उन्नति चाहते थे। क्योंकि वह जानते थे कि दोनों की उन्नति से ही राष्ट्र की उन्नति संभव है। उन्होंने सरकार की शिक्षानीति का खुलकर प्रतिवाद किया। वह शिक्षा के द्वारा छात्र के व्यक्तित्व का सर्वांगीण विकास करना चाहते थे। मुरादाबाद में एक फारसी मदरसा की स्थापना की। गाजीपुर में एक साइंटिफिक सोसाइटी की भी स्थापना की। गाजीपुर में एक स्कूल भी खोला जिसमें अँग्रेजी, उर्दू तथा फारसी पढ़ाई जाती थी।

कुछ समय बाद साइंटिफिक सोसाइटी अलीगढ़ चली गई। मुसलमानों ने समाज में नई शिक्षा को लोकप्रिय बनाने के लिए मोहम्मद एजूकेशनल कान्फ्रेंस की स्थापना की। 1873 में अलीगढ़ में एक कॉलेज खोलने की घोषणा की जो कैम्ब्रिज विश्वविद्यालय के स्तर का था। यह कॉलेज आगे चलकर अलीगढ़ विश्वविद्यालय के रूप में विकसित हुआ।

बाद में ये वाराणसी के कोर्ट जज बने। अपना खाली समय यह समाज सेवा में लगाते थे। सैयद अहमद विचारों की स्वतंत्रता के पक्षपाती, ईमानदार, निर्भीक एवं उदार नेता थे। अँग्रेज सरकार ने इन्हें 'नाइट कमांडर ऑफ स्टार ऑफ इंडिया' की उपाधि और एडिनबरा विश्वविद्यालय में 'डॉक्टर ऑफ लॉ' की उपाधि से सम्मानित किया। 1898 ई. में इनका निधन हो गया।

31. जमशेद जी नसरवान जी टाटा

जिन व्यक्तियों ने आधुनिक भारत में औद्योगिक विकास का सूत्रपात्र किया, उनमें जमशेद जी टाटा का स्थान महत्त्वपूर्ण है। जमशेद जी टाटा का जन्म 3 मार्च सन् 1839 में गुजरात के एक पारसी परिवार में हुआ था। इनके पिता का नाम नसरवान टाटा था। उन दिनों देश में अँग्रेजों का शासन था। 13 वर्ष की अवस्था में इनके पिता इन्हें बंबई ले आए। वहीं पर इन्होंने अपनी शिक्षा-दीक्षा प्राप्त की। यहीं पर इनका विवाह हीराबाई नामक कन्या से हो गया। वहीं पर इन्होंने एक वकील के यहाँ नौकरी कर ली। बाद में वह नौकरी छोड़कर अपने पिता के व्यवसाय में हाथ बँटाने लगे। व्यवसाय के प्रति उनकी लगन तथा कर्मठता को देखकर उनके पिता की खुशी क़ा ठिकाना नहीं रहा। उन्होंने व्यवसाय के संबंध में जमशेद को चीन भेजा। वहाँ हांगकांग तथा शंघई में अपने व्यापार की शाखाएँ खोलीं। 25 वर्ष की अवस्था में यह लंदन पहुँचे। वहाँ वह अपनी कंपनी की शाखाएँ खोलने के लिए भेजे गए थे। वहीं से उन्होंने लंकाशायर और मैनचेस्टर की यात्राएँ कीं। ये दोनों स्थान सूती वस्त्र उद्योग के लिए प्रसिद्ध थे। वहीं पर उन्होंने कारलाइल का भाषण

सुना। उसने कहा—जिस देश का लोहे पर नियंत्रण हो जाता है, उसका शीघ्र ही सोने पर भी नियंत्रण हो जाता है। टाटा के मन में यह बात अच्छी तरह बैठ गई। उन्होंने सूती वस्त्र उद्योग और लौह उद्योग की योजनाएँ बनाईं। जमशेद जी टाटा भारत में सूती वस्त्रोद्योग के जन्मदाता माने जाते हैं। भारत में उस समय मोटे कपड़े बनाए जाते थे। वह उत्तम कोटि का कपड़ा बनाना चाहते थे। इस उद्देश्य से वह पुनः इंग्लैंड गए वहाँ कपास की सफाई तथा कताई-बुनाई का कार्य देखा। कपास तथा कपड़े के मूल्य में जमीन और आसमान का अंतर था। कपास भारत से सस्ते दाम पर बाहर भेजे जाते थे। यह देखकर उन्हें बड़ा कष्ट हुआ। उन्होंने सोचा कि भारत की कपास से भारत में ही कपड़ा निश्चय ही सस्ता पड़ेगा। उन्होंने नागपुर में कपड़े की मिल लगाई। टाटा ने अपनी दूरदर्शिता का परिचय दिया। उन्होंने कच्चे माल की सुलभता, बाजार की निकटता तथा कोयला तथा पानी की सुलभता की दृष्टि से नागपुर का चयन किया। प्रारंभ में इनके समक्ष अनेक कठिनाइयाँ आईं पर वे घबराए नहीं। टाटा जी उद्योग के क्षेत्र में स्वदेशी आंदोलन के सूत्रधार थे। इसके मूल में उनकी स्वदेशी वस्तुओं के उद्योग की भावना भी काम कर रही थी। जमशेद जी बड़े उदार तथा दानशील व्यक्ति थे। उन्होंने मंदिरों, मस्जिदों, धर्मशालाओं के लिए ट्रस्ट की स्थापना की। कारखाने के मजदूरों के लिए उनके मन में अपार स्नेह था। उन्होंने उनके लिए कार्टर, विद्यालय, पुस्तकालय एवं चिकित्सालय की स्थापना की।

अनेक कल-कारखानों, मिलों, उद्योग धंधों के अलावा टाटा ने बंबई में ताजमहल होटल का निर्माण कराया। भारत का यह प्रथम आधुनिक होटल है। 1880 में टाटा जी के मन में इस्पात उद्योग का विचार आया। पहले तो अँग्रेज सरकार ने स्वीकृति नहीं दी। पर बाद में यह अपने प्रयास में सफल हुए। 1904 में जमशेद जी का निधन हो गया। मरते समय उन्होंने अपने पुत्रों से कहा—'यदि तुम लोग इन कार्यों का अधिक विस्तार न कर सको तो कम से कम इन्हें सुरक्षित रखना।' इनके पुत्रों ने अपनी पिता की योजना को मात्र सुरक्षित ही नहीं रखा बल्कि बड़ी निष्ठा से आगे बढ़ाया। लोहा तथा इस्पात का कारखाना स्थापित करने का टाटा का महान् स्वप्न 1911 ई. में पूरा हुआ। बिहार में सकची गाँव जो जंगली था, वह बियावान क्षेत्र आज एक महानगर के रूप में बदल गया है। जमशेदपुर नाम का यह क्षेत्र जमशेद जी टाटा के बहुमुखी व्यक्तित्व का महान् स्मारक है।

32. एनी बेसेंट

जिन विदेशी महिलाओं ने भारत की राजनीति, धार्मिक तथा सामाजिक उत्थान में

महत्त्वपूर्ण योगदान दिया उनमें एनी बेसेंट का स्थान बहुत ऊँचा है। इनका जन्म 1 अक्टूबर सन् 1847 ई. में लंदन में हुआ था। पाँच वर्ष की अवस्था में ही इनके पिता का देहांत हो गया। इनके पिता बुद्धिमान विचारक, गणितज्ञ, दार्शनिक तथा प्राचीन साहित्य के विद्वान थे। घर की आर्थिक स्थिति ठीक न होने के कारण इनका पालन-पोषण उपन्यासकार कैप्टन मैरिचट की बहन कुमारी मैरिचट ने किया। एनी की शिक्षा पर धार्मिक प्रभाव अधिक था। वह अध्ययन के लिए जर्मनी गईं। उनका विवाह कैम्ब्रिज के एक पादरी के साथ हुआ। पादरी के संपर्क में आने के बाद उनके मन में ईसाई धर्म के उपदेशों के प्रति शंका उत्पन्न होने लगी। उनके दो पुत्र भी हुए। एक बार वह बहुत अस्वस्थ हुईं और उन्हें जबरदस्त मानसिक तनाव का सामना करना पड़ा। इस संघर्ष से वह नास्तिक बन गईं और ईसाई धर्म से उनका विश्वास उठ गया। अब उनका समय रोगियों की सेवा, समाज कल्याण तथा दीन-दुखियों की सेवा में व्यतीत होने लगा। उनके पति चाहते थे कि वह ईसाई धर्म में आस्था रखें पर उन्हें यह स्वीकार नहीं था। अतः मतभेद के कारण उनका पति से संबंध विच्छेद हो गया। इसी समय एनी बेसेंट 'फ्रीथाट सोसाइटी' की सदस्या बन गईं। उन्होंने 'नेशनल रिफार्मर' नामक समाचार पत्र में भी काम किया। अपने नए विचारों के कारण इन्हें अनेक कठिनाइयों का सामना करना पड़ा। इनकी लोकप्रियता बढ़ती गई। इन्होंने आयरलैंड में जमींदारों के अत्याचारों से पीड़ित किसानों की दुर्दशा पर प्रभावशाली लेख लिखे। 1875 में थियोसाफिकल सोसाइटी की स्थापना हुई। एनी बेसेंट इसकी सदस्या बनीं और आध्यात्मवाद के प्रचार के लिए अपने जीवन को अर्पित कर दिया। 1893 में शिकागो में होने वाले सर्वधर्म सम्मेलन में एनी बेसेंट ने थियोसाफिकल सोसाइटी का प्रतिनिधित्व किया। 46 वर्ष की अवस्था में यह भारत आयीं और फिर यहीं की होकर रह गईं। उन्होंने भारत की सामाजिक तथा धार्मिक स्थिति का अध्ययन किया और यह अनुभव किया कि भारत की शिक्षा में धार्मिक तथा नैतिक शिक्षा की आवश्यकता है। तमिलनाडु, वाराणसी, बंबई, आगरा, लाहौर आदि स्थानों पर जाकर इन्होंने भाषण दिया। इन भाषणों में शिक्षा प्रणाली के सुधार पर अधिक बल होता था। वाराणसी में इन्होंने सेंट्रल हिंदू स्कूल और सेंट्रल हिंदू कॉलेज की स्थापना की जिसमें हिंदू धर्म के मूल सिद्धांतों की शिक्षा दी जाने लगी। काशी हिंदू विश्वविद्यालय की स्थापना में भी इन्होंने मालवीय जी का साथ दिया। अपने विचारों और सिद्धांतों के प्रचार के लिए इन्होंने दो समाचार पत्रों का प्रकाशन किया—एक 'कामन बिल' और दूसरा 'न्यू इंडिया'।

एनी बेसेंट हिंदू धर्म में आस्था रखती थीं। वह धर्म को सदाचार का आधार बनाना चाहती थीं। उन्होंने धर्मशास्त्र, समाज शास्त्र तथा राजनीति और शिक्षा पर अनेक ग्रंथों की रचना की। उन्होंने श्रीमद्‌भगवतगीता का अनुवाद किया। इस ग्रंथ से गीता में उनकी आस्था स्पष्ट दृष्टिगोचर होती है। एनी बेसेंट स्वतंत्रता की हिमायती

थीं पर उनका कहना था कि आत्मसंयम की नींव पर स्वतंत्रता का भवन खड़ा होता है। उनका कहना था कि राष्ट्र का लक्ष्य है अपनी जातीय विशेषताओं के माध्यम से विश्व की सेवा करना। बंबई अधिवेशन में उन्होंने ब्रिटिश शासन की नीतियों की आलोचना की। 1916 में उन्होंने 'होम रूल लीग' की स्थापना की। एनी बेसेंट अंतर्राष्ट्रीय ख्याति प्राप्त महिला थीं। इन्होंने धर्म तथा आध्यात्म का मार्ग अपना कर भारतीय राष्ट्रवाद की शक्ति बढ़ाई। इनके संबंध में पं. नेहरू ने लिखा—'उनका बहुत बड़ा व्यक्तित्व था जिसने हम लोगों को प्रभावित किया। भारतीय स्वतंत्रता संग्राम में उनका योग बहुत अधिक था।'

33. वीर सावरकर

भारत की स्वतंत्रता के आंदोलन में ऐसे अनेक महापुरुषों का योगदान रहा है जिन्होंने मातृभूमि को स्वतंत्र कराने हेतु अपना सर्वस्व न्योछावर कर दिया। उन्हीं में एक नाम विनायक दामोदर सावरकर का भी है। इनका जन्म महाराष्ट्र के भागपुर गाँव में 28 मई 1883 को हुआ। इनके बाबा विनायक दीक्षित तथा पिता दामोदर दोनों ही महान् देशभक्त थे। छात्र जीवन से ही वे स्वतंत्रता के लिए कार्य किया करते थे। 1905 में इन्होंने विदेशी वस्तुओं की होली जलाई। परिणामस्वरूप इन्हें कॉलेज से निष्कासित कर दिया गया। इनके इस कार्य की समाचार पत्रों में जोरदार चर्चा हुई। बाद में पूना विश्वविद्यालय में इन्होंने बी. ए. की परीक्षा पास की। सावरकर ने मित्र मेला नामक संस्था की स्थापना की जिसका एकमात्र उद्देश्य भारत के नवयुवकों में स्वाधीनता के प्रति चेतना जाग्रत करना था। सावरकर ने अभिनव भारत नामक संस्था की स्थापना की। इसी बीच लोकमान्य तिलक की सलाह पर वे कानून का अध्ययन करने के लिए इंग्लैंड चले गए।

लंदन में यह इंडिया हाउस में रहने लगे। वह स्थान भारतीय क्रांतिकारियों का अड्डा था। इंडिया हाउस के समस्त कार्य का भार उनके ऊपर आ गया। वहीं पर बैठकर इन्होंने 'मैजिनी' सिक्खों का इतिहास तथा 1857 का स्वतंत्रता समर तीन पुस्तकों की रचना की। इन कार्यों से अंग्रेज सरकार बहुत नाराज हुई और इन्हें बैरिस्टरी का प्रमाण पत्र नहीं दिया। 1905-1910 के मध्य भारत में सरकार के विरुद्ध जो विद्रोह हुआ उसका उत्तरदायी इन्हें ठहराया गया। इन्हें गिरफ्तार करके भारत लाया गया। फ्रांस बंदरगाह के पास ये जहाज से समुद्र के अथाह सागर में कूद गए और फ्रांस की धरती पर पहुँच गए पर फिर इन्हें गिरफ्तार कर लिया गया। तभी से इन्हें वीर सावरकर कहा जाने लगा। इन्हें पचपन वर्ष के काले पानी की कठोर सजा मिली। इन्हें कारावास की अवधि में कोल्हू में बैल की जगह जोता

जाता था। बाद में इन्हें छोड़ दिया गया। 1936 में सावरकर पूर्ण रूप से मुक्त हो गए। तो जनता ने उनका हृदय से स्वागत किया। इन्होंने बड़ी निर्भीकता से समाज में व्याप्त जाति-पांति, छुआ-छूत और ऊँच-नीच की भावना का विरोध किया। अंग्रेज सरकार 1947 में सांप्रदायिकता के आधार पर भारत का विभाजन करना चाहती थी। वीर सावरकर ने इसका विरोध किया। वीर सावरकर देशप्रेम, त्याग, साहस और शौर्य के साक्षात् प्रतीक थे। 26 जनवरी 1966 को 83 वर्ष की अवस्था में देशभक्त सावरकर की मृत्यु हो गई। भारत ने अपना एक सच्चा सपूत खो दिया।

34. बाल गंगाधर तिलक

बाल गंगाधर तिलक का जन्म रत्नगिरि गाँव में 23 जुलाई 1856 में हुआ था। इनका बचपन का नाम केशवदास था। केशवदास भारत माता के गौरव का तिलक बनकर अमर हो गए।

इनके पिता गंगाधर राव स्कूल के अध्यापक थे। तिलक को पिता से विद्या और माता से धार्मिक भावना के संस्कार मिले थे। वे बचपन से ही बड़े मेधावी थे। गणित के प्रश्न वह मौखिक ही हल कर दिया करते थे। बचपन से ही तिलक स्वाभिमानी, सत्यवादी और अन्याय का प्रतिकार करने वाले थे। दस वर्ष की आयु में उनकी माता का तथा 16 वर्ष की आयु में इनके पिता का देहांत हो गया। अपने विवाह में दहेज में उन्होंने पुस्तकों की माँग की। तिलक ने बी. ए. तथा एल. एल. बी. की उपाधि प्राप्त की। इनकी वेशभूषा साधारण होते हुए भी आकर्षक थी। लाल रंग की गोल पगड़ी, अंगरखा, धोती, दुपट्टा और पैरों में आगे ऊपर उठा हुआ दक्षिणी जूता वे पहना करते थे। वे बहुत भव्य दिखाई पड़ते थे। सन् 1879 में उन्होंने न्यू इंग्लिश स्कूल की स्थापना की। यह विद्यालय राष्ट्रीय विचारों वाले सच्चे देशभक्त तैयार करने के उद्देश्य से खोला गया था। वे वहाँ गणित पढ़ाते थे। 1881 में इन्होंने मराठी भाषा में केसरी समाचार पत्र का प्रकाशन किया। केसरी में अंग्रेजों की अनुचित नीतियों और अत्याचारों का खुलकर विरोध किया जाता। तिलक के प्रस्ताव पर दक्षिण शिक्षा समाज नामक संस्था बनाई गई। 1907 में काँग्रेस दो भागों में विभाजित हो गई। गरम दल और नरम दल। तिलक जी गरम दल में थे। तिलक उस समय की अन्याय और अत्याचारपूर्ण व्यवस्था में शीघ्र परिवर्तन लाना चाहते थे। केसरी में प्रकाशित लेख 'वीर पूजा' के कारण उन्हें 18 माह की कठोर सजा मिली। कलकत्ता में होने वाले अधिवेशन में गीता पर उनका भाषण सुनकर छात्रों ने उन्हें मानपत्र दिया और वह 'लोकमान्य' कहे जाने लगे। 1908 में केसरी में प्रकाशित लेख देश का दुर्भाग्य के कारण वे पुनः छह माह के लिए

कैद में डाल दिए गए। वहीं पर उन्होंने विश्व विख्यात ग्रंथ गीता रहस्य की रचना की। भारत की राष्ट्रीय भावनाओं को ब्रिटिश लोकपथ के समक्ष प्रस्तुत करने के लिए तिलक इंग्लैंड गए। तिलक पूर्ण स्वराज्य हेतु निरंतर संघर्ष करते रहे। 1 अगस्त 1920 को भारत माता का यह सपूत सदा के लिए सो गया। उनकी मृत्यु पर विट्ठल भाई पटेल ने कहा–'राजनीति को आराम कुर्सी वाले राजनीतिज्ञों से जनता तक ले जाने का श्रेय लोकमान्य तिलक को ही है। वे सच्चे अर्थों में भारत के निर्माता थे।'

35. रामप्रसाद बिस्मिल

भारतीय स्वाधीनता आंदोलन के समय कुछ नवयुवकों ने सशस्त्र क्रांति का मार्ग अपनाया। इनमें रामप्रसाद बिस्मिल का नाम प्रमुख है। इनका जन्म 1897 ई. में शाहजहाँपुर में हुआ था। बचपन में इनका मन पढ़ने-लिखने में नहीं लगता था और कुछ बुरी आदतें भी पड़ गई थीं। उसी बीच वह पड़ोसी के मंदिर में जाने लगे और वहाँ के पुजारी का इनके ऊपर गहरा प्रभाव पड़ा। इनकी बुरी आदतें छूट गई और यह व्यायाम तथा ब्रह्मचर्य की ओर आकृष्ट हो गए। विद्यालय जीवन में रामप्रसाद के हृदय में स्वदेश प्रेम की लहरें उठने लगी थीं। इसी समय इनकी भेंट स्वामी श्री सोमदेव से हुई। स्वामी जी उन्हें सदैव धार्मिक और राजनीतिक उपदेश देते थे। साथ ही देश-प्रेम और साहस भरी पुस्तकें पढ़ने का निर्देश भी देते थे। 1916 ई. में लौहार षड्यंत्र में भाई परमानंद को मृत्यु दंड की सजा सुनाई गई। इसका रामप्रसाद जी को गहरा सदमा लगा और उन्होंने अंग्रेजी शासन के विनाश करने का संकल्प किया। इसी समय उन्हें पता चला कि क्रांतिकारी आंदोलन के लिए एक गुप्त समिति भी कार्य कर रही है। थोड़े ही दिनों में उन्हें क्रांतिकारी कार्यकारिणी का सदस्य बना लिया गया। क्रांतिकारी दल को हथियारों की जरूरत थी, पर धन का अभाव था। रामप्रसाद पुस्तक प्रकाशित करके पैसा अर्जित करना चाहते थे। पहली पुस्तक 'अमेरिका को स्वाधीनता कैसे मिली' प्रकाशित हुई। इसी बीच देशवासियों के नाम 'संदेश' नामक पुस्तक छपवायी। यह पुस्तक अंग्रेज सरकार द्वारा जब्त कर ली गई। उनको गिरफ्तार करने के लिए वारंट जारी हो गया। इस बीच उनका जीवन अस्त-व्यस्त रहा। उन्होंने 'बोलशेविकों की करतूत', 'मन की लहर', 'कैथोराइन', 'स्वदेशी रंग' आदि कई पुस्तकें लिखीं। पुस्तकों का काम छोड़कर वे व्यापार करने लगे। इन्होंने रेशमी कपड़ा बुनने का एक निजी कारखाना चलाया। इसमें अच्छी सफलता मिली। फिर क्रांतिकारियों का निमंत्रण पाकर उनसे रहा न गया। रामप्रसाद ने इस समय जो संगठन बनाया उसका लक्ष्य शोषण रहित समाज

की स्थापना करना था। उस समय स्वदेश-सेवा का व्रत लेने के कारण सभी की दशा फकीरों जैसी हो गई थी। क्रांतिकारियों को हथियार के लिए धन की आवश्यकता थी। बड़े विचार-विमर्श के बाद सरकारी खजाना लूटने का निश्चय लिया गया। चलती गाड़ी में क्रांतिकारी सवार हो गए। गाड़ी रोककर संदूक उतार लिया गया। यह रेल डकैती 'काकोरी' नामक स्थान पर हुई थी। इसीलिए यह घटना काकोरी षड्यंत्र के नाम से मशहूर है। इस कांड के लिए 15 अभियुक्तों को काला पानी कुछ को कठोर सजा तथा रामप्रसाद बिस्मिल सहित तीन और क्रांतिकारियों को फाँसी की सजा सुनाई गई। फाँसी के दो दिन पूर्व जेल में बैठकर उन्होंने अपनी आत्मकथा लिखी। उसके अंत में लिखा है–

मरते बिस्मिल, रोशन, लहरी अशफाक अत्याचार से।
होंगे पैदा सैकड़ों, उनके रुधिर की धार से।।

36. शहीद भगत सिंह

शहीद भगत सिंह एक असाधारण साहसी और महान् देशभक्त थे। इनके पिता सरदार किशन सिंह तथा चाचा दोनों ही स्वतंत्रता सेनानी थे। इनके जन्म के समय दोनों जेल में थे। इनका जन्म 27 सितंबर 1907 ई. में लायलपुर जिले में हुआ था। इनके जन्म के दो माह बाद ही इनके पिता तथा चाचा की रिहाई हो गई। दादी ने प्रसन्न होकर इनका नाम 'भागांवाला' अर्थात् भाग्यवाला रखा। यही बालक आगे चलकर भगत सिंह कहलाया। जिस समय इनका जन्म हुआ देश में विद्रोह की ज्वाला धधक रही थी। बचपन में ही असाधारण खेल खेला करते थे। एक बार एक खेत में पाट्टी में लकड़ियाँ गाड़ रहे थे। पूछने पर इन्होंने कहा बंदूक बो रहा हूँ। बचपन से ही इनका संपर्क लाला लाजपत राय, करतार सिंह सरामा से हो गया। करतार सिंह से यह बहुत प्रभावित थे। प्रथम लाहौर षड्यंत्र केस (1915) में यह केवल 9 वर्ष के थे। 1919 में घटित जलियाँवाला बाग कांड ने पूरे देश को झकझोर दिया। भगत सिंह भी उस स्थान पर शहीदों को श्रद्धांजलि देने गए। वहीं पर मिट्टी उठाकर बलिदान की शपथ खाई। 1920 में गाँधी का असहयोग आंदोलन जोर पकड़ा। भगत सिंह भी डी. ए. वी. कॉलेज छोड़कर लाला लाजपत राय द्वारा स्थापित नेशनल कॉलेज में भर्ती हो गए। वहीं इनकी भेंट भगवती चरण, सुखदेव, यशपाल आदि क्रांतिकारियों से हुई। वहाँ इन्हें बड़े-बड़े नेताओं का भाषण सुनने को मिला। जयचंद्र विद्यालंकार से यह विशेष प्रभावित थे। विद्यालय में यह देशभक्ति के नाटक खेला करते थे जिसका उद्देश्य लोगों के दिल में राष्ट्रीय चेतना पैदा करना था। इनके पिता ने इनसे विवाह करने के लिए कहा तो इन्होंने साफ

मना कर दिया और कहा—आप केवल अपनी माँ की चिंता करते हैं 33 करोड़ की माँ भारत कितने दुःख में है। इसका दुःख दूर करना मेरा पहला कर्तव्य है, उन्होंने आजीवन विवाह न करने का निश्चय कर लिया। बाद में भगत सिंह कानपुर आए और गणेशशंकर विद्यार्थी के संपर्क में रहकर राष्ट्र की सेवा करते रहे। 1928 में साइमन कमीशन का विरोध करते हुए लाला लाजपत राय अंग्रेजों की लाठी से घायल हो गए और उसमें इनकी मृत्यु हो गई। क्रांतिकारियों ने मिस्टर स्काट की हत्या की योजना बनाई। भगत सिंह का भी नाम उसमें था। एक अंग्रेज कार्यालय से बाहर निकला। क्रांतिकारियों ने उस पर गोली चलाई और वह मारा गया। सभी क्रांतिकारी भाग निकले। अंग्रेज सार्वजनिक सुरक्षा विधेयक संसद में पेश करना चाहते थे। यह विधेयक सरकार की दमनकारी नीति का पोषक था। 1929 अप्रैल में इसे लागू करना था। क्रांतिकारियों ने असेंबली पर बम फेंकने का निश्चय कर लिया। भगत सिंह सहित चार साथी असेंबली में प्रविष्ट हुए और उन्होंने वहाँ बम फेंक कर स्वयं गिरफ्तारी दे दी। इन पर मुकदमा चलाया गया। उन पर सांडर्स की हत्या का भी आरोप था। उन्हें मृत्यु दंड दिया गया। 23 मार्च 1931 को भगत सिंह, सुखदेव तथा राजगुरु को फाँसी दी गई। उनकी माता ने जेल में आकर पुत्र से कहा—'बेटा हठ मत छोड़ना, एक दिन तो मरना ही है, पर ऐसा मरना जिससे पूरा विश्व याद करके रो उठे।' तख्ते पर खड़े होकर उन्होंने इंकलाब का नारा लगाया और फाँसी पर झूल गए।

37. मुंशी प्रेमचंद

मुंशी प्रेमचंद का असली नाम धनपत राय था। इनका जन्म सन् 1880 ई. में वाराणसी जिले के लमही गाँव में हुआ था। 8 वर्ष की अवस्था में ही इनकी माता का देहांत हो गया। इनके पिता ने दूसरा विवाह कर लिया। दूसरी माँ से इन्हें कभी स्नेह नहीं मिला। 13 वर्ष की अवस्था में ये अपने पिता के साथ गोरखपुर आए। वहीं इनका संपर्क एक पुस्तक विक्रेता से हुआ। प्रेमचंद जी वहाँ नित्य जाते और पुस्तकों का अध्ययन करते। यहीं से उनकी जिंदगी का रास्ता बदल गया। इनका वैवाहिक जीवन सुखमय नहीं था। इसी बीच इनके पिता का देहांत हो गया और इनका जीवन आर्थिक संकट में पड़ गया पर इन्होंने अपनी पढ़ाई नहीं छोड़ी। अपने गाँव से पाँच मील दूर क्वींस कॉलज में पढ़ने जाते थे और साथ में ट्यूशन भी करते थे। इस प्रकार इन्होंने मैट्रिक की परीक्षा पास की। कुछ दिन बाद मिर्जापुर के एक विद्यालय में इनकी नियुक्ति हो गई। बाद में यह सरकारी स्कूल के अध्यापक हो गए और फिर डिप्टी इंस्पेक्टर ऑफ स्कूल बन गए। आजादी की लड़ाई में हिंदी

कवियों तथा लेखकों पर भी स्वतंत्रता आंदोलन का प्रभाव पड़ा। प्रेमचंद जी ने देश प्रेम की कहानियाँ लिखीं जिसका संग्रह 'सोजे वतन' के रूप में 1909 में प्रकाशित हुआ। इसे पढ़कर हमीरपुर के अधिकारी ने इन्हें बुलाया और चेतावनी दी। इसके बाद यह अपना लेख प्रेमचंद के नाम से लिखने लगे। प्रेमचंद ने सामाजिक कुरीतियों, अर्थहीन रूढ़ियों, परंपराओं और अंधविश्वासों का विरोध किया। इन्होंने बाल विवाह के विरोध में तथा विधवा विवाह के पक्ष में आवाज उठाई और अपनी पहली पत्नी की मृत्यु के बाद उन्होंने स्वयं एक कुलीन परिवार की विधवा से विवाह कर लिया। उनके द्वारा रचित उपन्यास में किसानों का अपने अधिकारों के लिए लड़ने को तैयार हो जाना राष्ट्रीय जागृति का संदेश था। इनकी रचनाएँ सहज एवं सरल भाषा में निकलती थीं जो सभी के लिए बोधगम्य थीं। सामाजिक कुरीतियाँ वर्ग संघर्ष, नारी समस्या, दलित किसान तथा मजदूरों की समस्या, दहेज प्रथा, देशप्रेम आदि इनके रचना के विषय होते थे। इनकी कहानियों का संग्रह 'मानसरोवर' के नाम से प्रकाशित हुआ। इन्होंने कई उपन्यासों की भी रचना की। रंगभूमि में जीवन के सभी पक्षों का विशद वर्णन किया। कर्मभूमि में मजदूरों की मूकवाणी का स्वर है। गोदान तो देश की तत्कालीन परिस्थितियों का स्पष्ट दर्पण है। वे हिंदी तथा उर्दू भाषा का समन्वय चाहते थे। हिंदुस्तानी भाषा का उनका स्वप्न पूरा न हो सका। 8 अक्टूबर 1936 ई. को उनका देहांत हो गया।

अंतःकथाएँ

1. नहुष–नहुष राजा अंबरीष के पुत्र थे। ब्राह्मण वृत्रासुर का वध करने पर इंद्र को ब्रह्म हत्या लग गई थी। इसके प्रायश्चित्त के लिए कोई मार्ग न देखकर वे मानसरोवर में बहुत दिनों तक छिपे रहे। इस बीच इंद्रासन खाली देखकर नहुष को इंद्र का पद दे दिया गया। नहुष इंद्र की पत्नी इंद्राणी की सुंदरता पर मुग्ध हो गया। उसने उससे विवाह करना चाहा। इंद्राणी ने बहुत मना किया फिर भी वह नहीं माना। इंद्राणी ने शर्त लगा दी कि सप्तर्षियों को कहार बनाकर डोली में चढ़कर आने पर ही वह नहुष से विवाह करेगी। नहुष ने वही किया। किंतु रास्ते में नहुष ने ऋषियों से सर्प-सर्प (अर्थात् शीघ्र चलो) कहा। यह सुनकर अगस्त्य ऋषि को क्रोध आ गया उन्होंने डोली पटक कर शाप दे दिया कि जाओ तुम सर्प हो जाओ। नहुष सर्प होकर पृथ्वी पर गिर पड़े अंत में युधिष्ठिर के दर्शन से उनका उद्धार हुआ।

2. नारद–नारद ऋषियों की सेवा करने वाली किसी दासी के पुत्र थे। पाँच वर्ष की अवस्था में ही सर्प के काटने से इनकी माँ का प्राणांत हो गया। अब वे वन में जाकर तपस्या करने लगे। इसी बीच विष्णु में ध्यानस्थ होने पर इनके भी प्राण छूट गए। इसके बाद ब्रह्मा के प्राण से इनकी आत्मा ने पुनः जन्म लिया। ये अमर हैं। वीणा बजाते हुए तथा 'नारायण-नारायण' भजते हुए किसी भी लोक में पहुँचना इनके लिए एक साधारण काम है। जितेन्द्रिय होते हुए भी ये एक बार एक राजकन्या पर मुग्ध हो गए। उसके स्वयंवर में जाने के लिए इन्होंने विष्णु से उनका स्वरूप माँगा। इनका मोह भंग करने के लिए भगवान ने इन्हें बंदर का मुख दे दिया। स्वयंवर में राजकन्या ने इन्हें नहीं चुना। भेद खुलने पर इन्होंने भगवान को शाप दे दिया–'जाओ कभी पत्नी के वियोग में तुम भी इसी प्रकार भटकोगे।' किंतु यही बंदर तुम्हारी सहायता करेंगे। आगे चलकर राम के साथ यही हुआ।

3. नरसिंह अवतार–प्रह्लाद के पिता हिरण्यकशिपु को वरदान प्राप्त था कि वह किसी देवता, राक्षस, मनुष्य, पशु या अस्त्र से जल या थल में मारा नहीं जा सकता। एक बार इंद्र ने इसे परास्त कर दिया था इससे वह विष्णु को भी शत्रु मानता था इसलिए अपने पुत्र प्रह्लाद को भगवान की भक्ति करने पर अनेक प्रकार से सताने लगा। एक बार जब प्रह्लाद को खंभे से बाँधकर मारते हुए उसने कहा कि 'दिखा तेरा भगवान कहाँ है।' उसी समय भगवान नरसिंह (अर्थात् सिंह का मुख और नर का शरीर धारण करके) उस खंभे से ही प्रकट हो गए। उन्होंने उसे प्राप्त वरदान के अनुकूल दहलीज पर बैठकर तथा अपनी जाँघों पर हिरण्यकशिपु के शरीर को रखकर अपने नखों से फाड़ डाला।

4. प्रह्लाद–हिरण्यकशिपु का सबसे छोटा पुत्र था। बाल्यावस्था से ही उसे भगवान के प्रति अटूट भक्ति थी। हिरण्यकशिपु के लाख यातना देने पर भी वह भगवान की भक्ति से विरत नहीं हुआ। उसे होलिका के साथ आग में जलाया गया। पहाड़ से गिराया गया फिर भी उसका कुछ नहीं बिगड़ा। अंत में उसकी रक्षा करने के लिए भगवान ने स्वयं नरसिंह का अवतार धारण किया।

5. परशुराम–ये जमदग्नि के पुत्र और शिव के भक्त थे। इनकी माता का नाम रेणुका था। ये पराक्रमी किंतु क्रोधी ब्राह्मण थे। एक बार सहस्त्रार्जुन से इनका युद्ध हो गया। इन्होंने उसकी सहस्त्र भुजाओं को काटकर उसे मार डाला। बाद में उसके पुत्रों ने जमदग्नि को मार डाला। तभी से इन्होंने पृथ्वी को क्षत्रिय विहीन करने की प्रतिज्ञा की और इक्कीस बार सहस्त्रार्जुन के वंशजों को परास्त किया। कहा जाता है कि एक बार अपने पिता के आदेश पर इन्होंने अपनी माँ का सिर काट लिया था। किंतु पिता से वरदान प्राप्त कर इन्होंने माँ को पुनः जीवित कर दिया।

6. वाराह-अवतार–एक बार हिरण्याक्ष ने पृथ्वी और पाताल दोनों को अत्याचार से भयभीत कर दिया। देवताओं ने उसे मारने के लिए भगवान से प्रार्थना की। अब वह विष्ठा (मल) का कोट बनाकर उसकी आड़ में रहने लगा। विष्ठा की कोट ढहाने के लिए भगवान ने वाराह (शूकर) का अवतार ग्रहण कर हिरण्याक्ष को मार डांला और पृथ्वी का उद्धार किया।

7. भस्मासुर–यह एक राक्षस था। एक बार इसने भगवान शंकर को अपनी तपस्या से प्रसन्न कर यह वरदान प्राप्त कर लिया कि मैं जिसके सिर पर हाथ रखूँ वही भस्म हो जाए। वरदान मिलते ही इसने शंकर के सिर पर हाथ रखना चाहा। शंकर जी भागते हुए विष्णु के पास पहुँचे। भगवान विष्णु ने मोहिनी वेष धारण कर उससे अपने साथ नाचने की शर्त लगाई। वह विष्णु के इशारे पर नाचने लगा, इसी बीच उनके संकेत पर उसने अपना हाथ अपने ही सिर पर रख लिया। परिणामतः वह स्वयं भस्म हो गया।

8. शिवि–राजा शिवि बड़े दानी थे। एक बार इनकी परीक्षा के लिए इंद्र ने बाज और अग्नि ने कबूतर का रूप ग्रहण कर लिया। बाज ने कबूतर का पीछा किया। कबूतर राजा की गोद में जाकर बैठ गया। बाज ने अपने शिकार कबूतर को माँगा। राजा ने कबूतर के बराबर अपनी जाँघ का मांस देने को कहा। बाज मान गया कबूतर के बराबर राजा जाँघ काटकर तौलने लगे। कबूतर का वजन बढ़ता गया। राजा दूसरे पलड़े पर स्वयं बैठ गए। इससे दोनों देवता प्रसन्न हो गए और राजा को मुक्ति प्रदान कर चले गए।

9. शबरी–यह मतंग ऋषि की सेविका थी। ऋषि के वरदान से वनवास के समय राम-लक्ष्मण स्वयं इसके आश्रम में पहुँचे। वहाँ भक्ति विह्वल होकर शबरी अपने जूठे बेर भगवान को देती रही और उसकी भक्ति देखकर वे प्रसन्नतापूर्वक खाते रहे। भगवान ने इसे मोक्ष प्रदान किया।

10. त्रिशंकु–त्रिशंकु एक राजा थे। इन्होंने विश्वामित्र से सदेह स्वर्ग जाने की इच्छा प्रकट की, विश्वामित्र ने अपने तप बल से उन्हें स्वर्ग भेज दिया। पर इंद्र ने स्वर्ग से उन्हें धरती पर ढकेल दिया। विश्वामित्र ने अपने बल से उन्हें बीच में ही रोक दिया। आज तक वे अंतरिक्ष में लटके हुए हैं।

11. अनसूया–अनसूया महर्षि अत्रि की पत्नी थीं। वे बड़ी पतिव्रता थीं। एक बार पार्वती, लक्ष्मी तथा ब्राह्मणी ने अपने पतियों से उनकी परीक्षा लेने के लिए कहा। सभी उनके आश्रम में अतिथि रूप में पहुँचे। अत्रि आश्रम में नहीं थे। अतिथियों ने अनसूया को नग्न होकर भोजन कराने के लिए कहा। अनसूया पर पुरुषों के सामने भला नग्न कैसे होती ? उसे एक उपाय सूझा। उसने तीनों अतिथियों को अपने व्रत के बल से बालक बना दिया और स्वयं लेटकर उन्हें अपने स्तन का दूध पिलाया। बहुत दिन हो जाने पर तीनों देवियाँ अपने पति की खोज में अनसूया के आश्रम में पहुँचीं। अनसूया ने उन्हें अपने पति को पहचान कर उठा लेने के लिए कहा। देवियाँ बहुत दुखित हुईं। बाद में उनकी प्रार्थना पर अनसूया ने उन्हें पूर्व रूप में कर दिया। इससे सभी प्रसन्न होकर सती को वरदान देकर चले गए।

12. अजामिल–कन्नौज में एक दुराचारी ब्राह्मण था। भगवान के भक्तों को सताना, लोगों का सामान लूट लेना तथा चोरी करना इसका काम था। किंतु इसकी पत्नी साध्वी थी। उससे जो पुत्र उत्पन्न हुआ उसका नाम उसने नारायण रखा। अजामिल ने जीवन भर भगवान की भक्ति नहीं की थी किंतु जब वह मृत्यु शय्या पर पड़ा तब दुख से कराहते हुए उसके मुख से बार-बार अपने पुत्र के लिए 'नारायण' शब्द ही निकलता था। अंतिम समय में जब यमदूत इसके पास पहुँचे तो 'नारायण' शब्द सुनकर उन्होंने समझा कि यह अवश्य ही कोई बहुत बड़ा भक्त है। यमदूत लौट गए परिणामतः उसे मोक्ष प्राप्त हो गया।

13. अंबरीष–ये सूर्यवंशी राजा थे। भक्त थे। एक बार इन्होंने व्रत धारण किया था। उसी अवसर पर इन्होंने ऋषि दुर्वासा को अपने यहाँ भोजन के लिए आमंत्रित किया था। ऋषि उस दिन देर से पहुँचे। ऋषि के आने में कुछ विलंब हो जाने के कारण उन्होंने विष्णु का चरणोदक लेकर एकादशी व्रत का पारण कर लिया। अतिथि को भोजन कराए बिना ही राजा का जल ग्रहण कर लेना उन्हें ठीक नहीं लगा। उन्होंने अपने क्रोध से कृत्या राक्षसी को उत्पन्न कर दिया वह अंबरीष को मारने के लिए दौड़ पड़ी। भगवान विष्णु को दुर्वासा का यह कार्य अच्छा न लगा। अपने भक्त अंबरीष को बचाने के लिए उन्होंने कृत्या पर सुदर्शन चक्र चला दिया। कृत्या का वध करके सुदर्शन चक्र ऋषि दुर्वासा के पीछे घूम पड़ा। उन्हें कहीं शरण न मिली। उन्होंने अंबरीष के पास आकर उनसे क्षमा याचना की। अंबरीष ने चक्र से उन्हें छुड़ाया और उन्हें भोजन कराकर विदा किया। दुर्वासा अंबरीष की प्रशंसा करते हुए चले गए।

14. अहल्या–अहल्या गौतम ऋषि की पत्नी थी। एक बार ऋषि गौतम प्रातःकाल गंगा स्नान के लिए गए थे। उसी समय इंद्र गौतम ऋषि का वेश धारण कर उनके आश्रम में पहुँचे। सरल स्वभाव वाली नारी उनके धोखे में आ गई। उसने छद्म वेशधारी इंद्र को अपना पति ही समझ लिया। अपनी पत्नी अहल्या के साथ इंद्र को सोते हुए देखकर गौतम के क्रोध का ठिकाना न रहा। उन्होंने इंद्र को तो शाप दिया ही अपनी पत्नी अहल्या को भी पत्थर हो जाने का शाप दे दिया। बेचारी अहल्या पत्थर हो गई। त्रेता युग में जब रामचंद्र जी विश्वामित्र के साथ जनकपुरी जा रहे थे उसी समय उन्होंने अपने चरण का स्पर्श कराकर उस शिलारूपी अहल्या का उद्धार किया। इसी प्रसंग की ओर तुलसीदास ने केवट के मुख से संकेत कराया है। केवट ने कहा है–'छुवत सिला भइ नारि सुहाई। पाहन ते न काठ कठिनाई।'

15. इंद्र–इंद्र देवताओं के राजा हैं। वही स्वर्ग-लोक के स्वामी कहे जाते हैं। इनका अस्त्र बज्र है। इनकी सवारी ऐरावत हाथी है जो सफेद रंग का है। इन्हें स्वर्ग का राज्य बड़ी तपस्या के बाद प्राप्त हुआ है। जब कोई भी व्यक्ति घोर तपस्या करने लगता है तो डर जाते हैं कि कहीं वह अपनी तपस्या के बल पर इनका राज्य इनसे छीन न ले। परिणामतः वे उन तपस्वियों के तप में विघ्न डालने लगते हैं।

16. एकलव्य–एकलव्य का जन्म द्वापर युग में हुआ था। वह भील जाति का एक बालक था। वह धनुर्विद्या सीखने के लिए आचार्य द्रोण के पास गया। शूद्र जाति का होने के कारण द्रोण ने उसे धनुष विद्या सिखाने से इन्कार कर दिया। गुरु भक्त एकलव्य ने आचार्य द्रोण की प्रतिमा बनाकर उसी के समक्ष धनुषबाण चलाने का अभ्यास करना आरंभ कर दिया। वह कुछ ही दिनों में एक बड़ा ही कुशल धनुर्धर हो गया। द्रोणाचार्य को जब यह ज्ञात हुआ तो वे बड़े चिंतित हुए

उन्होंने सोचा कि कहीं यह शिष्य हमारे अर्जुन जैसे धनुर्धारियों को भी नीचा न दिखा दे। परिणामतः उन्होंने एकलव्य से गुरुदक्षिणा में उसके दाएँ हाथ का अँगूठा माँग लिया। एकलव्य ने अपना अँगूठा दान कर दिया। इस प्रकार उसमें एक अनुपम गुरु भक्ति थी।

17. कर्ण–कर्ण कुंती के पुत्र थे। कुंती को ऋषि दुर्वासा ने प्रसन्न होकर देवताओं को अपने पास बुला लेने का मंत्र सिखा दिया था। कुंती ने इस मंत्र की परीक्षा लेने के विचार से सूर्य का आवाहन किया। सूर्य उनके पास उपस्थित हो गए। परिणामतः सूर्य के द्वारा कुंती के गर्भ से कर्ण का जन्म हुआ। कुंती इस समय अविवाहित थी। लोक लज्जा वश उसने बालक कर्ण को संदूक में रखकर नदी में प्रवाहित कर दिया। राधा नाम की एक सूत पत्नी ने बालक को नदी की धारा के बीच से बचाया और उसका पालन-पोषण किया। इन्होंने धनुष विद्या परशुराम से सीखी थी। ये बड़े अद्भुत धनुर्धर थे। सूर्य ने इन्हें कवच और कुंडल प्रदान किया था जिसके रहते इन्हें कोई भी युद्ध में हरा नहीं सकता था। अर्जुन से मुकाबला होने के पूर्व ही इंद्र ने ब्राह्मण बनकर कर्ण से कुंडल और कवच दान में माँग लिया। कर्ण बड़े दानी थे उन्होंने ब्राह्मण वेशधारी इंद्र को अपना कुंडल और कवच प्रदान कर दिया। परिणामतः कर्ण महाभारत के युद्ध में अर्जुन के हाथों वीरगति को प्राप्त हुए।

18. कालनेमि–भगवान राम के समय में कालनेमि नाम का एक राक्षस था। लक्ष्मण के मूर्च्छित हो जाने पर जब हनुमान जी संजीवनी बूटी लेने जा रहे थे तब वह उन्हें छलने के लिए उनसे साधुवेश में मिला। हनुमान उसकी चाल समझ गए। उन्होंने कालनेमि को तुरंत मार डाला।

19. गणिका–सतयुग में गणिका नाम की एक वेश्या थी। उसने एक तोता पाला था। उसे वह पुत्र के समान प्यार करती थी। प्रतिदिन वह तोते को रामनाम पढ़ाया करती थी। उसी तोते को पढ़ाने से अर्थात् उसी बहाने राम नाम जपने से अंत में उसे मोक्ष प्राप्त हो गया।

20. द्रौपदी–वह राजा द्रुपद की पुत्री तथा पाँचों पांडवों की पत्नी थी। अर्जुन ने इन्हें स्वयंवर में मछली की आँख में तीर का निशाना लगाकर उपहार स्वरूप प्राप्त किया था। एक बार युधिष्ठिर और दुर्योधन में जुआ हुआ। युधिष्ठिर राजपाट सब कुछ हार गए। वे द्रौपदी को भी हार गए। दुर्योधन के आदेश से दुःशासन द्रौपदी को नग्न करने के लिए उसका चीर खींचने लगा। सारी सभा यह अत्याचार देखती रही। दुर्योधन का विरोध करने का साहस किसी को भी नहीं हुआ अंत में असहाय होकर द्रौपदी ने कृष्ण के लिए करुण पुकार लगाई। भगवान कृष्ण ने द्रौपदी की चीर इतनी बढ़ा दी कि बेचारा दुःशासन चीर खींचते हार गया पर द्रौपदी को नग्न नहीं कर सका। द्रौपदी की लाज बच गई।

21. दधीचि–वृत्रासुर ने एक बार राजा इंद्र को परास्त कर दिया। असहाय होकर इंद्र विष्णु के पास पहुँचे। विष्णु ने बताया कि वृत्रासुर का वध महर्षि दधीचि की हड्डी से बने वज्र से ही हो सकता है। देवताओं ने इसके लिए महर्षि दधीचि से प्रार्थना की। देवताओं की रक्षा के लिए इस तपस्वी ने अपनी प्राण त्याग दिए। उनकी हड्डी से वज्र बनाया गया और उसी से वृत्रासुर का वध हुआ।

22. दुर्वासा–दुर्वासा महर्षि अत्रि के पुत्र थे। ये बड़े क्रोधी थे। जरा से क्रोध पर लोगों को शाप दे देना इनके लिए एक आसान काम था। एक बार राजा दुष्यंत की चिंता में शकुंतला बैठी हुई थी उसी बीच ऋषि वहाँ पहुँचे। उसने उनकी ओर ध्यान नहीं दिया। इतने में ही अपना अपमान समझकर वे क्रुद्ध हो गए। उन्होंने शाप दे दिया कि तुम जिसकी चिंता में बैठी हो वह दुष्यंत तुम्हें बिल्कुल भूल जाएगा। वही हुआ, दुष्यंत भूल गए और शकुंतला को कष्ट उठाना पड़ा।

23. ध्रुव–ध्रुव के पिता का नाम उत्तानपाद और माता का नाम सुनीति था। सुनीति को बहुत दिनों तक कोई संतान न हुई। उन्होंने राजा का विवाह सुरुचि नाम की एक सुंदर कन्या से करवा दिया। सुरुचि ने सुनीति के चरित्र को लांछित कर उसे राजमहल से निकलवा दिया।

सुनीति जंगल में कुटी बनाकर रहने लगी। एक बार शिकार खेलते समय राजा रास्ता भूल गए और सुनीति की कुटी पर पहुँच गए। सुनीति ने राजा का स्वागत-सत्कार किया। कुछ दिनों तक वहाँ रहने के बाद राजा अपनी राजधानी लौट आए। इसके पश्चात् सुनीति को एक पुत्र हुआ जिसका नाम उन्होंने ध्रुव रखा।

एक दिन ध्रुव खेलते-खेलते राजदरबार में पहुँच गया। राजा ने प्रेमवश उसे अपनी गोद में उठा लिया। इतने में सुरुचि वहाँ पहुँच गई। ध्रुव का राजा की गोद में बैठना उसे अच्छा न लगा। उसने ध्रुव को अपमानित करके निकाल दिया। ध्रुव ने सारी बात अपनी माँ को बताई।

माता ने कहा, बेटा ! पिता की गोद से भी ऊँचा स्थान भगवान की गोद का है। अतः तुम उसे प्राप्त करने की कोशिश करो। ध्रुव ने एक पेड़ के नीचे बैठकर घोर तपस्या की। उसकी तपस्या से प्रसन्न होकर भगवान ने उसे दर्शन देकर सबसे ऊँचा स्थान प्रदान किया। वृद्ध होकर राजा ने ध्रुव को ही अपने राज्य का स्वामी घोषित किया।

24. विश्वामित्र–विश्वामित्र के पिता का नाम गांधि था। गांधि के पिता का नाम कुशिक था। इसीलिए विश्वामित्र को गांधितनय और कौशिक कहा जाता है। नंदिनी गाय न देने से इन्होंने वशिष्ठ से दुश्मनी ठान ली थी।

विश्वामित्र ने राम एवं लक्ष्मण को धनुष-बाण चलाने की उच्च शिक्षा दी थी। वे ही उन्हें जनकपुर भी ले गए थे। ब्रह्माजी से अप्रसन्न होकर उन्होंने अलग सृष्टि

की रचना की थी। नारियल इनकी ही सृष्टि है। अपने मंत्रबल से इन्होंने त्रिशंकु को सशरीर स्वर्ग भेज दिया था। जो बीच आकाश में लटके हैं।

25. अघासुर–कंस के आदेशानुसार अघासुर को जंगल में श्रीकृष्ण भगवान् को खाने के लिए भेजा गया। यह बड़े भारी अजगर का रूप धारण करके वन के मार्ग में आ पड़ा। श्रीकृष्ण ने पेट में प्रवेश कर अपना शरीर बढ़ाकर इसे मार डाला।

26. कुब्जा–कुब्जा भगवान की परम भक्त तथा कंस की दासी थी। जब भगवान श्रीकृष्ण कंस को मारने के लिए गए तो भगवान ने इसके शरीर को सीधा किया। भगवान ने कंस को मारने के पश्चात् इसके घर को पवित्र किया तथा उसे सब भाँति कृतार्थ किया।

27. अपाला–अपाला के पिता का नाम अत्रि ऋषि था। अत्रि ऋषि के कोई संतान नहीं थी। इससे उनकी पत्नी चिंतित रहती थी। बहुत प्रतीक्षा के बाद अपाला का जन्म हुआ। अपाला को पाकर अत्रि और उनकी पत्नी बहुत प्रसन्न हुए। लेकिन उनकी प्रसन्नता शीघ्र ही विषाद में बदल गई क्योंकि अपाला के शरीर पर कोढ़ के निशान उभर आए थे। बहुत इलाज करने पर भी कोढ़ कम न हुआ।

निराश ऋषि ने अपाला को उच्च शिक्षा दी। अपाला का विवाह एक सुंदर और विद्वान युवक कुशाश्व के साथ हो गया। पति-पत्नी आनंद से रहने लगे। एक दिन कुशाश्व ने अपाला के शरीर पर कोढ़ के निशान देख लिए। तब से वह उससे घृणा करने लगा। पति के व्यवहार से रुष्ट होकर अपाला अपने पिता के घर चली आई। वहाँ उसने घोर तपस्या करके इंद्र को प्रसन्न कर लिया। इंद्र ने उसके शरीर से कोढ़ के निशान को दूर कर दिया और उसके शरीर को सोने के समान सुंदर कर दिया। अपाला पुनः पति के घर गई। पति को जब सारी बातें ज्ञात हुईं तो उसने अपाला से क्षमा माँगी। तत्पश्चात् पति-पत्नी पुनः प्रेमपूर्वक रहने लगे।

28. राजा भगीरथ–प्राचीन काल में राजा सगर एक यज्ञ कर रहे थे। इंद्र ने उनके घोड़े को चुराकर कपिल मुनि के आश्रम में बाँध दिया। सगर के साठ हजार पुत्रों ने ढूँढ़ते समय जब मुनि के आश्रम में घोड़े को देखा तो उन सबों ने मुनि को ही अश्व चोर समझ लिया। मुनि ने सबको भस्म कर दिया। बाद में दूसरी रानी के पुत्र ने घोड़े को लाकर यज्ञ पूरा कराया।

आगे चलकर इसी वंश में राजा भगीरथ का जन्म हुआ जब उनको अपने पूर्वजों के भस्म होने की बात का पता चला तो उन्होंने अपने पूर्वजों का उद्धार करने के लिए गंगाजी को स्वर्ग से पृथ्वी पर लाने की प्रतिज्ञा की। उन्होंने घोर तपस्या की और गंगा को पृथ्वी पर लाने में सफल हुए।

वास्तव में ऐसा मालूम होता है कि उस समय गंगाजी पहाड़ों में बहती थीं। देश को पानी की अत्यधिक आवश्यकता थी। भगीरथ ही अनेक कष्टों को सहकर,

पहाड़ों को काटकर गंगा नदी की धारा मैदान में लाने में सफल हुए थे। यह उनका बड़ा ही महान् एवं परोपकार का काम था।

29. वाल्मीकि–वाल्मीकि रत्नाकर नाम के ब्राह्मण पुत्र थे। आरंभ में चोरी, डकैती और लूटपाट करना ही इनका काम था। एक बार ये सप्तर्षियों को लूटने के लिए उनके ऊपर टूट पड़े। सप्तर्षियों ने इनसे पूछा–'अरे दुष्ट तू किसके लिए यह लूट-पाट कर रहा है क्या वे भी तेरे इस पाप में सम्मिलित होंगे ?' वाल्मीकि अवाक् से रह गए। अपने कुटुंबियों से पूछने पर इन्हें उत्तर मिला कि जो जैसा कर्म करता है, स्वयं ही उसका फल भोगता है। पाप में दूसरा कोई भागी नहीं होता। इससे इन्हें कुछ ज्ञान मिला। इन्होंने महर्षियों से इस पाप से मुक्त होने का उपाय पूछा। उन्होंने 'राम' नाम जपने का उपदेश दिया। किंतु मूर्ख वाल्मीकि उल्टा नाम 'मरा-मरा' जपने लगे। नाम जपने में वे इतने लीन हुए कि इनका शरीर दीमक से ढक गया। इसीलिए इन्हें वाल्मीकि भी कहा गया। आगे चलकर इन्होंने संस्कृत में 'रामायण' की रचना की।

30. सीता–सीता जनकपुर के राजा जनक की पुत्री थीं। एक दिन सफाई करते समय इन्होंने शिव के धनुष को खिसका दिया। जब जनक को यह बात मालूम हुई तो उन्होंने प्रतिज्ञा की कि जो इस धनुष को तोड़ेगा उसी के साथ सीता का विवाह होगा।

सीता के स्वयंवर में हजारों राजा, राजकुमार आए। जब किसी से धनुष हिला तक नहीं तो गुरु की आज्ञा पाकर राम ने धनुष को तोड़ दिया। सीता का विवाह राम के साथ हुआ और वे अयोध्या चली गईं। राम के वनवास के समय सीता राम के साथ वन को गईं। एक दिन लंका का राजा रावण उनको धोखे से हर ले गया। पता चलने पर राम रावण में भयंकर युद्ध हुआ। रावण मारा गया। सीता राम को पुनः प्राप्त हो गईं।

एक दिन धोबी के मुख से सीता के विषय में अपशब्द सुनकर राज्य में मर्यादा रखने के लिए राम ने सीता को वन में छोड़ आने का आदेश दिया। दुखी होकर लक्ष्मण ने आज्ञा का पालन किया। सीताजी तत्पश्चात् वाल्मीकि जी के आश्रम में रहीं, वहीं पर लव-कुश का जन्म हुआ। बाद में इन्हीं बच्चों ने राम के छोड़े हुए घोड़े को पकड़कर भरत-लक्ष्मण को पराजित किया। अंत में वाल्मीकि जी ने सीता को राम से पुनः मिलवाया। इस प्रकार सीताजी का चरित्र आज भी नारी जगत् के समक्ष एक आदर्श प्रस्तुत करता है।

31. चाणक्य–चाणक्य गांधार प्रांत की राजधानी तक्षशिला विश्वविद्यालय में अध्यापक थे। इनके विष्णुगुप्त कौटिल्य वात्सायन नाम भी मिलते हैं। एक बार रास्ते में इनके पैर में कुश गड़ गया तो उसे नष्ट करने के लिए इन्होंने कुशों की जड़ों में मट्ठा डालकर उसे समूल नष्ट किया। ये कृत संकल्पी थे। एक बार ये

किसी बात से नंद वंश के राजा महापद्म नंद से रुष्ट हो गए और समूचे नंद वंश को नष्ट करने की प्रतिज्ञा की।

चाणक्य की इस प्रतिज्ञा के विषय में कथा इस प्रकार है कि नंद का मंत्री शकदार महाराजा से किसी बात पर नाराज हो गया, उसने चाणक्य को राजा के यहाँ श्राद्ध में भोज़न का न्योता दिया। राजा ने चाणक्य को निकलवा दिया। इस अपमान से क्षुब्ध होकर चाणक्य ने नंदवंश को नष्ट करने की प्रतिज्ञा की। अन्य कथा के अनुसार राजा ने चाणक्य से रुष्ट होकर उनसे दान शाला का अध्यक्ष पद छीन लिया था, इससे वे रुष्ट हुए।

अंततः चाणक्य ने चंद्रगुप्त की सहायता से अपनी प्रतिज्ञा पूरी की। कुछ समय तक चंद्रगुप्त का मंत्री रहने के पश्चात् उन्होंने राजनीति से संन्यास ले लिया।

32. अशोक–अशोक महाराज बिंदुसार के पुत्र थे। पिता की मृत्यु के बाद ये राजा बने। इनका राज्य कलिंग को छोड़कर समस्त भारत पर था। अतः उसे जीतने के लिए इन्होंने एक विशाल सेना लेकर कलिंग पर आक्रमण कर दिया। दोनों में भयानक युद्ध हुआ। अंत में विजय अशोक की हुई। पर रक्तपात का दृश्य देखकर भविष्य में युद्ध न करने की प्रतिज्ञा की तथा बौद्ध धर्म ग्रहण कर लिया। वे प्रजा की भलाई में जुट गए। राज्य में सड़कें, अस्पताल, धर्मशालाएँ आदि बनवाईं। उन्होंने खंभों पर अपनी शिक्षाएँ खुदवाईं।

33. चंद्रगुप्त विक्रमादित्य–चंद्रगुप्त विक्रमादित्य के पिता का नाम समुद्रगुप्त था। वे 308 ई. में गद्दी पर बैठे तथा विक्रमादित्य की पदवी धारण की। पंजाब व बंगाल को जीतकर इन्होंने दिल्ली में एक लोहे का खंभा बनवाया। विक्रमादित्य के शासन में राज्य में प्रत्येक क्षेत्र में अत्यधिक उन्नति हुई। अतः इनके शासन काल को स्वर्ण-युग के नाम से पुकारते हैं। शकुंतला नाटक के रचयिता कालिदास जी इनके ही दरबार के नौ रत्नों में से एक थे।

34. रामानुज–रामानुज का जन्म आज से लगभग एक हजार वर्ष पूर्व दक्षिण भारत में काँची नगर के निकट श्रीपेरम्बूर में हुआ था। इनके पिता का नाम केशव सोभाय जी था। ये पंद्रह वर्ष की अवस्था में विवाह होने के पश्चात् काँची चले गए। वहाँ ये यादव प्रकाश नामक एक विद्वान के शिष्य बन गए। वहीं इन्होंने 6 वर्षों तक शास्त्रों का अध्ययन किया।

इनकी पत्नी में ऊँच-नीच की भावना कूट-कूटकर भरी थी। उससे तंग आकर इन्होंने संन्यास ले लिया। रामानुज राम के उपासक थे। वे राम को ईश्वर का अवतार मानते थे। ये सबका कल्याण चाहते थे। इन्होंने वैष्णव धर्म के प्रचार के लिए अनेक पुस्तकें लिखीं।

35. मनु–हम सब लोग मनु की ही संतान हैं। वैसे तो अनेक मनु हुए हैं, परंतु जिनका वर्णन हम कर रहे हैं, वह स्वायंभुव मनु थे। इनकी पत्नी का नाम

शतरूपा था। मनु की संतान होने के कारण ही हम सब लोग मनुष्य कहलाए। इन्होंने अपने परिवार के लोगों के लिए ऐसे नियम पहले से ही बना दिए हैं, जिन पर चलकर सब लोग प्रसन्नतापूर्वक रह सकते हैं। एक पुस्तक में यह सब नियम भी लिखे हुए हैं, जिसे मनुस्मृति कहते हैं। इसमें मनु ने एक लाख श्लोक लिखे हैं। परंतु अब इसका छोटा रूप ही उपलब्ध है। इन्होंने अर्थशास्त्र पर भी एक पुस्तक लिखी थी। मनुस्मृति को धर्मशास्त्र भी कहा जाता है।

36. गणित के दो पंडित–हमारे पूर्वजों में महान् त्यागी, वीर, संत और पंडित हीं नहीं हुए हैं, ज्ञान और विज्ञान के महान् विद्वान भी हुए हैं। गणित और ज्योतिष में भारतवर्ष का विकास इस युग में सबसे आगे था।

हमारे देश के गणित के महान् पंडित थे–वाराहमिहिर। इनके पिता का नाम था आदित्य दास। ये सूर्य के उपासक थे। वाराहमिहिर अपने समय के अद्वितीय विद्वान थे। ये विक्रमादित्य के नवरत्नों में से एक थे। इन्होंने ज्योतिष पर अनेक पुस्तकें लिखी हैं।

दूसरे महान् ज्योतिषी तथा गणित के पंडित का नाम है भास्कराचार्य। इनका जन्म विदर में सन् 1114 ई. में हुआ था। विदर आजकल मैसूर राज्य में पड़ता है। इनके पिता का नाम महेश्वर भट्ट था। इन्होंने बहुत से ग्रंथ लिखे जिनमें दो अधिक प्रसिद्ध हैं–1. सूर्य सिद्धांत, 2. लीलावती।

विश्व में सर्वप्रथम सूर्यग्रहण, चंद्रग्रहण तथा पृथ्वी में आकर्षण शक्ति का अन्वेषण इन्होंने किया था। बीजगणित पर इनकी रचना जगत् प्रसिद्ध है। पैंसठ वर्ष की अवस्था में सन् 1179 ई. में इनका स्वर्गवास हुआ। ये हमारे देश के रत्न थे।

37. सारंध्रा–सारंध्रा टेकड़ी नरेश अनिरुद्ध सिंह की बहन थी। एक दिन मुगलों से पराजित होकर अनिरुद्ध घर वापस भाग आया। भाई का इस प्रकार रण से पराजित होकर भाग आना सारंध्रा को अच्छा न लगा। उसने भाई को फटकारते हुए कहा यदि मेरा पति होता तो मैं उसके सीने में तलवार भोंक देती। अनिरुद्ध की पत्नी को सारंध्रा का कथन चुभ गया। उसने सारंध्रा से कहा–ऐसा कहना सरल है, करना कठिन। इस पर सारंध्रा ने कहा यह तो समय बताएगा।

सारंध्रा का विवाह ओरछा के राजा चंपतराय के साथ हो गया। परिस्थिति वश उनको मुगलों की अधीनता स्वीकार करनी पड़ी। शाहजहाँ ने प्रसन्न होकर उन्हें नौ लाख रुपए की जागीर दे दी। राजा चंपतराय विलासिता का जीवन बिताने लगे। यह बात सारंध्रा को अच्छी न लगी।

किसी बात पर औरंगजेब और चंपतरात में युद्ध छिड़ गया। रानी सारंध्रा भी चंपतराय के साथ थी। राजा लड़ते हुए घायल होकर गिर गए और जैसे ही दुश्मन उन्हें पकड़ने के लिए बढ़े कि सारंध्रा ने उसके सीने में कटार भोंक दी और फिर वही कटार अपने सीने में चुभो ली। दोनों परलोक चले गए। रानी ने अपनी

मर्यादा पर अंत तक आँच न आने दी।

38. समर्थ गुरु रामदास–शिवाजी का नाम प्रत्येक हिंदू जानता है। इनको महान् बनाने का श्रेय समर्थ गुरु रामदास को ही है। इनका जन्म सन् 1608 ई. में भारत में एक छोटे से ग्राम में हुआ था। इनकी माता का नाम राणुबाई था और इनके पिता का नाम सूर्या जी पंत था। इनके बचपन का नाम नारायण था। प्रारंभ से ही ये विवाह नहीं करना चाहते थे। विवाह मंडप से ही ये भाग गए थे।

घर छोड़कर नासिक में एक गुफा में रहकर तप करने लगे। एक पटवारी की स्त्री को आशीर्वाद देकर उसके पति को जिंदा कर देने की घटना से उनका यश चारों ओर फैल गया।

बाद में शिवाजी ने इन्हें अपना गुरु बनाया। शिवाजी समस्त कार्य उनकी आज्ञा से करते थे। शिवाजी ने एक बार भीख माँगने पर सारा राज्य इनको दे दिया। बाद में गुरु के कहने पर मंत्री के रूप में राज्य का कार्य करने लगे। इनमें अनेक आश्चर्य में डालने वाली शक्तियाँ थीं। इन्होंने शिवाजी की वीरता की परीक्षा शेर का दूध मँगाकर की थी। शिवाजी के साथ गुरु रामदास का नाम हमेशा लिया जाता है।

39. चैतन्य–चैतन्य का जन्म सन् 1485 ई. में ठीक चंद्र-ग्रहण के दिन बंगाल में नदिया नामक छोटे नगर में हुआ था। उनका बचपन का नाम निमाई था। उनका नाम बहुत बढ़ा-चढ़ा था और शास्त्रार्थ में उनके समान कोई न था जिसकी वजह से उनकी धाक सारे बंगाल में जम गई।

चैतन्य भगवान कृष्ण के अनन्य भक्त थे और भगवान के ध्यान में इतने डूब जाते थे जिसमें वह अपनी सुध-बुध सब भूल जाते थे। चैतन्य में सबसे बड़ी विशेषता यह थी वह अपने ज्ञान के तेज से दूसरे धर्म वाले पैगंबरों को भी प्रभावित कर देते थे। इस प्रकार की कई घटना उनके जीवन में हुई। एक काजी साहिब थे जो इस्लाम के कट्टर पंथी थे जो उनके गहरे मित्र हो गए। चौबीस साल की अल्प आयु में ही उन्होंने संन्यास ले लिया। संन्यास के पश्चात् उनकी भक्ति और भी बढ़ गई। मांस खाने वाले और मदिरा पीने वाले उनके सामने आते थे और सदाचारी बनकर लौटते थे।

चैतन्य का विश्वास था "भक्ति से ही भगवान मिल सकते हैं।" चैतन्य के तेजस्व से जो भी उनके संपर्क में आता था उनका पक्का शिष्य बन जाता था। एक बार चैतन्य जी की इच्छा काशी होते हुए कृष्ण की लीला भूमि देखने को हुई और वह काशी होते हुए वृंदावन की यात्रा के लिए चल दिए। यात्रा में वासुदेव नाम का ब्राह्मण मिला जिसके सारे शरीर पर कोढ़ था। वासुदेव का चैतन्य से मिलते ही शरीर का सारा रोग नष्ट हो गया। उसी यात्रा में चैतन्य को कुछ मुसलमान अधिकारी और एक मीर मिले जिनसे धार्मिक वाद-विवाद होने लगा। अंत में वह मीर तथा अन्य मुसलमान अधिकारी उनकी बात से इतने प्रभावित हुए कि उनके

शिष्य हो गए और वह पठान **वैष्णव के नाम से प्रसिद्ध** हो गया।

चैतन्य की मृत्यु सन् 1533 में हुई। वे प्रेम की मूर्ति थे और उनकी शिक्षा यही थी कि प्राणी-मात्र से प्रेम करना चाहिए। उन्होंने बंगाल को विधर्मी होने से बचा लिया। जब तक वैष्णव धर्म का इतिहास रहेगा, चैतन्य को हम भूल नहीं सकते।

40. सूरदास–सूरदास हिंदी में ब्रज-भाषा के सबसे बड़े कवि थे। उन्होंने कृष्ण भक्ति पर बहुत कुछ लिखा, उनकी सबसे बड़ी और सबसे विख्यात रचना सूर-सागर है। कविता में सूर ने खोज-खोज कर ऐसी बातें लिख दी हैं जिससे अच्छा लिखने में अब कवियों को बड़ी कठिनाई होती है।

उनका जन्म संवत् 1540 वि. में आगरा से मथुरा जाने वाली सड़क पर स्थित रुनकता नामक ग्राम में हुआ था। उन्हें कुछ लोग जन्म से और कुछ बाद में अंधा हुआ बताते हैं। विद्वानों के विचार से ये चंदबरदाई के वंशज थे। वे सात भाई थे। उनके छह भाई युद्ध में मारे गए थे। भाइयों के वियोग से व्याकुल होकर वे एक बार कुएँ में गिरे तब स्वयं भगवान कृष्ण ने उन्हें कुएँ से निकाला और नेत्रों की ज्योति प्रदान की। किंतु उन्होंने अंधा रहने का ही वर माँगा क्योंकि जिन आँखों से भगवान को देख लिया, उनसे किसी अन्य संसार की वस्तु को नहीं देखना चाहते थे।

वे बल्लभाचार्य के शिष्य थे। उनके आदेश से वे श्रीनाथ जी के मंदिर में रहा करते थे। ये भगवान की भक्ति के पद बनाकर गाया करते थे। संवत् 1610 विक्रमी के आस-पास पारसौली ग्राम में इनकी मृत्यु हुई।

सूरदास जी को जन्म लिए आज चार सौ साल से अधिक हुए हैं, किंतु आज भी हम उन्हें स्मरण करते हैं। यह उनकी महत्ता का प्रमाण है। सूर सूर्य की भाँति दीप्तिमान हैं। हिंदी भाषा के इस अनमोल रत्न को जग भूल नहीं सकता।

41. अहिल्याबाई–अहिल्याबाई का जन्म सन् 1735 ई. में दक्षिण के औरंगाबाद जिले के एक गाँव में हुआ था। बारह वर्ष की अवस्था में उनका विवाह मल्हारराव होलकर के पुत्र खंडेराव से हो गया। खंडेराव का स्वभाव बहुत उग्र और हठी था। अहिल्याबाई ने अपनी बुद्धि तथा कार्यकुशलता से उनका मन जीत लिया। वह इनसे राजकीय तथा शासनकार्य में भी परामर्श करते थे और बाहर जाने पर राज्य के कार्यों का भार इन्हीं पर छोड़ जाते थे। उनके एक पुत्र और पुत्री उत्पन्न हुए। सन् 1754 में खंडेराव की मृत्यु हो गई। नौ महीने बाद पुत्र की भी मृत्यु हो गई। फिर भी अहिल्याबाई विचलित नहीं हुईं। इन्होंने बड़े धैर्य, साहस व योग्यता से तुकोजीराव की सहायता से राज्य के कार्य को सँभाला।

इन्हें अपने शासन काल में शत्रुओं से लड़ना भी पड़ा। इन्होंने गंगाधर राव और राघोवा की सम्मिलित सेना को हराया। राजपूतों को भी अहिल्याबाई ने हराया।

उन्होंने अपनी पुत्री का विवाह यशवंतराव से किया। इससे बीस वर्ष की अवस्था में एक पुत्र का जन्म हुआ। पुत्र के जन्म के बाद यशवंतराव की मृत्यु हो गई और अहिल्याबाई की पुत्री अपने पति के साथ सती हो गई। इस प्रकार अहिल्याबाई का पारिवारिक जीवन दुःख से घिरा हुआ था फिर भी उनके धार्मिक अथवा राज्य के कार्यों में बाधा नहीं पहुँची। वह हमारे देश के जगमगाते नक्षत्रों में से एक हैं चंद्र सूर्य की तरह।

42. कृष्णदेव राय–कृष्णदेव राय दक्षिण भारत के विजय नगर राज्य के सबसे बड़े सम्राट हुए हैं। इनके जन्म की तिथि का ठीक पता नहीं किंतु सन् 1506 ई. में ये विजय नगर की गद्दी पर बैठे थे। इनमें शारीरिक बल बहुत था। तलवार चलाने और घुड़सवारी में पटु थे। जो इनके संपर्क में आता था उस पर उनका प्रभाव पड़े बिना नहीं रहता था। इनके पास विशाल सेना थी जिसका नेतृत्व रणक्षेत्र में स्वयं ही करते थे। ये बड़े वीर और योग्य शासक थे। इनकी प्रजा इनसे प्रेम रखती थी और हृदय में इनके प्रति बहुत सम्मान था।

सभी इनकी शक्ति का लोहा मानते थे। जिस समय इन्होंने दक्षिण के सुल्तान आदिलशाह को परास्त किया, उनकी सेना में साढ़े सात लाख पैदल तथा साढ़े पाँच सौ हाथी थे। युद्ध और व्यायाम में इनकी अभिरुचि थी। इन्होंने अनेक विशाल मंदिर आदि बनवाए। अपने विजयी युद्धों से तथा राज्य के विकास और उसकी उन्नति के कारण कृष्णदेव राय इतिहास में अमर हो गए। हमारे इतिहास में यह उज्ज्वल मणि हैं इन्हें हमें कभी नहीं भूलना चाहिए।

43. सावित्री–सावित्री मध्यप्रदेश के राजा अश्वपति की पुत्री थी। सावित्री बहुत ही सुंदर एवं गुणवती थी। पिता की आज्ञा से सावित्री ने सत्यवान को अपनी इच्छा से अपना पति चुना। यद्यपि विवाह के पश्चात् उसके पति का जीवन केवल एक वर्ष का शेष था। विवाह के पश्चात् सावित्री अपने पति के साथ जंगल में रहने लगी।

जब सत्यवान की मृत्यु के केवल तीन दिन शेष रह गए तो उसने भोजन छोड़ दिया। वह रात-दिन भगवान की पूजा करने लगी। अंतिम दिन वह भी सत्यवान के साथ जंगल में लकड़ी काटने के लिए आई। लकड़ी काटने के पश्चात् जैसे ही सत्यवान पेड़ से नीचे उतरा उसे चक्कर आने लगा और उसकी मृत्यु हो गई। सावित्री विलाप करने लगी, जब यमराज उसके प्राण को लेकर चलने लगे तो सावित्री भी उनके पीछे चलने लगी। यमराज ने सावित्री को तीन वरदान देकर लौटने को कहा। तीसरा वरदान यह था कि मैं पुत्रवती होऊँ।

जब यमराज ने देखा कि सावित्री आ रही है तो पूछने पर उसने कारण बताया कि महाराज ! आप मुझे पुत्रवती होने का वरदान दे चुके हैं। परंतु मेरे पति को आप लिए जा रहे हैं। यमराज ने प्रसन्न होकर सावित्री के पति के प्राण को छोड़

दिया। इस प्रकार से पतिभक्ता सावित्री ने अपने पति के प्राणों की रक्षा की।

44. नचिकेता–नचिकेता के पिता का नाम बाजश्रवा था। एक बार बाजश्रवा ने एक बहुत बड़ा यज्ञ किया। यज्ञ के समाप्त होने पर उन्होंने अपनी सब गाएँ दान में दे दीं। नचिकेता को यह बात अच्छी न लगी। उसने कहा आप मुझे किसे देंगे। जब नचिकेता की बात महर्षि की समझ में आई तो उन्होंने अप्रसन्न होकर कहा कि मैं तुझे यमराज को दूँगा। नचिकेता आज्ञाकारी पुत्र था। अतः पुत्र पिता की आज्ञा का पालन करने के लिए यमराज की खोज में चल दिया।

तीन दिन तक वन में भटकने के बाद जब नचिकेता की आँख खुली तो उसने देखा कि यमराज सामने खड़े हैं। यमराज ने कहा ऐसी तुम पर कौन-सी विपत्ति आ पड़ी है जिसके कारण तुम मेरे पास आना चाहते हो। नचिकेता ने कहा कि मैं तो पिता की आज्ञा से आपकी सेवा में आया हूँ अब आपकी आज्ञा का पालन मुझे करना है। यमराज ने प्रसन्न होकर तीन वरदान माँगने को कहा। नचिकेता ने ये तीन वर माँगे। (1) मेरे पिताजी मुझसे प्रसन्न हो जाएँ। (2) स्वर्ग-लोक में पहुँचने की विद्या बताइए। (3) मृत्यु क्यों होती है और मृत्यु के पश्चात् क्या होता है ?

यमराज ने नचिकेता की तीनों बातों को पूरा किया। नचिकेता के जीवन से हमें यह शिक्षा मिलती है कि पिता की उचित या अनुचित आज्ञा का पालन करना चाहिए।

45. महाराजा हरिश्चंद्र–महाराजा हरिश्चंद्र का जन्म सतयुग में सूर्यवंश में हुआ था। यह बड़े ही सत्यवादी थे। इनकी पत्नी का नाम शैव्या और पुत्र का नाम रोहिताश्व था। एक दिन स्वप्न में इन्होंने अपना सारा राज्य दान में दे दिया। प्रातःकाल ही विश्वामित्र ने आकर राजा को राज्य दान देने की बात को याद दिलाकर राज्य प्राप्त कर लिया इसके पश्चात् दक्षिणा माँगी। राजा ने खजाने से स्वर्ण मुद्रा लाने की बात कही, इस पर विश्वामित्र ने कहा कि खजाने पर अब मेरा अधिकार है। राजा ने भूल के लिए क्षमा माँगी और दक्षिणा चुकाने के लिए कुछ समय माँग कर काशी चल दिए।

काशी पहुँचकर अपनी स्त्री व पुत्र को एक व्यक्ति को बेचकर स्वयं को एक डोम के हाथ बेच दिया और विश्वामित्र की दक्षिणा पूरी की। एक दिन शैव्या के पुत्र को सर्प ने डस लिया। बेचारी रानी पुत्र को गोद में लेकर अंतिम संस्कार के लिए मरघट पर पहुँची। राजा ने अपनी रानी से भी अग्नि-कर के लिए साड़ी का आधा भाग फाड़ने की बात कही। बहुत विनय करने पर भी जब वह न माने तो उसने साड़ी का आधा भाग फाड़ना शुरू किया। इतने में ही विश्वामित्र उनके सामने प्रकट हो गए और उनको आशीर्वाद देकर सारा राज्य वापस कर दिया।

46. महात्मा अगस्त्य–महात्मा अगस्त्य एक तपस्वी, परिश्रमी, बुद्धिमान और

धार्मिक विचारों वाले व्यक्ति थे। इन्होंने विदेशों में भी अपने धर्म का प्रचार किया था।

इनका जन्म कब हुआ इसका पता लगाना कठिन है। खोज से पता चलता है कि ये काशी के रहने वाले थे। शैव धर्म को मानते थे तथा विश्वनाथ के मंदिर में पूजा करते थे। इन्होंने सर्वप्रथम विंध्याचल को पार करके दक्षिणी भारत के जंगलों को कटवाकर मनुष्यों के रहने योग्य बनाया था। इन्होंने जावा, कंबोडिया में जाकर अपने धर्म का प्रचार किया था। और अनेक मंदिरों का निर्माण कराया था। हमारे पूर्वजों ने इनका नाम याद रखने के लिए एक नक्षत्र के नाम पर अगस्त्य रख दिया।

47. **पतंजलि**–पतंजलि संस्कृत के महान् विद्वान थे। इन्होंने संस्कृत व्याकरण की एक उच्चकोटि की पुस्तक लिखी जिसको 'महाभाष्य' कहते हैं। इन्होंने पाणिनि द्वारा लिखी पुस्तक अष्टाध्यायी की टीका व्याख्या भी की है। इन्होंने योगदर्शन नाम की एक पुस्तक भी लिखी है। पतंजलि का जन्म आज से इक्कीस सौ वर्ष पूर्व गोनर्द्र में हुआ था। इनकी माता का नाम गोणिका था। यह काशी में नागकुआँ नामक स्थान पर रहा करते थे।

पतंजलि ने हमारी भाषा को सुव्यवस्थित एवं वैज्ञानिक रूप प्रदान किया। इन्होंने भाषा में उस समय सुधार किया था जबकि संसार के अन्य देशों के लोग जंगली अवस्था में रहते थे। यही कारण है कि विदेशी भी हमारी सभ्यता का लोहा मानते हैं। एक अंग्रेज विद्वान ने इन्हें वैयाकरणों के सम्राट की उपाधि दी है।

48. **याज्ञवल्क्य**–याज्ञवल्क्य नाम के कई विद्वान हुए होंगे। कम से कम दो तो अवश्य हुए होंगे। इनमें से एक का वर्णन महाभारत में मिलता है और दूसरे का राजा जनक के दरबार में होने का वर्णन मिलता है। इनमें से एक के गुरु का नाम वैशम्पायन था। इन्होंने 'शुक्ल यजुर्वेद' तथा 'शतपथ ब्राह्मण' की रचना की थी। दूसरे याज्ञवल्क्य ने धर्मशास्त्र की रचना की। इनका जन्म अठारह वर्ष पूर्व हुआ था। इनके बनाए गए धर्म-ग्रंथ को 'याज्ञवल्क्य स्मृति' या 'याज्ञवल्क्य संहिता' के नाम से पुकारते हैं।

इस पुस्तक में प्राचीनकाल में प्रचलित धार्मिक ग्रंथों की अच्छी बातों को लिया गया है और आवश्यकता के अनुसार खान-पान, विवाह आदि से लेकर व्यवहार से संबद्ध नियम भी बनाए गए हैं; इन्होंने जीवन के किसी अंग को अछूता नहीं छोड़ा है यही कारण है कि याज्ञवल्क्य संहिता का अनुवाद अँग्रेजी व जर्मनी भाषाओं में भी हो चुका है तथा टीकाएँ भी प्रकाशित हो चुकी हैं। इनके बनाए हुए नियम आज भी सर्वमान्य हैं।

49. **भरत**–भरत अयोध्या के राजा दशरथ के पुत्र थे। इनकी माता का नाम कैकेयी था। कैकेयी ने राजा दशरथ से भरत को राजगद्दी और राम को चौदह वर्ष के बनवास का वरदान माँगा था।

ननिहाल से लौटने पर जब राजा की मृत्यु के कारण का पता उनको चला तो लज्जा के कारण उनका मुख पीला पड़ गया और उन्होंने अपनी माता को खूब फटकारा। सब मंत्रियों व रानियों ने सिंहासन पर बैठने की प्रार्थना की परंतु वे गद्दी पर नहीं बैठे। वे वन में राम को लेने के लिए गए। जब रामचंद्रजी नहीं लौटे तो वे उनका खड़ाऊँ लेकर लौट आए। खड़ाऊँओं को सिंहासन पर रखकर राम के प्रतिनिधि के रूप में शासन का काम करने लगे।

संसार में ऐसा त्याग दूसरा देखने को नहीं मिलता। आज हम देखते हैं कि भूमि के एक टुकड़े के पीछे एक मनुष्य दूसरे मनुष्य के खून का प्यासा बन जाता है तथा एक राष्ट्र दूसरे को हड़पने को तैयार बैठा है। भरत का त्याग एक आदर्श उदाहरण है।

50. भीष्म–भीष्म के पिता का नाम शांतनु तथा माता का नाम गंगा था। यह वीर सत्यवादी तथा त्यागी व्यक्ति थे। एक बार शिकार को जाते हुए एक मल्लाह की लड़की को देखकर शांतनु उस पर मोहित हो गए। मल्लाह ने राजा से कहा कि मैं अपनी पुत्री का विवाह तुम्हारे साथ इस शर्त पर कर सकता हूँ कि इसका पुत्र ही राजा बनेगा।

सत्यवती के वियोग में राजा बीमार पड़ गए। बहुत इलाज हुआ पर राजा ठीक नहीं हुए। जब बीमारी के कारण का पता भीष्म को चला तो उन्होंने मल्लाह से प्रतिज्ञा की कि मैं आजन्म ब्रह्मचारी रहूँगा। मल्लाह ने अपनी कन्या का विवाह राजा के साथ कर दिया। सत्यवती के दो पुत्र पैदा हुए। जब वे मर गए तो वंश चलाने को सबने भीष्म से विवाह करने की बात कही। परंतु भीष्म ने अपनी प्रतिज्ञा नहीं तोड़ी। अंत समय भी उन्होंने शरशैया पर पड़े हुए कहा कि जब सूर्य उत्तरायण में होगा तभी मैं अपने प्राणों को त्यागूँगा। जब सूर्य उत्तरायण में हुआ तभी उन्होंने अपने प्राणों को त्यागा। ऐसे थे महान् एवं दृढ़ प्रतिज्ञी भीष्म।

51. व्यास–व्यास के पिता का नाम पराशर ऋषि था। इनका रंग काला था, इसलिए इनका नाम कृष्ण रखा गया। इनका जन्म एक द्वीप में हुआ था। इसलिए इनको द्वैपायन भी कहा जाता है। इन दोनों को मिलाकर इन्हें कृष्ण द्वैपायन व्यास कहा जाता है। पांडु और धृतराष्ट्र इन्हीं के पुत्र थे। व्यास ने महायुद्ध को रोकने का भरसक प्रयास किया पर उनकी बात किसी ने न स्वीकार की।

इन्हीं व्यास ने एक महान् ग्रंथ लिखा जिसका नाम इन्होंने जय रखा जो बाद में महाभारत कहलाया। इसमें उस समय चौबीस हजार श्लोक थे। बाद में इनके शिष्यों ने इनकी संख्या एक लाख कर दी। महाभारत के बराबर संसार में कोई विशाल ग्रंथ नहीं है। इसमें मानव जीवन से संबंधित प्रत्येक विषय को विस्तारपूर्वक लिखा गया है। यही कारण है कि इसे पाँचवाँ वेद भी कहते हैं। गीता इसी का सार है। महाभारत संसार का सबसे बड़ा ग्रंथ है।

52. हर्षवर्धन–हर्षवर्धन का जन्म 647 सं. में हुआ था। इनके पिता प्रभाकरवर्धन दिल्ली के पास थानेश्वर में राज्य करते थे। पिता व बड़े भाई की मृत्यु के पश्चात् संवत् 663 में इनका राजतिलक हुआ। इसके बाद छः वर्ष तक लगातार युद्ध करके इन्होंने अपना राज्य अरब सागर से बंगाल की खाड़ी तक और हिमालय से लेकर विंध्याचल तक कर लिया। इनकी राजधानी कन्नौज थी।

हर्षवर्धन एक कुशल शासक थे। एक चीनी यात्री ह्वेनसांग ने इनके शासन की प्रशंसा की है। इनके राज्य में शांति थी। प्रजा बहुत सुखी थी। अपराधियों को कड़ी सजा दी जाती थी। हर्ष का शासन आदर्श था। राज्य का काम सावधानी से लिखित रूप में होता था। नालंदा का विशाल विश्वविद्यालय इनके राज्य में ही था, जिसमें हजारों छात्र विदेशों से भी शिक्षा प्राप्त करने आते थे।

हर्ष का दरबार कवियों, विद्वानों और पंडितों से भरा रहता था। हर्ष स्वयं कवि थे। इन्होंने 'रत्नावली' तथा 'प्रियदर्शिका' पुस्तकों की रचना की थी। हिंदू लोग धर्म के परिवर्तन के कारण इनसे नाराज थे। अतः इनके मंत्री अर्जुन ने इनका वध कर दिया।

53. शंकराचार्य–शंकराचार्य का जन्म लगभग बारह सौ वर्ष पूर्व केरल प्रदेश में पूर्णा नदी के किनारे पर स्थित कालरी नामक ग्राम में हुआ था। इनके पिता का नाम शिवगुरु तथा माता का नाम सती था। जब इनकी अवस्था केवल तीन वर्ष थी, इनके पिता का स्वर्गवास हो गया। पाँच वर्ष की अवस्था में गुरु के पास पढ़ने गए। कुछ दिनों में अपनी अलौकिक बुद्धि के कारण वेदशास्त्र तथा धर्म ग्रंथों के विद्वान हो गए। भिक्षा माँगते समय एक गरीब स्त्री की गरीबी को देखकर गृहस्थ जीवन से इनको घृणा हो गई और इन्होंने विवाह न करने की प्रतिज्ञा कर ली।

थोड़े ही दिनों में इनका यश चारों ओर फैल गया। केरल के राजा ने इनको अपने दरबार में रखना चाहा। परंतु इन्होंने नौकरी करना स्वीकार नहीं किया। इनकी माता ने इनको संन्यास ग्रहण करने की आज्ञा नदी में डूबने से बचने के समय इस शर्त पर दी कि मरने के पश्चात् मेरा दाह संस्कार तुम्हारे ही हाथों से होगा। इसके पश्चात् इन्होंने गोविंददास संन्यासी के पास जाकर संन्यास की दीक्षा ली। उन्होंने इनका नाम शंकराचार्य रख दिया। शंकराचार्य ने शास्त्रार्थ में पंडित मदनमिश्र तथा उनकी पत्नी सरस्वती को पराजित किया था। माता की मृत्यु के समय वे गाँव गए और क्रिया कर्म करने के पश्चात् गाँव वालों के विरोध करने पर गाँव छोड़कर चले आए। बाद में धर्म का प्रचार करके देश के चारों भागों में मठों की स्थापना की। वृद्धावस्था में इनकी मृत्यु केदारनाथ में हुई। वे मर के भी अमर हो गए।

54. मार्कण्डेय–ये एक ब्राह्मण थे। इनकी तपस्या से प्रसन्न होकर भगवान ने इन्हें एक बार प्रलय का दृश्य दिखाया। उस प्रलय में चारों ओर जल ही जल

था केवल प्रयाग में स्थित वट-वृक्ष ही पृथ्वी पर रह गया था। उसमें भी केवल एक पत्ता रह गया था उसी पर बालक के रूप में बैठकर भगवान अपने पैर का अँगूठा चूस रहे थे। कहते हैं वही वट-वृक्ष प्रयाग के किले में अब भी है।

55. ययाति–ये राजा नहुष के पुत्र थे। इनकी दो रानियाँ थीं–देवयानी और शर्मिष्ठा। देवयानी शुक्राचार्य की पुत्री थी। वे शर्मिष्ठा को रानी के रूप में नहीं देखना चाहती थी। राजा के न मानने पर देवयानी पिता के घर चली गई। इस पर शुक्राचार्य ने राजा को वृद्ध हो जाने का शाप दे दिया। किंतु बाद में यह भी कह दिया कि चाहो तो अपने किसी पुत्र से 'युवावस्था' ले सकते हो। राजा के माँगने पर शर्मिष्ठा के किसी पुत्र ने अपनी जवानी उन्हें न दी किंतु देवयानी के एक पुत्र पुरु ने राजा के आदेश का पालन किया। इससे प्रसन्न होकर राजा ने पुरु को पुनः उसकी जवानी लौटा दी और उसे ही अपना सारा राजपाट दे दिया।

56. राहु-केतु–समुद्र मंथन के समय उसके 14 रत्नों में अमृत का कलश भी निकला। धन्वंतरि वैद्य के हाथ से दैत्यों ने अमृत छीन लिया। इधर देवता परेशान होकर विष्णु के पास पहुँचे उधर राक्षस भी अमृत के लिए आपस में लड़ने लगे। भगवान ने तुरंत मोहिनी का रूप ग्रहण कर लिया। राक्षसों ने उस पर प्रसन्न होकर अमृत का कलश उसके हाथ में सौंपकर बाँटने के लिए कहा। भगवान ने देवों और दैत्यों को दो पंक्तियों में बैठाकर देवताओं को सारा अमृत पिला दिया। राहु नामक दैत्य देवताओं की पंक्ति में सूर्य और चंद्र के बीच बैठ गया उसे भी अमृत मिल गया पर सूर्य और चंद्र ने धीरे से भगवान को बता दिया। भगवान ने चक्र सुदर्शन चलाकर तुरंत उसका सिर धड़ से अलग कर दिया। पर अमृत के प्रभाव से दोनों अंग अमर हो गए। उसका सिर केतु नामक ग्रह हो गया। यही राहु केतु सूर्य और चंद्रमा को ग्रस लेते हैं। बताते हैं कि इसी से सूर्य और चंद्र-ग्रहण होते हैं।

57. छत्रसाल–छत्रसाल के पिता का नाम चंपतराय था। इनका जन्म एक पहाड़ी गाँव में सन् 1648 में हुआ था। इनका प्रारंभिक जीवन आराम से नहीं बीता। इनके पिता ने रानी के साथ मायके भेज दिया और चार वर्ष तक वहीं रहे। सोलह वर्ष में इनके माता-पिता का स्वर्गवास हो गया। इन्होंने अपने बड़े भाई से मिलकर बुंदेलखंड का दुबारा राज्य स्थापित करने की योजना बनाई। अपने माता-पिता के जेवर बेचकर तीन सौ सैनिकों की एक सेना को तैयार करके कुशलता से युद्ध करना प्रारंभ कर दिया। छत्रसाल को अपने जीवन में कभी भी हार का मुँह नहीं देखना पड़ा। उनके शासन में प्रजा बड़ी सुखी थी। सन् 1731 में 83 वर्ष की अवस्था में इनकी मृत्यु हो गई। इनके जीवन से हमें यह शिक्षा मिलती है कि जीवन की सफलता कर्तव्यपरायणता में है। हम चाहें तो महान् से महान् कार्य भी कर सकते हैं। प्रारब्ध भी परिश्रमी के साथ रहता है।

58. टीपू सुल्तान–टीपू सुल्तान का जन्म सन् 1753 ई. में हुआ। इनके पिता का नाम हैदरअली था। इनके पिता मैसूर के शासक थे। उन्होंने मैसूर राज्य की सीमा को काफी विस्तृत किया। टीपू सुल्तान की अवस्था जब तीस वर्ष थी, हैदरअली की मृत्यु हो गई। पिता की मृत्यु के बाद तीस वर्ष की आयु में टीपू सुल्तान मैसूर का शासक बना।

उस समय ईस्ट इंडिया कंपनी का राज्य बढ़ रहा था। अँग्रेजों ने मराठों से संधि कर टीपू पर आक्रमण कर दिया। टीपू ने अपनी सेना को सुदृढ़ नहीं किया था। इस बार टीपू की हार हुई और युद्ध क्षेत्र में ही वह वीरगति को प्राप्त हुआ। अँग्रेजों एवं मराठा सैनिकों ने उसके खजाने को लूट लिया।

टीपू सुल्तान महान् वीर, कुशल शासक और देशभक्त था। उसके राज्य में कोई शराब नहीं पी सकता था। राजाज्ञा का उल्लंघन करने वालों को कठोर दंड दिया जाता था। हिंदुओं के प्रति टीपू सहिष्णु था।

59. मीराबाई–मीराबाई का जन्म राजस्थान में हुआ था। इनके पिता रतन जी मेड़ता जागीरदार थे। माता की मृत्यु जन्म के समय हो गई थी। अतः पालन-पोषण दादा जी ने किया। श्रीकृष्ण के प्रति भक्ति की भावना की प्रेरणा इनको यहीं से हुई। संवत् 1573 में इनका विवाह मेवाड़ नरेश राणा सांगा के पुत्र कुँवर भोजराज के साथ हुआ। दस वर्ष आनंदपूर्वक रहने के पश्चात् इनके पति की मृत्यु हो गई।

पति की मृत्यु के पश्चात् मीरा का समय गिरधर गोपाल कृष्ण की आराधना में लगने लगा। इतना ही नहीं बल्कि साधुओं की मंडली में कृष्ण की मूर्ति के सामने भावविह्वल हो नाचने लगती थीं। राज परिवार के लोगों को यह अच्छा नहीं लगा। इनको कई बार विष दिया गया। अंत में तंग आकर मेवाड़ छोड़कर वो तीर्थयात्रा पर निकल पड़ीं। द्वारका में इनकी मृत्यु हुई। मीरा के पद आज भी गाए जाते हैं।

60. तुलसीदास–तुलसीदास का जन्म बाँदा जिले के राजापुर नामक गाँव में हुआ था। माता का नाम हुलसी एवं पिता का नाम आत्माराम दुबे था। जन्म के ही समय माता की मृत्यु हो गई। बड़े होने पर कष्टमय जीवन बिताना पड़ा। इनके बचपन का नाम रामबोला था। इनका विवाह रत्नावली के साथ हुआ था। यह अपनी पत्नी से अत्यधिक प्रेम करते थे। ऐसा कहा जाता है कि पत्नी के द्वारा फटकारे जाने पर इनको वैराग्य हो गया और घर छोड़कर निकल पड़े। इन्होंने रामचरित मानस नामक प्रसिद्ध ग्रंथ की रचना की, जो भारतीय जनमानस के आस्था एवं विश्वास का केंद्र है। इसका पारायण जितना किया जाता है शायद ही संसार में कोई दूसरा ग्रंथ हो जो इसकी समानता कर सके। सन् 1680 में तुलसीदास की मृत्यु हो गई।

61. शेरशाह–शेरशाह का वास्तविक नाम फरीद खाँ था। शेरशाह के पिता

हसन खाँ जौनपुर के राज्यपाल के यहाँ नौकरी करते थे। बाद में इनको बिहार में जागीर मिल गई और ये वहीं रहने लगे। फरीद खाँ की अपनी सौतेली माँ से कभी नहीं पटती थी। फरीद ने आगे चलकर बहादुर खाँ लोहानी के यहाँ नौकरी कर ली। फरीद ने शेर को तलवार से मारकर लोहानी के प्राणों की रक्षा की। अतः लोहानी ने प्रसन्न होकर शेरखाँ की उपाधि प्रदान की। बाद में राजा हो जाने पर फरीद ने अपना नाम शेरशाह रखा।

पिता की मृत्यु के पश्चात् जागीर शेरशाह को मिली। शेरशाह ने हुमायूँ को भी परास्त किया और स्वयं भारत का सम्राट बन गया। शेरशाह का शासन बड़ा अच्छा था। उसने सड़कें, धर्मशालाएँ और कुएँ बनवाए। सड़कों पर वृक्ष लगवाए। राज्य में प्रजा बहुत सुखी थी। उसके राज्य में कोई भी भूखा नहीं रहता था।

62. दुर्गावती–दुर्गावती का जन्म 1850 में खजुराहो में हुआ था। इनके पिता कीर्तिराय चंदेल थे जो महोबा और कालिंजर के आस-पास राज्य करते थे। इनकी पुत्री दुर्गावती सुंदर, सुशील और वीर थी। बचपन में इनको तलवार चलाने, शिकार खेलने एवं तीर चलाने का शौक था। रानी दुर्गावती का विवाह गोड़वाना के राजा दलपतिशाह के साथ हुआ था। विवाह के चार वर्ष बाद ही पति की मृत्यु हो गई। पति की मृत्यु के बाद पुत्र को गद्दी पर बैठाकर स्वयं शासन करने लगी।

63. गुरु गोविंद सिंह–गुरु गोविंद सिंह जी सिक्खों के दसवें गुरु थे। इनका जन्म बिहार के पटना शहर में सन् 1666 ई. में हुआ था। इनके पिता का नाम गुरु तेगबहादुर था। पिता की मृत्यु हो जाने के कारण अल्पावस्था में ही इन्हें गुरु की गद्दी सँभालनी पड़ी। गुरु गोविंद सिंह जी मुसलमानों के अत्याचार से हिंदू समाज को मुक्त कराना चाहते थे। इन्होंने सर्वप्रथम पाँच शिष्यों को शिक्षा दी जो पंचप्यारे के नाम से जाने जाते हैं। गुरु गोविंद सिंह का विश्वास था कि–

सवा लाख से एक लड़ाऊँ।
तो गुरु गोविंद सिंह नाम कँहाऊ।।

64. नामदेव–महात्मा नामदेव एक पहुँचे हुए संत थे। इनके माता-पिता के विषय में कुछ भी मालूम नहीं है। खोजों के आधार पर इनको दामोदर नामक व्यक्ति ने भीमा नदी के किनारे पड़े पाया था। उसकी पत्नी गुणबाई ने इनका पालन-पोषण किया था। ये लोग आज से लगभग सौ वर्ष पूर्व गोकुलपुर नामक गाँव में रहते थे।

आठ वर्ष की अवस्था में ही इन्होंने योगाभ्यास प्रारंभ कर दिया था। एक बार इनके माता-पिता कहीं बाहर गए। चलते समय कह गए थे कि बेटा बिना विट्ठलनाथ को खाना खिलाए न खाना। नामदेव थाली परोसकर उनके सामने बैठ गए और कहा जब तक तुम खाना न खाओगे तब तक मैं भी न खाऊँगा। नामदेव के हठ को पूरा करने के लिए विट्ठलनाथ को मनुष्य का रूप धारण करके खाना,

खाना पड़ा। आने पर माता-पिता को सारा हाल ज्ञात हुआ तो बड़े प्रसन्न हुए।

एक दिन बबूल की डाल को काटते समय इनको ऐसा लगा कि जैसे किसी मनुष्य के गर्दन पर कुल्हाड़ी चला रहे हों। इस घटना से दुःखी होकर इन्होंने घर छोड़ दिया। एक बार ये चार सौ भक्तों के साथ जा रहे थे। अधिकारियों ने डाकू का गिरोह समझकर गिरफ्तार कर लिया था। जब नामदेव राजा के सामने पहुँचे तो इन्होंने उनके सामने मरी गाय को जीवित कर दिया। चमत्कार देखकर राजा ने इनसे क्षमा माँगी। महाराष्ट्र में आज भी इनका नाम बड़ी श्रद्धा से लिया जाता है।

65. अबुल फजल–अबुल फजल के पिता मुबारक आगरे के पास रहते थे। इनका जन्म सन् 1551 में हुआ था। ये फारसी तथा संस्कृत के अच्छे विद्वान थे। चौबीस वर्ष की अवस्था में इनकी भेंट अकबर से हुई। वह इनकी विद्वत्ता से इतना प्रभावित हुआ कि इनको दरबार में रख लिया। एक बार जहाँगीर ने अकबर के विरुद्ध विद्रोह कर दिया। अबुल फजल ने इस प्रकार से सहायता की कि सलीम की हार हुई। अकबर ने इनको दक्षिण से बुलवाया, दक्षिण से आते समय जहाँगीर ने शत्रुतावश इनको मरवा दिया।

अबुल फजल का चरित्र बड़ा ही ऊँचा था। वह कभी भी किसी के साथ शत्रुता का व्यवहार नहीं करते थे। इनके जीवन से हमको यह शिक्षा मिलती है कि हमको जाति-पांति और धर्म के भेद-भाव को भुलाकर सबके साथ प्रेम का व्यवहार करना चाहिए।

●●●